Word master

중등 실력

Writers

박혜란 조은정 홍미정

Staff

발행인 정선욱
퍼블리싱 총괄 남형주
개발 김태원 김한길 박하영 송경미
기획 · 디자인 · 마케팅 조비호 김정인 framewalk
유통 · 제작 서준성 김경수

워드마스터 중등 실력 **202209 제2판 1쇄 202412 제2판 13쇄**
펴낸곳 이투스에듀㈜ 서울시 서초구 남부순환로 2547
고객센터 1599-3225
등록번호 제2007-000035호
ISBN 979-11-389-1085-9 [53740]

• 이 책은 저작권법에 따라 보호받는 저작물이므로 무단전재와 무단복제를 금합니다.
• 잘못 만들어진 책은 구입처에서 교환해 드립니다.

문법이 없으면
약간의 의미가 전달되지만,
어휘가 없이는
의미가 전혀 전달되지 않는다. -Wilkins

아기들이 말을 배우는 과정을 유심히 살펴 본 적이 있나요? 처음에는 단어 몇 개로 말을 하다가 점차로 많은 단어를 말하다가 비로소 문장 형태로 말을 합니다. 여러 단어들을 엮어서 문장으로 말을 하게 되는 거죠.

이처럼 단어는 새로운 언어를 배울 때 중요한 첫 관문이자, 기본 바탕이 됩니다. 하지만 정말 많은 영어 단어 중에서 어떤 단어를 어떻게 배우는 게 가장 효과적일까요?

여기 워드마스터 중등 실력에 그 답이 있습니다.

- 주제별로 학습합니다. 연관성 높은 단어들을 묶어 학습하면 여러분의 머릿속에 어휘들의 그룹이 생겨납니다.
- 쉬운 어휘부터 어려운 어휘 순서로 학습합니다. 공부할 때 자신감만큼 중요한 건 없어요. 알고 있는 단어부터 차근차근 공부하다 보면 어려운 단어도 쉽게 내 것으로 만들 수 있습니다.
- 예문 학습도 굉장히 중요합니다. 단어가 실제 문장에서 어떻게 쓰이는지 확인하는 과정입니다. 교과서와 시험에 나오는 예문으로 공부하세요.
- 비슷한 말, 반대말, 그리고 관련 어휘들도 함께 공부하면 훨씬 풍부한 어휘력을 갖게 됩니다.
- Voca tip과 Culture tip을 통해서 단어와 관련된 유용한 표현, 어원, 문화적인 배경 등을 확인할 수 있습니다.

여러분, 워드마스터 중등 실력과 함께 재미있는 영어 공부를 시작해 봐요!

Features

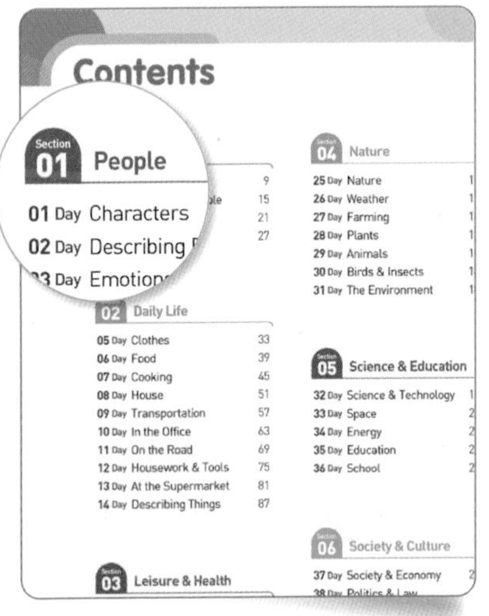

주제별 단어 학습

우리의 생활과 밀접하게 관련된 People, Daily Life, Leisure & Health, Nature, Science & Education, Society & Culture의 6가지 큰 주제를 다시 40개의 소주제로 나누어 의미가 긴밀히 연결된 단어들을 함께 제시합니다. 주제별 학습은 단어들 간의 연상 작용을 통해 학습 흥미와 암기 효과를 높여 줍니다.

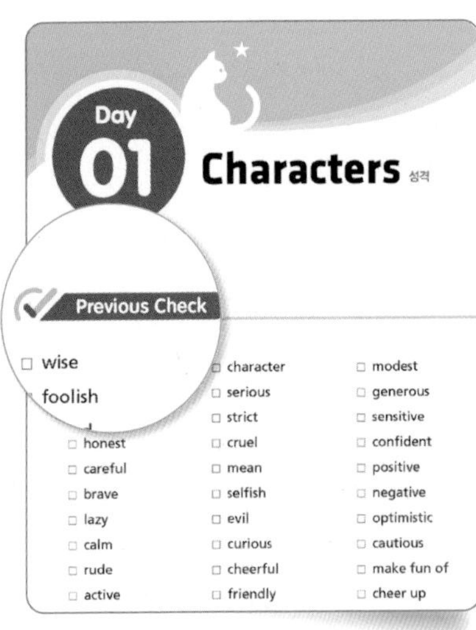

Previous Check

각 Day 별로 학습할 단어들을 미리 체크해 볼 수 있습니다.

ex)

- 뜻을 명확하게 알고 있는 단어 ○
- 뜻이 잘 생각나지 않는 단어 △
- 생소한 단어 ×

위의 예와 같이 체크하면 본문에서 좀 더 자세히 봐야 할 단어들에 집중해 학습할 수 있고, 학습이 끝난 후 다시 돌아와 헷갈리거나 몰랐던 단어들을 모두 정확하게 학습했는지 체크해 볼 수 있습니다.

이 책에 나오는 약호

ⓝ 명사	ⓥ 동사	ⓐ 형용사	ⓐⓓ 부사
⊜ 동의어	↔ 반의어	⊕ 파생어, idiom, collocation	

난이도 구분

Basic Intermediate Advanced

한 Day 안에서 쉬운 단어부터 어려운 단어 순으로 배치하여 난이도별로 체계적 단어 학습이 가능합니다.

교과서 및 기출 예문

학습한 단어가 실제 교과서와 시험에서 어떻게 적용되는지 파악할 수 있습니다.

관련 어휘 • 구 보강

표제어 1200 단어의 관련 어휘, collocation을 함께 제공하여 단어의 활용도를 높일 수 있는 확장 학습이 가능합니다.

Voca tip & Culture tip

표제어와 관련된 유용한 표현, 합성어, 문법 규칙, 접두사 · 접미사, 유의어의 의미 차이, broken English, 영미 문화 등 다양하고 유용한 팁을 제공하여 단어 이해와 활용의 폭을 넓힐 수 있습니다.

듣기 QR 코드

표제어와 뜻을 읽어 주는 표제어 암기용 MP3를 QR코드를 통해 쉽게 들을 수 있습니다.

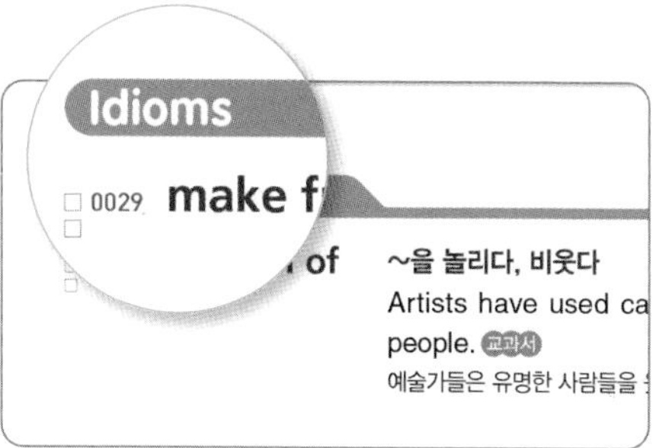

필수 숙어 Idioms

한 Day 안에서 2~3개의 필수 숙어를 함께 학습할 수 있습니다.

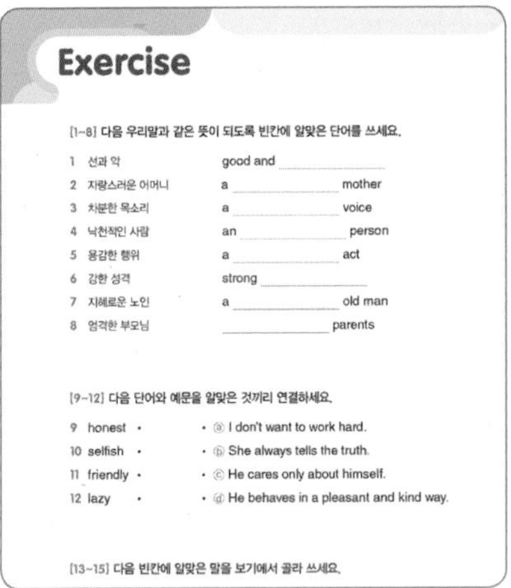

Exercise

[1~8] 다음 우리말과 같은 뜻이 되도록 빈칸에 알맞은 단어를 쓰세요.

1	선과 악	good and ________
2	자랑스러운 어머니	a ________ mother
3	차분한 목소리	a ________ voice
4	낙천적인 사람	an ________ person
5	용감한 행위	a ________ act
6	강한 성격	strong ________
7	지혜로운 노인	a ________ old man
8	엄격한 부모님	________ parents

[9~12] 다음 단어와 예문을 알맞은 것끼리 연결하세요.

9 honest • • ⓐ I don't want to work hard.
10 selfish • • ⓑ She always tells the truth.
11 friendly • • ⓒ He cares only about himself.
12 lazy • • ⓓ He behaves in a pleasant and kind way.

[13~15] 다음 빈칸에 알맞은 말을 보기에서 골라 쓰세요.

누적 테스트 3일째 이름 점수

1	young	11	surprised
2	joy	12	pleased
3	honest	13	positive
4	plain	14	appearance
5	regret	15	upset
6	lazy	16	frightened
7	bald	17	cautious
8	laugh	18	grow up
9	mad	19	grateful
10	cruel	20	anxious

누적 테스트 4일째 이름 점수

1	proud	11	depressed
2	disappointed	12	ashamed
3	amused	13	handsome
4	scientist	14	slim

Exercise

어구 완성, 단어 간 관계 유추, 성격이 다른 단어 고르기, 문장 완성 등 매회 제공되는 문제들을 통해 학습 성취도를 파악할 수 있습니다.

누적 테스트

날마다 누적 테스트를 통해 앞에서 배운 단어를 반복하여 학습할 수 있습니다.

온&오프 시스템으로 강화된 Word Master의 단어 암기 효과

워크북

본책 학습 후 워크북을 통해 셀프 테스트 및 복습이 가능합니다. 1 Day에서 학습한 단어와 예문을 테스트하는 Daily Check-up과 4 Day씩 학습한 단어를 테스트하는 **4일 누적 테스트**로 구성되어 있습니다.

미니북

표제어의 단어-뜻, 듣기 QR코드가 수록된 미니북으로 언제 어디서나 간편하게 단어를 외울 수 있습니다.

학습앱

자투리 시간을 활용하여 단어 암기뿐만 아니라 MP3 파일 재생, 단어 테스트까지 하나의 앱으로 가능합니다. **워크북**의 **학습앱 코드**를 입력하여 사용하세요!

Contents

Day 01 Characters 성격

Previous Check

□ wise	□ character	□ modest
□ foolish	□ serious	□ generous
□ proud	□ strict	□ sensitive
□ honest	□ cruel	□ confident
□ careful	□ mean	□ positive
□ brave	□ selfish	□ negative
□ lazy	□ evil	□ optimistic
□ calm	□ curious	□ cautious
□ rude	□ cheerful	□ make fun of
□ active	□ friendly	□ cheer up

★ Day 01

Characters

01 02 03 04 05 06 07 08 09 10 11 12 13 14 15 16 17 18 19 20

Basic

□ 0001 **wise** [waiz]
□

ⓐ **지혜로운, 슬기로운**

We feel happy to have a **wise** friend. 기출

우리는 지혜로운 친구가 있어서 행복하다.

⊕ **wisdom** ⓝ 지혜

□ 0002 **foolish** [fú:liʃ]
□

ⓐ **바보 같은, 어리석은** ⊜ stupid

Chagall thought that Icarus was **foolish**. 교과서

샤갈은 이카루스가 어리석다고 생각했다.

□ 0003 **proud** [praud]
□

ⓐ **1. 자랑스러워하는 2. 거만한, 잘난 체하는**

She must be **proud** of her appearance. 교과서

그녀는 자신의 외모를 자랑스럽게 여기는 것이 틀림없다.

⊕ **be proud of** ~을 자랑스럽게 여기다

□ 0004 **honest** [ánist]
□

ⓐ **정직한, 솔직한** ↔ dishonest 부정직한

Ms. Harris is very **honest** and hardworking.

Harris 씨는 무척 정직하고 성실하다.

⊕ **honesty** ⓝ 정직, 솔직함

Voca tip dis-

접두사 dis-는 '반대, 부정'을 나타내므로 앞에 dis-가 붙으면 그 단어는 반대의 의미가 됩니다.

order(질서) ➔ disorder(무질서)　　appear(나타나다) ➔ disappear(사라지다)

□ 0005 **careful** [kerfl]
□

ⓐ **조심성 있는** ↔ careless 조심성 없는

Be **careful** when you open an e-mail from a person you don't know. 기출

모르는 사람에게서 온 이메일을 열 때는 조심해라.

□ 0006 **brave** [breiv]
□

ⓐ **용감한** ⊜ bold

One day, a **brave** prince falls in love with her at first sight.

어느 날 한 용감한 왕자가 첫눈에 그녀와 사랑에 빠진다. 교과서

0007 **lazy** [léizi]
ⓐ **게으른** ↔ diligent 부지런한
I was very **lazy** during my summer vacation.
나는 여름방학 동안 굉장히 게을렀다.

0008 **calm** [kɑːm]
ⓐ **차분한, 침착한**
This song makes me feel **calm**.
이 노래는 나를 차분하게 만든다.

Intermediate

0009 **rude** [ruːd]
ⓐ **무례한, 예의 없는** ≡ impolite
Why are you so **rude** to your parents?
너는 부모님께 왜 그렇게 버릇없이 구니?

0010 **active** [ǽktiv]
ⓐ **활동적인, 적극적인**
My grandmother is very **active**, considering her age.
나의 할머니는 연세에 비해 무척 활동적이시다.
⊕ activity ⓝ 활동

0011 **character** [kǽriktər]
ⓝ **성격, 기질** ≡ personality
She has a strong **character**.
그녀는 성격이 강하다.

0012 **serious** [síəriəs]
ⓐ **진지한, 진심의**
No kidding! I'm **serious**.
농담 아니야! 나는 진심이야.

0013 **strict** [strikt]
ⓐ **엄한, 엄격한** ↔ easygoing 느긋한, 너그러운
My father is **strict**, but my mother is very friendly.
나의 아버지는 엄하시지만, 나의 어머니는 무척 다정하시다.

0014 **cruel** [krúːəl]
ⓐ **잔인한, 무자비한**
Don't you think it's **cruel** to kick the dog?
개를 발로 차는 것은 잔인하다고 생각하지 않니?

0015 **mean** [miːn]
ⓐ **못된, 심술궂은**
Don't be so **mean** to your little sister!
여동생에게 그렇게 못되게 굴지 마!

□ 0016 **selfish** [sélfiʃ]
ⓐ **이기적인** ↔ unselfish, altruistic 이타적인
They blamed him for being **selfish**.
그들은 그가 이기적이라고 비난했다.

□ 0017 **evil** [íːvəl]
ⓐ **나쁜, 사악한** ≡ bad, wicked ⓝ **악** ≡ wickedness
The story is about an **evil** king.
그 이야기는 한 사악한 왕에 관한 것이다.
⊕ **good and evil** 선과 악

□ 0018 **curious** [kjúəriəs]
ⓐ **호기심이 많은, 알고 싶어 하는**
Children are **curious** about everything.
아이들은 모든 것에 대해 호기심이 많다.

□ 0019 **cheerful** [tʃíərfəl]
ⓐ **쾌활한, 명랑한**
He's always **cheerful** at home. 기출
그는 집에서는 항상 명랑하다.

□ 0020 **friendly** [fréndli]
ⓐ **1. 친한, 친절한 2. 호의적인** ↔ unfriendly 적대적인
She is such a **friendly** person.
그녀는 무척이나 친절한 사람이다.

Advanced

□ 0021 **modest** [mádist]
ⓐ **1. 겸손한, 신중한** ≡ humble **2. 중도적인**
He is **modest** about his talent.
그는 자신의 재능에 대해 겸손하다.
⊕ **modesty** ⓝ 겸손, 소박함

□ 0022 **generous** [dʒénərəs]
ⓐ **관대한, (인심이) 후한**
He's very **generous**, and he loves me so much. 기출
그는 매우 관대하고, 나를 아주 많이 사랑한다.

□ 0023 **sensitive** [sénsətiv]
ⓐ **민감한, 예민한**
He is very **sensitive** to weather.
그는 날씨에 매우 민감하다.
⊕ **be sensitive to** ~에 민감하다

0024 **confident** [kánfədənt]

ⓐ 1. 자신만만한 2. 확신하는

A **confident** person tends to enjoy stressful situations.

자신감이 있는 사람은 스트레스가 있는 상황을 즐기는 경향이 있다.

⊕ **be confident of** ~을 확신하다

0025 **positive** [pázətiv]

ⓐ **긍정적인** ↔ negative 부정적인

What we say will have a **positive** effect on our thoughts.

우리가 말하는 것이 우리의 생각에 긍정적인 영향을 미칠 것이다.

0026 **negative** [négətiv]

ⓐ **부정적인** ↔ positive 긍정적인

He has a **negative** point of view.

그는 부정적인 견해를 가지고 있다.

0027 **optimistic** [àptəmístik]

ⓐ **낙관적인, 낙천적인** ↔ pessimistic 비관적인

Despite all her troubles, she's still **optimistic**.

온갖 고난에도 불구하고, 그녀는 여전히 낙천적이다.

0028 **cautious** [kɔ́ːʃəs]

ⓐ **조심스러운, 신중한, 조심하는** ≡ careful

She is **cautious** not to tell secrets.

그녀는 비밀을 말하지 않도록 조심한다.

Voca tip -minded 마음이 ~한

narrow-minded 마음이 좁은 broad-minded 마음이 넓은 open-minded 편견이 없는

Idioms

0029 **make fun of**

~을 놀리다, 비웃다

Artists have used cartoons to **make fun of** well-known people. 교과서

예술가들은 유명한 사람들을 웃음거리로 만들기 위해 만화를 사용해 왔다.

0030 **cheer up**

기운을 내다, ~을 격려하다

Cheer up! You'll do better next time.

기운 내! 다음에는 더 잘할 수 있을 거야.

Exercise

[1~8] 다음 우리말과 같은 뜻이 되도록 빈칸에 알맞은 단어를 쓰세요.

1 선과 악 good and ________________

2 자랑스러운 어머니 a ________________ mother

3 차분한 목소리 a ________________ voice

4 낙천적인 사람 an ________________ person

5 용감한 행위 a ________________ act

6 강한 성격 strong ________________

7 지혜로운 노인 a ________________ old man

8 엄격한 부모님 ________________ parents

[9~12] 다음 단어와 예문을 알맞은 것끼리 연결하세요.

9 honest • • ⓐ I don't want to work hard.

10 selfish • • ⓑ She always tells the truth.

11 friendly • • ⓒ He cares only about himself.

12 lazy • • ⓓ He behaves in a pleasant and kind way.

[13~15] 다음 빈칸에 알맞은 말을 보기에서 골라 쓰세요.

보기	confident	curious	rude

13 Steve is ________________ about the world.
(Steve는 세상에 대해 호기심이 많다.)

14 I am ________________ that everything will be okay.
(나는 모든 일이 잘될 거라고 확신한다.)

15 It is ________________ to point at a person.
(사람을 손으로 가리키는 것은 무례하다.)

Day 02 Describing People 사람 묘사

Previous Check

□ cute	□ neat	□ appearance
□ pretty	□ plain	□ attractive
□ beautiful	□ good-looking	□ charming
□ ugly	□ skinny	□ mustache
□ overweight	□ fit	□ sideburns
□ young	□ muscular	□ middle-aged
□ handsome	□ thin	□ build
□ slim	□ bald	□ image
□ beard	□ curly	□ grow up
□ lovely	□ dye	□ both A and B

★ Day 02

Describing People

01 02 03 04 05 06 07 08 09 10 11 12 13 14 15 16 17 18 19 20

Basic

0031 **cute** [kju:t]

ⓐ **귀여운, 예쁜**

A **cute** baby is sleeping.

한 귀여운 아기가 자고 있다.

0032 **pretty** [príti]

ⓐ **예쁜, 귀여운** ⓐⓓ **매우, 아주** ⊜ very

I remember the **pretty** little girl.

나는 그 예쁜 소녀를 기억한다.

This novel is **pretty** interesting.

이 소설은 매우 재미있다.

0033 **beautiful** [bjú:təfəl]

ⓐ **아름다운**

She really has a **beautiful** mind.

그녀는 참으로 아름다운 마음씨를 가지고 있다.

⊕ **beauty** ⓝ 아름다움, 미녀

0034 **ugly** [ʌ́gli]

ⓐ **못생긴, 추한**

Can you imagine the monster's big mouth and **ugly**, long tail? 교과서

그 괴물의 큰 입과 추하고 긴 꼬리를 상상할 수 있니?

0035 **overweight** [óuvərwèit]

ⓐ **과체중의, 너무 살찐** ⊖ underweight 표준 체중 이하의

More than half of Americans are **overweight**. 기출

미국인들의 절반 이상이 과체중이다.

Voca tip over-

over에는 '~ 이상, ~ 초과'라는 의미가 담겨 있습니다.

over + weight(무게) ➔ overweight(과체중의)

over + eat(먹다) ➔ overeat(과식하다)

over + sleep(자다) ➔ oversleep(늦잠자다)

0036 **young** [jʌŋ]

ⓐ **어린, 젊은** ⊖ old 나이가 든

Many **young** students have their own cell phones.

많은 어린 학생이 자신의 휴대 전화를 갖고 있다.

0037 **handsome** [hǽnsəm]

ⓐ (남자가) 잘생긴

Nikola Tesla was a tall, **handsome** man who spoke eight languages. 기출

Nikola Tesla는 8개 국어를 하는 키가 크고 잘생긴 사람이었다.

0038 **slim** [slim]

ⓐ 호리호리한, 가냘픈, 날씬한

Fashion models work hard to stay **slim**.

패션 모델들은 날씬한 몸을 유지하기 위해 열심히 운동한다.

0039 **beard** [biərd]

ⓝ 턱수염

He was proud of his white hair and long **beard**. 교과서

그는 자신의 백발과 긴 턱수염을 자랑스러워했다.

Intermediate

0040 **lovely** [lʌ́vli]

ⓐ 사랑스러운, 아름다운

Angela is a **lovely** and kind woman.

Angela는 사랑스럽고 친절한 여인이다.

0041 **neat** [niːt]

ⓐ 단정한, 깔끔한

Peter looked fresh and **neat** in a clean white shirt.

깨끗한 흰색 셔츠를 입은 Peter는 말쑥하고 깔끔해 보였다.

0042 **plain** [plein]

ⓐ 평범하게 생긴, 꾸밈없는

The interior of the building was **plain** and simple.

그 건물의 내부는 꾸밈없고 소박했다.

0043 **good-looking** [gùdlúkiŋ]

ⓐ 잘생긴

He is **good-looking** and smart.

그는 잘생기고 똑똑하다.

0044 **skinny** [skíni]

ⓐ 깡마른, 바싹 여윈 ↔ fat 살찐

You're too **skinny**. You need to gain some weight.

너는 너무 말랐다. 체중을 늘릴 필요가 있다.

0045 **fit** [fit]

ⓐ 건강한 ⓥ 적합하다, 꼭 맞다

Are you a **fit** person?

당신은 건강한 사람입니까?

□ 0046 **muscular** [mʌ́skjulər]

ⓐ **근육질의, 건장한**
His arms are very **muscular**.
그의 팔은 매우 근육질이다.
⊕ **muscle** ⓝ 근육

□ 0047 **thin** [θin]

ⓐ **1. (몸, 손가락 등이) 가는, 가느다란 2. 여윈, 수척한 3. (머리카락 등이) 숱이 적은** ↔ thick 두꺼운, 숱이 많은
He has a large body, but **thin** legs.
그는 몸통은 큰데 다리는 가늘다.

□ 0048 **bald** [bɔːld]

ⓐ **대머리의**
Brad is almost **bald**, but he is still handsome.
Brad는 거의 대머리지만 그래도 잘생겼다.

□ 0049 **curly** [kə́ːrli]

ⓐ **곱슬거리는** ↔ straight 직모의
She was a ninth grade student with short **curly** hair. 교과서
그녀는 짧은 곱슬머리의 9학년 학생이었다.

□ 0050 **dye** [dai]

ⓥ **염색하다**
She **dyed** her hair purple.
그녀는 머리카락을 보라색으로 염색했다.

Voca tip -haired

haired는 '머리카락이 ~한'이라는 뜻으로 red, silver, dark, long 등과 같은 단어들과 결합하여 머리 색깔이나 모양을 나타냅니다.

red-haired 빨강 머리의	silver-haired 은발의	gray-haired 백발의
dark-haired 짙은 머리색의	long-haired 긴 머리의	blonde 금발의

Advanced

□ 0051 **appearance** [əpíərəns]

ⓝ **외모**
Never judge a person by their **appearance**.
절대 외모로 사람을 판단하지 마라.

□ 0052 **attractive** [ətrǽktiv]

ⓐ **매력적인** ⊜ charming
She has an **attractive** smile.
그녀는 매력적인 미소를 지니고 있다.
⊕ **attract** ⓥ (마음을) 끌다

□ 0053 **charming** [tʃɑ́:rmiŋ]
ⓐ **매력적인, 멋진** ⊜ attractive
I have never seen such a **charming** lady.
나는 그렇게 매력적인 여인을 본 적이 없다.

□ 0054 **mustache** [mʌ́stæʃ]
ⓝ **코밑수염**
His **mustache** makes him look great.
그의 코밑수염이 그를 멋져 보이게 한다.

□ 0055 **sideburns** [sáidbə̀:rnz]
ⓝ **구레나룻**
The actor grew long **sideburns** for the movie.
그 배우는 영화를 위해서 긴 구레나룻을 길렀다.

□ 0056 **middle-aged** [mídléidʒid]
ⓐ **중년의**
She is a **middle-aged** woman about fifty years old.
그녀는 50세 가량의 중년 여성이다.

□ 0057 **build** [bild]
ⓝ **체격** ⓥ **짓다, 건축하다** (built-built)
He has a good **build**.
그는 좋은 체격을 가지고 있다.
Our company **built** the nice bridge.
우리 회사가 그 멋진 다리를 지었다.

□ 0058 **image** [ímidʒ]
ⓝ **이미지, 상, 형태** ⊜ figure
Her public **image** is different from her true self.
그녀의 대중적 이미지는 실제 본성과 다르다.

Idioms

□ 0059 **grow up**
성장하다, 자라다
When she **grew up**, she became a symbol of beauty. 교과서
그녀는 자라서 아름다움의 상징이 되었다.

□ 0060 **both A and B**
A와 B 둘 다
Both my brother **and** I like to sleep under the tree in our yard. 교과서
나의 형과 나는 둘 다 우리집 마당에 있는 나무 아래에서 자는 것을 좋아한다.

Exercise

[1~8] 다음 우리말과 같은 뜻이 되도록 빈칸에 알맞은 단어를 쓰세요.

1 미운 오리 새끼 — an ______________ duckling

2 많은 어린 학생들 — many ______________ students

3 곱슬거리는 머리카락 — ______________ hair

4 머리가 벗겨지다 — go ______________

5 코밑수염을 기르다 — grow a ______________

6 미녀와 야수 — ______________ and the beast

7 단정한 필체 — ______________ handwriting

8 매력적인 목소리 — an ______________ voice

[9~12] 다음 괄호 안의 단어를 문맥에 맞게 알맞은 형태로 바꾸거나, 단어를 추가하여 빈칸에 쓰세요.

9 Look at him. He is so ______________! (muscle)

10 She is very thin. In other words, she is ______________. (skin)

11 He is ______________. He needs to lose weight. (weight)

12 She grew into a ______________ young lady. (love)

[13~15] 다음 괄호 안에 주어진 단어를 이용하여 영작하세요.

13 그 예쁜 인형은 나의 것이다. (pretty)

____

14 절대 외모로 사람을 판단하지 마라. (their appearance)

____

15 너는 오늘 무척 날씬해 보인다. (slim)

____

Day

03 Emotions 감정

Previous Check

□ enjoy	□ worried	□ depressed
□ cry	□ regret	□ frightened
□ glad	□ bother	□ ashamed
□ fear	□ excited	□ emotion
□ joy	□ surprised	□ sympathy
□ miss	□ pleased	□ satisfied
□ laugh	□ horrible	□ disappointed
□ mad	□ grateful	□ amused
□ annoyed	□ anxious	□ calm down
□ upset	□ delighted	□ feel sorry for

Day 03 Emotions

01 02 **03** 04 05 06 07 08 09 10 11 12 13 14 15 16 17 18 19 20

Basic

□ 0061 **enjoy** [indʒɔ́i]
ⓥ 즐기다
You can **enjoy** the beautiful view here. 기출
여기에서 아름다운 경치를 즐기실 수 있습니다.

□ 0062 **cry** [krai]
ⓥ 울다
When my puppy died, I **cried** a lot.
나의 강아지가 죽었을 때, 나는 많이 울었다.

Voca tip cry *vs.* weep *vs.* sob

cry, weep, sob은 모두 '울다'라는 뜻이지만, 다음과 같이 우는 모습이 다릅니다.
cry: 소리 내어 울부짖으며 울다 weep: 소리 없이 눈물을 흘리며 울다
sob: 흐느끼면서 훌쩍이며 울다

□ 0063 **glad** [glæd]
ⓐ 기쁜 ⊜ pleased
He was **glad** that he was still young. 교과서
그는 자신이 여전히 젊다는 것에 기뻤다.

□ 0064 **fear** [fiər]
ⓝ 공포
I have a **fear** of heights.
나는 고소 공포증이 있다.

□ 0065 **joy** [dʒɔi]
ⓝ 기쁨, 즐거움 ⊜ pleasure
He was so happy that he jumped for **joy**. 교과서
그는 너무 행복해서 기쁨으로 날뛰었다.

□ 0066 **miss** [mis]
ⓥ 1. 그리워하다 2. 놓치다
I will **miss** you! Please come back soon.
당신이 그리울 거예요! 곧 돌아오세요.

□ 0067 **laugh** [læf]
ⓥ 웃다
Cartoonists make you **laugh** with simple language and creative drawings. 교과서
만화가들은 간단한 말과 창의적인 그림으로 당신을 웃게 만든다.
⊕ **laugh at** ~을 비웃다

Intermediate

□ 0068 **mad** [mæd]
□

ⓐ 1. 몹시 화난, 성난 2. 미친, 제정신이 아닌

His boss was **mad** at Thomas and threatened to fire him.
그의 상사는 Thomas에게 몹시 화가 나서 그를 해고해 버리겠다고 협박했다.

She was nearly driven **mad** by grief.
그녀는 슬픔으로 거의 미칠 지경이었다.

□ 0069 **annoyed** [ənɔ́id]
□

ⓐ 짜증 난, 화가 난

I was **annoyed** with myself for losing a lot of money.
나는 많은 돈을 잃어버려서 나 자신에게 화가 났다.

□ 0070 **upset** [ʌpsét]
□

ⓐ 화가 난, 기분이 상한

I was **upset** because she didn't keep her promise.
나는 그녀가 자신의 약속을 지키지 않아서 화가 났다.

□ 0071 **worried** [wə́:rid]
□

ⓐ 걱정스러운

I'm **worried** that they will not be friends anymore. 교과서
나는 그들이 더이상 친구가 되지 않을까봐 걱정스럽다.

□ 0072 **regret** [rigrét]
□

ⓝ 유감, 후회 ⓥ 후회하다

I **regret** doing such a stupid thing.
나는 그런 어리석은 짓을 한 것을 후회한다.

⊕ **regretful** ⓐ 유감인, 후회하는

Voca tip -ful

명사에 -ful이 붙으면, 그 명사는 '~한'이라는 뜻을 지닌 형용사가 됩니다.
joy(기쁨) ➔ joyful(기쁜) fear(공포) ➔ fearful(무서운) beauty(아름다움) ➔ beautiful(아름다운)

□ 0073 **bother** [bɑ́ðər]
□

ⓥ 괴롭히다, 방해하다

Taking selfies in public restrooms may **bother** other people. 교과서
공중화장실에서 셀카를 찍는 것은 다른 사람들에게 방해가 될지도 모른다.

□ 0074 **excited** [iksáitid]
□

ⓐ 흥분한, 신이 난

Jenny was **excited** to hear of his success.
Jenny는 그의 성공 소식을 듣고 흥분했다.

0075 **surprised** [sərpráizd]
ⓐ **놀란**
My dad was **surprised** to hear the news.
나의 아버지는 그 소식을 듣고 놀라셨다.
⊕ **surprise** ⓝ 놀라운 일, 놀람 ⓥ 놀라게 하다

0076 **pleased** [pliːzd]
ⓐ **기쁜, 좋아하는**
Your mom will be **pleased** with your success.
너의 엄마는 네 성공에 기뻐하실 것이다.
⊕ **be pleased with** ~에 기쁘다

0077 **horrible** [hɔ́ːrəbl]
ⓐ **무서운, 끔찍한**
She woke up in the middle of the night because of a **horrible** nightmare.
그녀는 무서운 악몽 때문에 한밤중에 잠에서 깼다.

0078 **grateful** [gréitfəl]
ⓐ **감사하는, 고맙게 여기는** ⊜ thankful
I would be **grateful** if you could solve this matter quickly.
이 문제를 빨리 해결해 주시면 감사하겠습니다.

0079 **anxious** [ǽŋkʃəs]
ⓐ **걱정되는, 근심이 되는**
Many people are **anxious** about their future.
많은 사람이 자신들의 미래에 대해 걱정한다.
⊕ **be anxious about** ~에 대해 걱정하다

Advanced

0080 **delighted** [diláitid]
ⓐ **매우 기뻐하는**
She was **delighted** to recover her voice.
그녀는 목소리를 회복하게 되어 매우 기뻤다.
⊕ **delight** ⓥ 기쁘게 하다

0081 **depressed** [diprést]
ⓐ **의기소침한, 낙담한, 우울한** ⊜ discouraged
She became very **depressed** after her mother's death.
그녀는 어머니의 죽음 이후 매우 우울해졌다.
⊕ **depress** ⓥ 낙담하게 하다, 우울하게 하다

0082 **frightened** [fráitnd]
ⓐ **깜짝 놀란, 겁이 난**
The snake won't hurt you, so don't be **frightened**.
그 뱀은 너를 해치지 않을 것이니 겁먹지 마라.
⊕ **frighten** ⓥ 놀라게 하다, 겁먹게 만들다

0083 **ashamed** [əʃéimd]

ⓐ 부끄러워하는

Aren't you **ashamed** of what you've done to me?

네가 나에게 한 짓에 대해 부끄럽지 않니?

⊕ be ashamed of ~에 대해 부끄러워하다

0084 **emotion** [imóuʃən]

ⓝ 감정

The little boy didn't show any **emotion**.

그 소년은 어떠한 감정도 표현하지 않았다.

0085 **sympathy** [símpəθi]

ⓝ 동정

I offered my **sympathy** to him and cheered him up.

나는 그에게 동정을 표하고 기운을 북돋아 주었다.

⊕ sympathetic ⓐ 동정심 있는, 동정어린

0086 **satisfied** [sǽtisfàid]

ⓐ 만족한

I am very **satisfied** with your service. Thank you. 기출

저는 당신의 서비스에 매우 만족합니다. 감사드려요.

⊕ satisfaction ⓝ 만족 be satisfied with ~에 만족하다

0087 **disappointed** [dìsəpɔ́intid]

ⓐ 실망한, 낙담한

He was **disappointed** at the decision.

그는 그 결정에 실망했다.

⊕ disappointment ⓝ 실망 be disappointed at ~에 실망하다

0088 **amused** [əmjúːzd]

ⓐ 즐기는, 즐거워하는

She was very **amused** with the musical.

그녀는 그 뮤지컬을 매우 즐거워했다.

⊕ amuse ⓥ 즐겁게 하다

Idioms

0089 **calm down**

진정하다, 흥분을 가라앉히다

When I want to **calm down**, I listen to classical music.

나는 마음을 안정시키고 싶을 때, 클래식 음악을 듣는다.

0090 **feel sorry for**

~을 안쓰럽게[안됐다고] 여기다, ~에게 미안함을 느끼다

I didn't want to **feel sorry for** myself.

나는 나 자신을 안쓰럽게 여기고 싶지 않았다.

Exercise

[1~8] 다음 우리말과 같은 뜻이 되도록 빈칸에 알맞은 단어를 쓰세요.

1 놀란 표정 a ________________ look

2 흥분을 가라앉히다 ________________ down

3 많이 울다 ________________ a lot

4 ~을 비웃다 ________________ at

5 ~에 대해 걱정하다 be ________________ about

6 ~에 대해 부끄러워하다 be ________________ of

7 ~에 만족하다 be ________________ with

8 ~에 실망하다 be ________________ at

[9~11] 다음 짝지어진 두 단어의 관계가 같도록 빈칸에 알맞은 단어를 쓰세요.

9 ________________ : joyful = regret : regretful

10 depress : depressed = ________________ : delighted

11 ________________ : frighten = amused : amuse

[12~15] 다음 중 단어의 성격이 나머지와 다른 하나를 고르세요.

12 ① delighted ② worried ③ excited ④ pleased

13 ① amuse ② enjoy ③ cry ④ joy

14 ① frightened ② fear ③ horrible ④ grateful

15 ① annoyed ② mad ③ upset ④ sympathy

Day 04

Jobs 직업

Previous Check

□ baker	□ photographer	□ hairdresser
□ reporter	□ president	□ accountant
□ engineer	□ salesperson	□ novelist
□ scientist	□ carpenter	□ security guard
□ lawyer	□ businessman	□ astronaut
□ dentist	□ fisherman	□ detective
□ mechanic	□ soldier	□ secretary
□ architect	□ professor	□ illustrator
□ officer	□ judge	□ be good at
□ gardener	□ announcer	□ be[become] interested in

★ Day 04

Jobs

01 02 03 **04** 05 06 07 08 09 10 11 12 13 14 15 16 17 18 19 20

Basic

0091 **baker** [béikər]

ⓝ **제빵사**

Bakers use an oven to bake bread.

제빵사들은 빵을 굽기 위해 오븐을 사용한다.

⊕ **bake** ⓥ 빵을 굽다 **bakery** ⓝ 제과점, 빵집

0092 **reporter** [ripɔ́ːrtər]

ⓝ **기자, 통신원** ⊜ journalist

A local newspaper **reporter** wrote an article on the situation. 교과서

한 지역 신문 기자가 그 상황에 대한 기사를 썼다.

⊕ **report** ⓥ 알리다, 보고하다

0093 **engineer** [èndʒəníər]

ⓝ **기사, 기술자**

I've worked as an **engineer** for two years.

나는 2년 동안 기술자로 일해 왔다.

⊕ **computer engineer** 컴퓨터 기술자

0094 **scientist** [sáiəntist]

ⓝ **과학자**

Some **scientists** are looking at Mars as a new home. 교과서

몇몇 과학자들은 새로운 거처로 화성을 주목하고 있다.

0095 **lawyer** [lɔ́ːjər]

ⓝ **변호사** ⊜ attorney

I will study hard to be an international **lawyer**.

나는 국제 변호사가 되기 위해서 열심히 공부할 것이다.

0096 **dentist** [déntist]

ⓝ **치과의사**

You'd better go to the **dentist** right away. 기출

너는 당장 치과에 가는 게 좋겠다.

⊕ **dental clinic** 치과 병원

Intermediate

0097 **mechanic** [məkǽnik]

ⓝ **정비공**

A car **mechanic** has repaired his car as good as new.

자동차 정비공이 그의 차를 새것처럼 수리했다.

0098 **architect** [ɑ́:rkitèkt]

ⓝ 건축가

The **architect** is drawing up plans for the new building.

그 건축가는 새 건물 설계도를 그리고 있다.

⊕ architecture ⓝ 건축학, 건축 양식

0099 **officer** [ɔ́:fisər]

ⓝ 공무원, 관리

My father is a police **officer**. 기출

나의 아버지는 경찰관이다.

⊕ public officer 공무원

0100 **gardener** [gɑ́:rdnər]

ⓝ 정원사

The **gardener** plants and waters the flowers.

그 정원사는 꽃을 심고 물을 준다.

0101 **photographer** [fətɑ́grəfər]

ⓝ 사진사, 사진작가

You should go to a good **photographer** for better pictures.

더 멋진 사진을 위해서는 좋은 사진작가를 찾아가야 한다.

⊕ photograph ⓝ 사진 ⓥ 사진을 찍다

0102 **president** [prézədənt]

ⓝ 대통령

President Kennedy was loved by many people.

Kennedy 대통령은 많은 사람에 의해 사랑을 받았다.

0103 **salesperson** [séilzpə̀:rsn]

ⓝ 판매원

The **salesperson** kindly explained how to use the computer.

그 판매원은 컴퓨터 사용법을 친절하게 설명했다.

Voca tip -person

salesman처럼 -man으로 끝나는 단어들은 특정 성별을 지칭하므로, 이를 고치기 위해 -man 대신에 -person으로 변경하거나 다른 어휘로 바꾸어 말하는 경향이 있습니다.

salesman ➔ salesperson 판매원 chairman ➔ chairperson 의장
fireman ➔ fire fighter 소방관 policeman ➔ police officer 경찰관

0104 **carpenter** [kɑ́:rpəntər]

ⓝ 목수

I hired a **carpenter** to repair an old house. 기출

나는 오래된 집을 수리하기 위해서 목수를 고용했다.

0105 **businessman** [bíznismæ̀n]
ⓝ 사업가
He decided to be a **businessman** to make lots of money.
그는 많은 돈을 벌기 위해 사업가가 되기로 결심했다.

0106 **fisherman** [fíʃərmən]
ⓝ 어부
The **fisherman** cast a net into the water.
그 어부는 물속으로 그물을 던졌다.

0107 **soldier** [sóuldʒər]
ⓝ 군인
My friend, Jaeho wants to become a **soldier** like his father.
내 친구 재호는 그의 아버지처럼 군인이 되기를 원한다.

0108 **professor** [prəfésər]
ⓝ 교수
Dr. James is a **professor** at a law school.
James 박사는 법과 대학원의 교수이다.

0109 **judge** [dʒʌdʒ]
ⓝ 판사, 심사원 ⓥ 판단하다
The **judge** finally decided to set Joseph free. 교과서
판사는 마침내 Joseph을 석방하기로 결정했다.

Voca tip 법정의 사람들

court(법정) 안에는 judge(판사)와 jury(배심원단), 재판을 받게 될 피고를 변호하는 lawyer(변호사)와 피고의 죄를 입증해 보이려는 prosecutor(검사)가 있으며 witness(증인)도 있습니다.

Advanced

0110 **announcer** [ənáunsər]
ⓝ 방송 진행자, 아나운서
She worked as an **announcer** at a broadcasting station.
그녀는 한 방송국에서 아나운서로 일했다.
⊕ **announce** ⓥ 발표하다, 알리다

0111 **hairdresser** [hɛ́ərdrèsər]
ⓝ 미용사
Her dream is to be the best **hairdresser**.
그녀의 꿈은 최고의 미용사가 되는 것이다.

0112 **accountant** [əkáuntənt]
ⓝ 회계사
An **accountant** checks financial accounts.
회계사는 재무 회계를 점검한다.
⊕ **account** ⓝ 계좌, (회계) 장부

□ 0113 **novelist** [nάvəlist]
□
ⓝ 소설가
She is well-known as a romantic **novelist**.
그녀는 연애 소설가로 잘 알려져 있다.
⊕ novel ⓝ 소설

□ 0114 **security guard** [sikjúəriti gɑːrd]
□
ⓝ 경호원, 경비원
The famous actor was surrounded by **security guards**.
그 유명한 배우는 경호원들에 둘러싸여 있었다.

□ 0115 **astronaut** [ǽstrənɔ̀ːt]
□
ⓝ 우주비행사
In 2008, South Korea had its first **astronaut**.
2008년에 한국은 첫 우주비행사를 탄생시켰다.

□ 0116 **detective** [ditéktiv]
□
ⓝ 탐정
We need to hire a **detective** to catch him.
우리는 그를 잡기 위해 탐정을 고용할 필요가 있다.
⊕ private detective 사립 탐정

□ 0117 **secretary** [sékrətèri]
□
ⓝ 비서
Could you recommend a **secretary** for me?
저에게 비서 한 명을 추천해 주실 수 있나요?

□ 0118 **illustrator** [íləstrèitər]
□
ⓝ 삽화가
An **illustrator** is an artist who draws pictures for books.
삽화가는 책에 들어가는 그림을 그리는 예술가이다.
⊕ illustrate ⓥ (책 등에) 삽화를 넣다 illustration ⓝ 삽화

Idioms

□ 0119 **be good at**
□
~에 능숙하다, ~을 잘하다
You can be a 3D modeler if you **are good at** computer programming and art. 교과서
당신이 컴퓨터 프로그래밍과 미술을 잘한다면 3D 모델러가 될 수 있다.

□ 0120 **be[become] interested in**
□
~에 관심이[흥미가] 있다
I want you to **become interested in** upcycling through the show. 교과서
나는 그 쇼를 통해서 네가 업사이클링에 관심이 생기기를 바란다.

Exercise

[1~8] 다음 주어진 단어를 보고 보기와 같이 그 단어와 관련 있는 직업을 빈칸에 쓰세요.

보기	fish : fisherman

1 illustrate ________________

2 sale ________________

3 photograph ________________

4 hair ________________

5 report ________________

6 novel ________________

7 account ________________

8 announce ________________

[9~12] 다음 우리말과 같은 뜻이 되도록 빈칸에 알맞은 단어를 쓰세요.

9 사립 탐정 a private ________________

10 국제 변호사 an international ________________

11 공무원 a public ________________

12 컴퓨터 기술자 a computer ________________

[13~15] 다음 빈칸에 알맞은 말을 보기에서 골라 쓰세요.

보기	dentist	carpenter	mechanic

13 A ________________ is a person who makes and repairs wooden things.

14 A ________________ is a person who examines and treats people's teeth.

15 A ________________ is a person who repairs machines such as car engines.

Day 05

Clothes 의복

Previous Check

□ pants	□ dress	□ stockings
□ sweater	□ scarf	□ sandals
□ skirt	□ jacket	□ wallet
□ tie	□ shorts	□ purse
□ belt	□ button	□ vest
□ uniform	□ jeans	□ overalls
□ socks	□ suit	□ athletic shoes
□ material	□ pocket	□ put on
□ gloves	□ bow tie	□ try on
□ boots	□ heels	□ take off

Day 05 Clothes

01 02 03 04 05 06 07 08 09 10 11 12 13 14 15 16 17 18 19 20

Basic

0121 **pants** [pænts]
ⓝ **바지** ⊜ trousers
I rolled up the legs of my **pants** because they were long.
내 바지가 길어서 나는 단을 접어 올렸다.

0122 **sweater** [swétər]
ⓝ **스웨터**
You'd better wear a light **sweater** at night.
밤에는 가벼운 스웨터를 입는 게 좋겠다.
⊕ **knit a sweater** 스웨터를 짜다

0123 **skirt** [skəːrt]
ⓝ **치마**
She is wearing a dark gray **skirt**.
그녀는 짙은 회색 치마를 입고 있다.

0124 **tie** [tai]
ⓝ **넥타이** ⓥ **~을 묶다, 매다**
He always wears a jacket and **tie** to work.
그는 항상 출근할 때 재킷을 입고 넥타이를 맨다.

0125 **belt** [belt]
ⓝ **벨트, 허리띠**
This leather **belt** is really cool.
이 가죽 허리띠는 정말 멋있다.
⊕ **seat belt** 안전벨트

0126 **uniform** [júːnəfɔ̀ːrm]
ⓝ **유니폼, 제복**
I think school **uniforms** make students look nice.
나는 교복이 학생들을 멋있어 보이게 한다고 생각한다.
⊕ **school uniform** 교복

0127 **socks** [sάks]
ⓝ **양말**
Which ones do you want to buy, white **socks** or black ones?
하얀색 양말과 검은색 양말 중 어느 것을 사고 싶니?

Voca tip 짝을 이루는 물건들을 셀 때

항상 짝을 이루는 socks, boots, gloves, pants 등을 셀 때에는 a pair of를 사용합니다. pair는 '짝'을 의미하므로 위의 명사들과 잘 어울립니다. 따라서 양말 한 켤레는 a pair of socks라고 하고, 양말 두 켤레는 two pairs of socks라고 합니다.

Intermediate

0128 **material** [mətí(:)əriəl]

ⓝ 1. 직물, 천 2. 재료

These products show people that old **materials** can be useful in new ways. 교과서

이 제품들은 사람들에게 낡은 재료가 새로운 방식으로 유용하게 될 수 있다는 것을 보여 준다.

0129 **gloves** [glʌ́vz]

ⓝ 장갑

It's really cold today, so wear a coat and **gloves**.

오늘은 굉장히 추우니 코트를 입고 장갑을 껴라.

0130 **boots** [bu:ts]

ⓝ 장화, 부츠, 목이 긴 구두

How many pairs of **boots** does she have?

그녀는 장화 몇 켤레를 가지고 있니?

0131 **dress** [dres]

ⓝ 옷, 의복 ⊜clothing, costume ⓥ 옷을 입다

The black **dress** which she wore in a movie is famous even today. 교과서

그녀가 영화에서 입었던 검정 옷은 오늘날까지도 유명하다.

0132 **scarf** [skɑ:rf]

ⓝ 스카프, 목도리 [*pl.* scarves] ⊜muffler

She was wearing a yellow **scarf** around her neck.

그녀는 목에 노란색 스카프를 두르고 있었다.

0133 **jacket** [dʒǽkit]

ⓝ 재킷, 상의, 웃옷

Did you pick up my **jacket** from the laundry, honey? 기출

여보, 세탁소에서 내 웃옷 찾아왔어요?

0134 **shorts** [ʃɔ:rts]

ⓝ 반바지, 운동 팬츠

People wear **shorts** during the hot summer.

사람들은 더운 여름에 반바지를 입는다.

0135 **button** [bʌ́tən]

ⓝ 단추 ⓥ ~에 단추를 채우다

Look at your shirt. You missed the **button**.

네 셔츠를 봐. 단추 하나를 빼먹고 안 채웠어.

It's cold. You'd better **button** up your coat.

날씨가 춥네. 코트의 단추를 채우는 게 좋겠구나.

□ 0136 **jeans** [dʒiːnz]

ⓝ **청바지**

My sister usually wears **jeans** when she goes out.
내 여동생은 외출할 때 보통 청바지를 입는다.

□ 0137 **suit** [suːt]

ⓝ **정장, 슈트** ⓥ **~에게 잘 어울리다**

Wear a gray **suit**, a white shirt, and a red tie.
회색 정장에 흰색 셔츠를 입고, 빨간색 넥타이를 매세요.

□ 0138 **pocket** [pɑ́kit]

ⓝ **주머니**

It has a **pocket** on the outside, so it is very useful. 기출
그것은 바깥쪽에 주머니가 있어서 매우 유용해.

My parents lowered my **pocket** money. 기출
부모님이 내 용돈을 깎으셨다.

⊕ pocket money 용돈

Advanced

□ 0139 **bow tie** [bòu tái]

ⓝ **나비넥타이**

The boy is wearing a red **bow tie**.
그 소년은 빨간 나비넥타이를 매고 있다.

□ 0140 **heels** [hiːlz]

ⓝ **굽 높은 구두** ⊜ high heels

Do you usually wear **heels**?
당신은 보통 하이힐을 신나요?

□ 0141 **stockings** [stɑ́kiŋz]

ⓝ **긴 양말, 스타킹**

The tradition of hanging **stockings** on Christmas trees started in Holland.
크리스마스트리에 긴 양말을 걸어 두는 전통은 네덜란드에서 비롯되었다.

□ 0142 **sandals** [sǽndlz]

ⓝ **샌들**

Should I bring my **sandals** to Hawaii?
하와이에 제 샌들을 가져가야 하나요?

□ 0143 **wallet** [wɑ́lit]

ⓝ **지갑**

Do you remember where I put my **wallet** yesterday?
너는 내가 어제 내 지갑을 어디에 두었는지 기억하니?

0144 **purse** [pə:rs]

ⓝ **돈주머니, 지갑** ⊜ wallet

What does your **purse** look like? 기출

네 지갑이 어떻게 생겼니?

Voca tip wallet *vs.* purse

wallet과 purse 모두 '지갑'으로 의미가 비슷하지만 약간의 차이가 있습니다. purse는 미국에서 주로 어깨끈 없이 들고 다니는 핸드백을 일컫지만, 영국에서는 지갑으로 쓰입니다. 미국에서는 wallet이 지갑으로 쓰입니다.

0145 **vest** [vest]

ⓝ **조끼** ⊜ waistcoat

You must put on this life **vest** when you get on the boat.

보트에 탈 때 이 구명조끼를 반드시 입어야 한다.

⊕ life vest 구명조끼

0146 **overalls** [óuvərɔ:lz]

ⓝ **멜빵 바지**

My little brother is wearing a pair of blue **overalls**.

내 남동생은 파란색 멜빵 바지를 입고 있다.

0147 **athletic shoes** [æθlétik ʃu:z]

ⓝ **운동화**

There are various kinds of **athletic shoes** in the store.

그 가게에는 다양한 종류의 운동화들이 있다.

Idioms

0148 **put on**

(옷을) 입다, (모자, 안경 등을) 쓰다 ⊜ wear

She **put on** her grandmother's clothes and thick glasses.

그녀는 할머니의 옷을 입고 두꺼운 안경을 썼다. 교과서

0149 **try on**

~을 입어[신어] 보다

Would you like to **try on** the next bigger size?

한 치수 큰 걸로 입어 보시겠어요?

0150 **take off**

1. (옷 등을) 벗다 2. 이륙하다

When you come in, please **take off** your shoes.

들어올 때는 신발을 벗어 주세요.

Exercise

[1~8] 다음 우리말과 같은 뜻이 되도록 빈칸에 알맞은 단어를 쓰세요.

1 용돈 ______________ money

2 구명조끼 a life ______________

3 나비넥타이 a bow ______________

4 스웨터를 짜다 knit a ______________

5 교복 school ______________

6 하이힐 high ______________

7 장갑 한 켤레 a pair of ______________

8 노란 스카프 a yellow ______________

[9~11] 다음 중 단어의 성격이 나머지와 다른 하나를 고르세요.

9 ① pants ② jeans ③ overalls ④ stockings

10 ① heels ② tie ③ sandals ④ athletic shoes

11 ① put on ② wear ③ take off ④ try on

[12~15] 다음 괄호 안의 우리말과 같은 뜻이 되도록 빈칸에 알맞은 단어를 쓰세요.

12 He usually wears a black ______________. (그는 보통 검은색 양복을 입는다.)

13 Please fasten your seat ______________! (안전벨트를 매 주세요!)

14 You'd better ______________ up your jacket. (재킷 단추를 채우는 게 낫겠다.)

15 I read the book *Puss in* ______________.
(나는 '장화 신은 고양이'라는 책을 읽었다.)

Day 06 Food 음식

Previous Check

- □ butter
- □ bread
- □ jam
- □ meat
- □ sugar
- □ salt
- □ soup
- □ fish
- □ grab
- □ beef
- □ steak
- □ pork
- □ pepper
- □ diet
- □ snack
- □ egg
- □ rice
- □ flour
- □ honey
- □ mustard
- □ noodle
- □ pickle
- □ stew
- □ cereal
- □ meal
- □ side dish
- □ appetizer
- □ powder
- □ set the table
- □ eat out

★ Day 06

Food

01 02 03 04 05 06 07 08 09 10 11 12 13 14 15 16 17 18 19 20

Basic

□ 0151 **butter** [bʌ́tər]
□
ⓝ **버터**
Butter contains lots of fat.
버터는 많은 지방을 함유하고 있다.

□ 0152 **bread** [bred]
□
ⓝ **빵**
Would you like to have a slice of this **bread**?
이 빵 한 조각 드시겠어요?
⊕ **bread and butter** 버터를 바른 빵

□ 0153 **jam** [dʒæm]
□
ⓝ **잼**
My brother does not like strawberry **jam**.
내 남동생은 딸기잼을 좋아하지 않는다.

□ 0154 **meat** [miːt]
□
ⓝ **고기**
You had better not eat so much **meat**.
너는 고기를 너무 많이 먹지 않는 게 좋겠다.

Voca tip 고기를 뜻하는 말

고기는 동물에 따라 부르는 이름이 각각 다릅니다. cow(암소) 또는 ox(수소)의 고기는 beef, pig(돼지)의 고기는 pork, calf(송아지)의 고기는 veal, sheep(양)의 고기는 mutton이라고 합니다.

□ 0155 **sugar** [ʃúgər]
□
ⓝ **설탕**
I'd like coffee with cream and **sugar**. 기출
크림과 설탕을 넣은 커피 주세요.
⊕ **sugar cube** 각설탕

□ 0156 **salt** [sɔːlt]
□
ⓝ **소금**
She put some **salt** on the baked potato.
그녀는 구운 감자에 소금을 좀 쳤다.
⊕ **salty** ⓐ 짠, 소금기가 있는

□ 0157 **soup** [suːp]
□
ⓝ **수프**
My family usually has **soup**, vegetables, and meat for lunch. 교과서
우리 가족은 점심으로 대개 수프와 채소, 그리고 고기를 먹는다.

Voca tip 맛을 어떻게 표현할까요?

맛을 표현하는 어휘를 알아 봅시다! 신맛이 난다면 sour, 쓴맛이 난다면 bitter, 달콤한 맛이라면 sweet, 매운맛은 spicy라고 합니다. 어떤 맛도 없다면 tasteless, 끔찍한 맛이라면 awful 또는 horrible이라고 할 수 있습니다.

0158 **fish** [fiʃ]

ⓝ **생선**

Main dishes include meat or **fish**. 교과서

주 요리는 고기나 생선이 포함된다.

Intermediate

0159 **grab** [græb]

ⓥ **1. 간단히 먹다 2. 잡다, 붙들다**

Let's just **grab** a sandwich before the next class.

다음 수업 전에 간단히 샌드위치나 먹자.

⊕ **grab a bite to eat** 간단히 요기하다

0160 **beef** [bi:f]

ⓝ **소고기**

Beef steak is my favorite food.

소고기 스테이크는 내가 가장 좋아하는 음식이다.

0161 **steak** [steik]

ⓝ **스테이크**

He prefers his **steak** well done.

그는 스테이크를 완전히 익힌 것을 선호한다.

0162 **pork** [pɔːrk]

ⓝ **돼지고기**

I am allergic to **pork**, so I can't eat it.

나는 돼지고기에 알레르기가 있어서 그것을 먹을 수가 없다.

⊕ **pork cutlet** 돈가스

0163 **pepper** [pépər]

ⓝ **1. 후추 2. 고추**

Would you pass me the **pepper**, please?

제게 후추를 건네주시겠어요?

⊕ **red pepper paste** 고추장

0164 **diet** [dáiət]

ⓝ **다이어트, 식이요법**

I decided to go on a **diet**.

나는 다이어트를 하기로 결심했다.

□ 0165 **snack** [snæk]
□

ⓝ **간식**

I don't like heavy **snacks**.
나는 칼로리가 높은 간식을 좋아하지 않는다.

⊕ **have a snack** 간식을 먹다

□ 0166 **egg** [eg]
□

ⓝ **달걀**

I had a hard boiled **egg** for breakfast.
나는 아침으로 단단하게 삶은 달걀 한 개를 먹었다.

□ 0167 **rice** [rais]
□

ⓝ **밥**

We decided to have seafood fried **rice** for lunch. 교과서
우리는 점심으로 해산물 볶음밥을 먹기로 결정했다.

□ 0168 **flour** [fláuər]
□

ⓝ **밀가루**

I work with dough made of **flour**, sugar, and cream. 기출
나는 밀가루, 설탕, 크림으로 만든 반죽을 가지고 일한다.

□ 0169 **honey** [hʌ́ni]
□

ⓝ **꿀**

Honey tastes really sweet.
꿀은 정말 단 맛이 난다.

⊕ **honeybee** ⓝ 꿀벌

Advanced

□ 0170 **mustard** [mʌ́stərd]
□

ⓝ **겨자**

A ham and cheese sandwich with **mustard** and mayonnaise, please.
겨자와 마요네즈를 넣은 햄치즈 샌드위치 주세요.

□ 0171 **noodle** [nú:dl]
□

ⓝ **국수**

They can choose daily from many dishes, such as curry, **noodles**, or pasta. 교과서
그들은 매일 카레, 국수나 파스타와 같은 많은 음식 중에서 선택할 수 있다.

□ 0172 **pickle** [píkl]
□

ⓝ **(오이 등을) 절인 것, 피클** ⓥ **절이다**

A **pickle** is a kind of salted food.
피클은 일종의 소금에 절인 식품이다.

I **pickled** cucumbers in vinegar.
나는 오이를 식초에 절였다.

0173 **stew** [stju:]

ⓝ **스튜, 찌개**

Let's put more pepper in the **stew**.

스튜에 후추를 좀 더 넣자.

0174 **cereal** [síəriəl]

ⓝ **곡물 식품, 시리얼** ⓐ **곡물의**

We have only **cereals** to eat.

우리가 먹을 것이라고는 시리얼뿐이다.

Voca tip 미국인의 아침 식사

미국 사람들은 아침 식사를 어떻게 할까요? 대개 미국 사람들은 pancakes 위에 syrup을 뿌리고, cereal에 milk를 넣고, toast를 honey나 butter 혹은 jam에 발라 먹습니다.

0175 **meal** [mi:l]

ⓝ **식사**

We need to eat three **meals** a day to be healthy.

우리는 건강하기 위해서 하루에 세 끼를 먹어야 한다.

⊕ **light meal** 가벼운 식사

0176 **side dish** [sáid diʃ]

ⓝ **반찬, 주된 요리에 곁들이는 요리**

What are we going to have for **side dishes**?

반찬으로 우리는 무엇을 먹을 건가요?

0177 **appetizer** [ǽpitàizər]

ⓝ **애피타이저, 식욕을 돋우는 것**

I ate smoked salmon as an **appetizer**.

나는 애피타이저로 훈제 연어를 먹었다.

0178 **powder** [páudər]

ⓝ **가루**

She put some cocoa **powder** into a mug of hot milk.

그녀는 뜨거운 우유가 담긴 머그잔에 코코아 가루를 좀 넣었다.

Idioms

0179 **set the table**

식탁[밥상]을 차리다

I will **set the table** while my mom makes dinner.

나는 엄마가 저녁 식사를 만드실 동안 식탁을 차릴 것이다.

0180 **eat out**

외식하다

A: How often does your family **eat out**?

B: We **eat out** once a week.

A: 너의 가족은 얼마나 자주 외식을 하니?

B: 우리는 일주일에 한 번 외식을 해.

Exercise

[1~8] 다음 우리말과 같은 뜻이 되도록 빈칸에 알맞은 단어를 쓰세요.

1 버터를 바른 빵 bread and ________________

2 돈가스 ________________ cutlet

3 딸기잼 strawberry ________________

4 곡물 ________________ crops

5 밥상을 차리다 ________________ the table

6 한 병의 피클 a jar of ________________

7 고추장 red ________________ paste

8 간단히 요기하다 ________________ a bite to eat

[9~11] 다음 단어와 영어 풀이를 알맞은 것끼리 연결하세요.

9 flour • • ⓐ a sweet fluid that is made by bees

10 appetizer • • ⓑ powder made from a grain (especially wheat)

11 honey • • ⓒ the first course of a meal

[12~15] 다음 빈칸에 알맞은 말을 보기에서 골라 쓰세요.

보기 go on a diet light meal sugar cubes eat out

12 I am gaining weight. I need to ________________.

13 I'm too tired to cook, so let's ________________.

14 I'm a little hungry. Let's have a ________________.

15 She put some ________________ into her cup of coffee.

Day 07

Cooking 요리

Previous Check

- □ bake
- □ fry
- □ boil
- □ glass
- □ knife
- □ basket
- □ chop
- □ lid
- □ handle
- □ pour
- □ roll
- □ slice
- □ refrigerator
- □ pot
- □ bowl
- □ plate
- □ tray
- □ jar
- □ pan
- □ beat
- □ steam
- □ scoop
- □ grill
- □ kettle
- □ opener
- □ cabinet
- □ recipe
- □ blender
- □ be used for
- □ keep on ~ing

★ Day 07

Cooking

01 02 03 04 05 06 07 08 09 10 11 12 13 14 15 16 17 18 19 20

Basic

0181 **bake** [beik]

ⓥ 굽다

He wants to **bake** some cookies for his kids by himself. 기출

그는 자신의 아이들을 위해 스스로 쿠키를 좀 굽고 싶다.

0182 **fry** [frai]

ⓥ 튀기다

Fry the fish until it's brown on both sides.

양쪽 면이 갈색이 될 때까지 생선을 튀기세요.

⊕ frying pan 프라이팬

0183 **boil** [bɔil]

ⓥ 끓이다

Boil two cups of water for about 10 minutes.

물 2컵을 약 10분간 끓이세요.

0184 **glass** [glæs]

ⓝ 컵, 유리잔, 한 컵(의 양)

Pour three **glasses** of water into the pot.

물 3컵을 냄비에 부으세요.

0185 **knife** [naif]

ⓝ 칼 [*pl.* knives]

They usually eat their food with a fork and **knife**.

그들은 대개 포크와 칼을 써서 음식을 먹는다.

0186 **basket** [bǽskit]

ⓝ 바구니

Put vegetables and fruit into the **basket**.

채소와 과일을 바구니에 담으세요.

Intermediate

0187 **chop** [tʃɑp]

ⓥ 썰다, 다지다

Chop an onion and fry it with some garlic.

양파를 잘게 썰어서 그것을 약간의 마늘과 함께 볶으세요.

0188 **lid** [lid]

ⓝ 뚜껑

Put the **lid** on the pot and boil the water.

냄비 뚜껑을 덮고 물을 끓이세요.

□ 0189 **handle** [hǽndl]

ⓝ **손잡이**

She took hold of the knife **handle** and cut the dough.
그녀는 칼손잡이를 잡고 반죽을 잘랐다.

□ 0190 **pour** [pɔːr]

ⓥ **붓다**

Pour some honey over the apple. 기출
약간의 꿀을 사과 위에 부어 주세요.

□ 0191 **roll** [roul]

ⓥ **밀다**

Roll out the pizza dough and spread the sauce over it.
피자 반죽을 밀어서 펴고 그 위에 소스를 펴 바르세요.

⊕ **roll out** (반죽 같은 것을) 밀어서 펴다

□ 0192 **slice** [slais]

ⓥ **얇게 썰다**

Slice fried eggs as an ingredient for *bibimbap*. 기출
비빔밥 재료를 위해 달걀 부침을 얇게 써세요.

□ 0193 **refrigerator** [rifrídʒərèitər]

ⓝ **냉장고**

Put vegetables into a **refrigerator** to keep them fresh.
채소를 신선하게 보관하려면 냉장고에 넣어 두세요.

□ 0194 **pot** [pɑt]

ⓝ **(속이 깊은) 냄비**

He made a special **pot** to cook different vegetables together. 교과서
그는 다양한 채소를 함께 요리하기 위해 특별한 냄비를 만들었다.

⊕ **potholder** ⓝ 냄비 집게

□ 0195 **bowl** [boul]

ⓝ **(우묵한) 그릇, 통**

Mix fruit and vegetables with olive oil in the **bowl**.
그릇에 과일과 채소를 올리브 오일과 함께 섞으세요.

⊕ **mixing bowl** 믹싱 볼(음식 재료를 섞을 때 쓰는 그릇)

□ 0196 **plate** [pleit]

ⓝ **접시**

There is a **plate** of cookies on the table.
탁자 위에 쿠키가 담긴 접시가 있다.

⊕ **soup plate** 수프 접시

☐ 0197 **tray** [trei]
☐

ⓝ **쟁반**

Put the ice cubes on the **tray**. 기출

얼음을 쟁반에 두세요.

☐ 0198 **jar** [dʒɑːr]
☐

ⓝ **(입구가 넓은) 병, 단지**

There was a honey **jar** in the kitchen.

부엌에 꿀단지가 있었다.

☐ 0199 **pan** [pæn]
☐

ⓝ **(납작한) 냄비, 팬**

Heat a frying **pan** and add some oil.

프라이팬을 달군 후 기름을 조금 넣으세요.

Advanced

☐ 0200 **beat** [biːt]
☐

ⓥ **휘저어 섞다 (beat-beaten)** ⊜ whisk

Beat an egg until you make white bubbles.

흰 거품을 만들 때까지 달걀을 휘저어 섞으세요.

☐ 0201 **steam** [stiːm]
☐

ⓥ **찌다**

Shape the dough into balls and **steam** them. 기출

반죽을 공 모양으로 만들어 그것들을 찌세요.

☐ 0202 **scoop** [skuːp]
☐

ⓝ **주걱, 국자** ⊜ ladle

The yellow **scoop** is hanging on the wall.

노란 주걱이 벽에 걸려 있다.

⊕ ice cream scoop 아이스크림용 주걱

☐ 0203 **grill** [gril]
☐

ⓥ **(열로) 굽다, 익히다**

Cut the meat in half and **grill** it.

고기를 절반으로 자른 다음 그것을 구우세요.

Voca tip grill *vs.* broil

고기나 생선을 굽는다고 할 때 grill 혹은 broil을 사용합니다. 그러나 이 두 요리법은 약간의 차이가 있습니다. grill은 석쇠로 아래쪽에서 올라오는 열을 이용하여 익히는 것을 의미하고, broil은 위 아래의 열을 이용하여 통째로 굽는 것을 말합니다.

0204 **kettle** [kétl]

ⓝ **주전자**

The water in the **kettle** has begun to boil.

주전자에 있는 물이 끓기 시작했다.

0205 **opener** [óupənər]

ⓝ **따개**

Go get a can **opener** in the kitchen.

부엌에 있는 깡통따개를 가져와.

0206 **cabinet** [kǽbənit]

ⓝ **진열대**

What is in the **cabinet** in your kitchen?

네 주방의 진열대에는 무엇이 있니?

0207 **recipe** [résəpì]

ⓝ **요리법**

I need a **recipe** to cook spaghetti.

나는 스파게티를 만들기 위해서 요리법이 필요하다.

0208 **blender** [bléndər]

ⓝ **부엌용 믹서기** ⊜ liquidizer

Put the watermelon pieces into the **blender**. 교과서

수박 조각들을 믹서기에 넣어 주세요.

Voca tip blender *vs.* mixer

blender는 주스와 같은 액체를 섞을 때 사용하는 주방 기구이고, mixer는 버터와 밀가루 등을 섞을 때 사용하는 혼합기입니다. 그래서 영국에서는 blender를 liquidizer라고 부른답니다.

Idioms

0209 **be used for**

~에 사용[이용]되다

Rice can **be used for** making rice cake and alcoholic drinks.

쌀은 떡과 술을 만드는 데 사용될 수 있다.

0210 **keep on ~ing**

계속 ~하다

He **kept on** peel**ing** the potatoes.

그는 계속 감자 껍질을 벗겼다.

Exercise

[1~8] 다음 우리말과 같은 뜻이 되도록 빈칸에 알맞은 말을 쓰세요.

1 살코기를 잘게 다지다 ________________ meat

2 차 주전자 a tea ________________

3 냄비 뚜껑 a saucepan ________________

4 아이스크림용 주걱 an ice cream ________________

5 믹싱 볼 a mixing ________________

6 수프 접시 a soup ________________

7 프라이팬 a ________________ pan

8 물을 끓이다 ________________ water

[9~12] 다음 영어 풀이에 알맞은 단어를 보기에서 골라 쓰세요.

보기	fry	bake	steam	grill

9 If you ________________ food, you cook it in steam rather than in water.

10 If you ________________ food, you cook it in a pan with oil.

11 If you ________________ food, you cook it using a very strong heat.

12 If you ________________, you make bread, cakes, or other foods which are cooked in the oven.

[13~15] 다음 빈칸에 알맞은 말을 보기에서 골라 쓰세요.

보기	recipe	knife	blender

13 We need a ________________ to make fresh fruit juice.

14 I need a ________________ to make chicken soup.

15 I use a ________________ and fork to cut steak.

Day 08

House 집

Previous Check

□ garden	□ bedroom	□ shelf
□ apartment	□ roof	□ drawer
□ yard	□ garage	□ lamp
□ knock	□ laundry	□ sheet
□ soap	□ water	□ stair
□ towel	□ lawn	□ scale
□ curtain	□ floor	□ sink
□ mirror	□ feed	□ tap
□ neighbor	□ bathroom	□ turn on
□ gate	□ ceiling	□ in place

Day 08

House

01 02 03 04 05 06 07 08 09 10 11 12 13 14 15 16 17 18 19 20

Basic

0211 **garden** [gá:rdn]

ⓝ 정원 ⓥ 정원을 가꾸다

They went outside and walked around the **garden**. 교과서

그들은 밖으로 나가서 정원 주변을 걸었다.

0212 **apartment** [əpá:rtmənt]

ⓝ 아파트

A: Does she live in an **apartment** or a house?

B: She lives in an **apartment**.

A: 그녀는 아파트에 살고 있나요, 아니면 주택에 살고 있나요?

B: 그녀는 아파트에 살고 있어요.

0213 **yard** [ja:rd]

ⓝ 마당

We used to play hide-and-seek in the **yard**.

우리는 마당에서 숨바꼭질을 하곤 했다.

⊕ **front yard** 앞마당

0214 **knock** [nak]

ⓥ 노크를 하다, (문 등을) 두드리다

You should **knock** at the door before you enter the room.

너는 방에 들어가기 전에 노크를 해야 한다.

0215 **soap** [soup]

ⓝ 비누

Wash your hands with **soap** and warm water. 교과서

비누와 따뜻한 물로 손을 씻어라.

⊕ **a bar[cake] of soap** 비누 한 개

0216 **towel** [táuəl]

ⓝ 타월, 수건

Oops! I wiped my face with this dirty **towel**!

이런! 이 더러운 수건으로 내 얼굴을 닦았어!

0217 **curtain** [kə́:rtn]

ⓝ 커튼

The **curtains** were closed. 기출

커튼은 닫혀 있었다.

0218 **mirror** [mírər]

ⓝ 거울

Jessica looks into the **mirror** several times in an hour.

Jessica는 한 시간에 몇 번씩 거울을 본다.

⊕ **look into a mirror** 거울을 보다

Intermediate

0219 **neighbor** [néibər]
ⓝ 이웃(사람)
I met a good **neighbor** thanks to Mr. Harris. 교과서
나는 Harris 씨 덕분에 좋은 이웃을 만났다.

0220 **gate** [geit]
ⓝ 문
When I got home, the **gate** was open.
내가 집에 도착했을 때, 문이 열려 있었다.

0221 **bedroom** [bédrù:m]
ⓝ 침실
My parents have a king-size bed in their **bedroom**.
나의 부모님은 그들의 침실에 킹사이즈 침대를 가지고 계신다.
⊕ **make the bed** 잠자리를 정돈하다

0222 **roof** [ru:f]
ⓝ 지붕
There is a hole in the **roof**. We need to fix it right now.
지붕에 구멍이 있다. 지금 당장 그것을 고쳐야 한다.

0223 **garage** [gərá:dʒ]
ⓝ 차고
He kept his old books and toys in the **garage**.
그는 오래된 책들과 장난감들을 차고에 보관했다.

Culture tip garage sale

garage sale은 집안에서 쓰던 물건들 중에 더이상 필요없는 물건을 차고 앞에 내다 놓고 싸게 파는 것을 말합니다.

0224 **laundry** [lɔ́:ndri]
ⓝ 세탁물
My mom is hanging **laundry** on the clothesline.
엄마는 빨랫줄에 세탁물을 널고 계신다.

0225 **water** [wɔ́:tər]
ⓝ 물 ⓥ 물을 주다
Sunlight is bent by the **water** in the bottle. 교과서
햇빛이 병 안의 물에 의해 굴절되었다.

0226 **lawn** [lɔ:n]
ⓝ 잔디
The **lawn** in my backyard is getting thick.
내 뒷마당 잔디가 무성하게 자라고 있다.

0227 **floor** [flɔːr]

ⓝ 1. 마루, 바닥 2. 층

The house has only one gate without any windows on the first **floor**. 교과서

그 집은 1층에 창문은 전혀 없고 하나의 문만 있다.

0228 **feed** [fiːd]

ⓥ 먹이를 주다 (fed-fed)

Jimmy, it's time to **feed** your birds.

Jimmy, 너의 새들에게 모이를 줄 시간이야.

0229 **bathroom** [bǽθrùːm]

ⓝ 욕실

A: May I use your **bathroom**?
B: Sure, it's right next to my room.

A: 네 욕실 좀 써도 되니?
B: 물론이지, 내 방 바로 옆에 있어.

➕ **bath** ⓝ 목욕 **bathe** ⓥ 목욕하다

Advanced

0230 **ceiling** [síːliŋ]

ⓝ 천장

You can see the sky through the window in the **ceiling**.

너는 천장에 있는 창으로 하늘을 볼 수 있다.

0231 **shelf** [ʃelf]

ⓝ 선반

Yesterday I arranged my books on the **shelf**.

나는 어제 선반에 있는 내 책들을 정리했다.

0232 **drawer** [drɔːr]

ⓝ 서랍

I keep my diary in the top **drawer** of my desk.

나는 책상 맨 위 서랍에 일기장을 보관한다.

0233 **lamp** [læmp]

ⓝ 전기스탠드, 램프

Something's wrong with this **lamp**. I can't turn it on.

이 전기스탠드는 뭔가 잘못되었다. 나는 그것을 켤 수가 없다.

Voca tip lamp, light와 관련된 어휘

streetlamp, streetlight 가로등
traffic light (교통) 신호등
desk lamp 탁상용 전등
alcohol lamp 알코올 램프

0234 **sheet** [ʃiːt]

ⓝ **시트, 홑이불**

Mom changes my bed **sheets** every week.
엄마는 내 침대보를 매주 갈아 주신다.

⊕ **bed sheet** 침대보

0235 **stair** [stɛər]

ⓝ **계단, 층계**

Diane ran up the **stairs**.
Diane은 계단을 뛰어 올라갔다.

⊕ **go upstairs** 위층으로 올라가다
go downstairs 아래층으로 내려가다

0236 **scale** [skeil]

ⓝ **체중계, 저울**

Did you weigh the box on the **scale**?
그 상자를 저울에 달아 보았니?

0237 **sink** [siŋk]

ⓝ **싱크대, 개수대**

A **sink** is used for washing dishes.
싱크대는 설거지를 하기 위해 사용된다.

0238 **tap** [tæp]

ⓝ **수도꼭지**

Don't forget to turn off the **tap** after washing dishes.
설거지를 한 후에 수도꼭지를 잠그는 것을 잊지 마라.

⊕ **tap water** 수돗물

Idioms

0239 **turn on**

(라디오, TV, 전기, 가스 등을) 켜다

Turn on the air conditioner if you feel hot.
더우면 에어컨을 켜세요.

0240 **in place**

제자리에 (있는)

He fixed the pot **in place** with clay. 교과서
그는 찰흙으로 항아리를 제자리에 고정시켰다.

Exercise

[1~8] 다음 우리말과 같은 뜻이 되도록 빈칸에 알맞은 말을 쓰세요.

1 차고에서의 중고품 판매 __________ sale

2 TV를 켜다 __________ the TV

3 수돗물 __________ water

4 잠자리를 정돈하다 make the __________

5 거울을 보다 look into a __________

6 비누 한 개 a bar of __________

7 침대보 a bed __________

8 앞마당 a front __________

[9~12] 다음 단어와 영어 풀이를 알맞은 것끼리 연결하세요.

9 garden • • ⓐ to give a person or animal food

10 roof • • ⓑ the covering on top of a house

11 feed • • ⓒ a piece of land to grow plants

12 neighbor • • ⓓ a person who lives near another person

[13~15] 다음 빈칸에 알맞은 말을 보기에서 골라 쓰세요.

보기	lamp	stairs	apartment

13 Last year, they moved to a/an __________ near a subway station.

14 The man ran up the __________ and entered a dark room.

15 When you read a book, you'd better turn on the __________.

Day

09

Transportation

교통수단

Previous Check

- □ park
- □ stop
- □ drive
- □ subway
- □ seat
- □ road
- □ fare
- □ bicycle
- □ limit
- □ route
- □ cross
- □ track
- □ rail
- □ curve
- □ sign
- □ station
- □ wheel
- □ license
- □ accident
- □ traffic
- □ forward
- □ transfer
- □ passenger
- □ harbor
- □ gas
- □ platform
- □ transport
- □ crash
- □ get on
- □ on foot

Day 09 Transportation

01 02 03 04 05 06 07 08 09 10 11 12 13 14 15 16 17 18 19 20

Basic

0241 **park** [pɑːrk]

ⓥ 주차하다 ⓝ 공원

The police officer warned her not to **park** on the street.
경찰관은 그녀에게 길에 주차하지 말라고 경고했다.

⊕ parking lot 주차장

0242 **stop** [stɑp]

ⓝ 정류장 ⓥ 정차하다, 그만두다

Where is the last **stop**?
종점이 어디인가요?

Please **stop** the car. The police is after us.
차를 세워요. 경찰이 우리를 따라오고 있어요.

0243 **drive** [draiv]

ⓥ 운전하다 (drove-driven)

People **drive** on the left-hand side of the road in England.
영국에서는 사람들이 도로 왼편으로 운전한다.

0244 **subway** [sʌ́bwèi]

ⓝ 지하철 ⊜ tube, underground

There is no **subway** or bus station nearby. 기출
근처에 지하철역이나 버스 정류장이 없다.

0245 **seat** [siːt]

ⓝ 좌석

There were no **seats** in the bus.
버스 안에 좌석이 없었다.

0246 **road** [roud]

ⓝ 길, 도로

Go along this **road** and turn left at the corner. 기출
이 도로를 따라가다가 모퉁이에서 왼쪽으로 도세요.

0247 **fare** [fɛər]

ⓝ 요금

How much is the bus **fare**?
버스 요금이 얼마입니까?

⊕ bus fare 버스 요금

Voca tip fare *vs.* fee *vs.* fine

fare, fee, fine은 모두 '요금'과 관련이 있습니다. 그러나 의미에 혼동을 가져올 수 있으므로 주의해야 합니다. fare는 '교통 요금'을, fee는 주로 '학비(tuition fee)'를, 그리고 fine은 '벌금'을 뜻합니다.

0248 **bicycle** [báisikl]

ⓝ **자전거** ⊜ bike

Riding a **bicycle** is good for your health.
자전거를 타는 것은 너의 건강에 좋다.

Intermediate

0249 **limit** [límit]

ⓝ **한계, 제한** ⓥ **제한하다**

He was breaking the speed **limit**.
그는 제한 속도를 어기고 있었다.

⊕ a time[speed/age] limit 시간[속도/연령] 제한

0250 **route** [ru:t]

ⓝ **1. 길, 경로, 루트 2. (버스, 기차 등의) 노선**

She analyzed travelers' taxi use patterns to create the most useful bus **routes**. 교과서
그녀는 가장 유용한 버스 노선을 만들기 위해서 여행자들의 택시 이용 패턴을 분석했다.

0251 **cross** [krɔ:s]

ⓥ **~을 건너다** ⓝ **십자가**

When they were **crossing** a frozen river, the dog stopped.
그들이 언 강을 건너고 있을 때, 그 개가 멈춰 섰다. 교과서

0252 **track** [træk]

ⓝ **철도 선로, 궤도**

At the race **track**, there are many people who are cheering.
경주로에는 응원하는 많은 사람이 있다. 교과서

0253 **rail** [reil]

ⓝ **철로** ⊜ railway, railroad

It takes three hours to travel from Seoul to Busan by **rail**.
서울에서 부산까지 가는 데 기차로 세 시간이 걸린다.

0254 **curve** [kə:rv]

ⓝ **굽이, 커브, 굴곡** ⓥ **구부러지다**

Slow down! There's a **curve**.
속도를 낮춰! 커브가 있어.

The road **curves** toward the deep forest.
그 도로는 깊은 숲을 향해 구부러져 있다.

0255 **sign** [sain]

ⓝ **표지(판)** ⓥ **서명하다**

Can you see the traffic **sign**?
너는 저 교통 표지판이 보이니?

⊕ traffic sign 교통 표지판 sign up 가입하다

0256 **station** [stéiʃən]

ⓝ 1. 역, 정거장 2. (관공)서, 국

Let's meet at the bus **station**.
버스 정류장에서 만나자.

I lost my purse, so I ran to the police **station**.
나는 지갑을 잃어버려서 경찰서로 달려갔다.

0257 **wheel** [wiːl]

ⓝ 바퀴

The car **wheels** got stuck in the mud. 기출
차바퀴가 진창에 빠져 버렸다.

0258 **license** [láisəns]

ⓝ 면허증

Would you show me your driver's **license**?
운전면허증을 보여 주시겠습니까?

0259 **accident** [ǽksidənt]

ⓝ 사고

She died of a terrible car **accident**.
그녀는 끔찍한 차 사고로 목숨을 잃었다.

⊕ car accident 자동차 사고

0260 **traffic** [trǽfik]

ⓝ 교통(량) ⓐ 교통의

The **traffic** was heavier than usual. 기출
교통이 평소보다 더 혼잡했다.

Advanced

0261 **forward** [fɔ́ːrwərd]

ad 앞으로, 앞을 향하여 ↔ backward 뒤로

Do you mind moving **forward** a little bit? 기출
앞으로 조금만 움직여 주시겠어요?

Voca tip -ward

-ward는 방향을 표시하는 부사를 만들 때 쓸 수 있습니다.

toward ~을 향하여 upward 위로 downward 아래로

0262 **transfer** [trænsfə́r]

ⓥ 1. 옮기다 2. 환승하다

We should **transfer** from the bus to the subway.
우리는 버스에서 지하철로 환승해야 한다.

0263 **passenger** [pǽsəndʒər]

ⓝ **승객**

Passengers, fasten your seat belts, please.
승객 여러분, 안전벨트를 매 주시기 바랍니다.

0264 **harbor** [há:rbər]

ⓝ **항구**

Sydney has a beautiful **harbor**. 기출
시드니에는 아름다운 항구가 있다.

0265 **gas** [gæs]

ⓝ **휘발유, 가솔린** ⊜ petrol

Because we are out of **gas**, we can't go any farther.
기름이 떨어져서, 우리는 더이상 갈 수 없다.

⊕ **out of gas** 기름이 떨어진

0266 **platform** [plǽtfɔ:rm]

ⓝ **(역의) 플랫폼, 승강장**

He stood on the railway **platform**.
그는 기차 승강장에 서 있었다.

0267 **transport** [trænspɔ́:rt]

ⓥ **수송하다, 운송하다**

Most companies **transport** machines by ship.
대부분의 회사들이 배로 기계를 수송한다.

⊕ **transportation** ⓝ 수송, 운송

0268 **crash** [kræʃ]

ⓝ **충돌** ⓥ **충돌하다**

Two buses **crashed** into each other on the highway.
버스 두 대가 고속도로에서 정면으로 충돌했다.

Idioms

0269 **get on**

(탈것에) 타다, 승차하다

She had to climb stairs in subway stations and **get on** crowded buses. 교과서
그녀는 지하철역의 계단을 올라가서 혼잡한 버스를 타야 했다.

0270 **on foot**

걸어서, 도보로

A: How long does it take from here **on foot**?
B: It's only ten minutes.

A: 여기서 걸어서 얼마나 걸리나요?
B: 10분 정도 밖에 안 걸려요.

Exercise

[1~8] 다음 우리말과 같은 뜻이 되도록 빈칸에 알맞은 단어를 쓰세요.

1 주차장 a ________________ lot

2 버스 정류장 a bus ________________

3 자동차 사고 a car ________________

4 연령 제한 an age ________________

5 버스 요금 a bus ________________

6 교통 표지판 a traffic ________________

7 기차 노선 a train ________________

8 운전면허증 a driver's ________________

[9~12] 다음 단어와 영어 풀이를 알맞은 것끼리 연결하세요.

9 subway • • ⓐ to move to the other side of a road

10 passenger • • ⓑ an underground railway

11 cross • • ⓒ an object that you can sit on

12 seat • • ⓓ a person who is traveling on a moving vehicle

[13~15] 다음 빈칸에 알맞은 말을 보기에서 골라 쓰세요.

보기	transport	transfer	crash

13 We should ________________ to line 2 to get there.

14 They ________________ their goods by rail.

15 There was a train ________________ because the train ran off the tracks.

Day 10

In the Office 사무실

Previous Check

□ glue	□ envelope	□ calculator
□ scissors	□ folder	□ stationery
□ eraser	□ call	□ staple
□ desk	□ letter	□ punch
□ chair	□ seal	□ highlighter
□ room	□ clip	□ document
□ company	□ pin	□ printout
□ interview	□ message	□ photocopy
□ calendar	□ bookcase	□ deal with
□ printer	□ manager	□ fill out

★ Day 10

In the Office

01 02 03 04 05 06 07 08 09 **10** 11 12 13 14 15 16 17 18 19 20

Basic

0271 **glue** [gluː]

ⓝ 풀 ⓥ 풀을 바르다, 접착하다

Put the broken pieces back together with the **glue**.

풀로 깨진 조각들을 다시 붙이세요.

0272 **scissors** [sízərz]

ⓝ 가위

These **scissors** aren't sharp enough.

이 가위는 잘 들지 않는다.

0273 **eraser** [iréisər]

ⓝ 지우개

A: Can I borrow your **eraser** for a moment?

B: Of course.

A: 지우개를 잠깐 빌릴 수 있을까요?

B: 물론이죠.

0274 **desk** [desk]

ⓝ 책상

He was sleeping at his **desk** when I entered his room.

내가 그의 방에 들어갔을 때 그는 책상에서 자고 있었다.

0275 **chair** [tʃɛər]

ⓝ 의자

Andy was sitting on a **chair** looking around the room. 기출

Andy는 의자에 앉아 방을 둘러보고 있었다.

0276 **room** [ruːm]

ⓝ 방, 실

Let's meet at four in the conference **room**.

4시에 회의실에서 봅시다.

⊕ **conference room** 회의실

Intermediate

0277 **company** [kʌ́mpəni]

ⓝ 회사

During the 1970's, she worked for a design **company**. 교과서

1970년대 동안 그녀는 디자인 회사에서 일했다.

0278 **interview** [íntərvjùː]

ⓥ 면접을 보다, 인터뷰를 하다 ⓝ 면접, 인터뷰

We read the **interview** and learned a few tips for living green. 교과서

우리는 인터뷰를 읽고 친환경적인 생활에 대한 몇 가지 팁을 배웠다.

⊕ **interviewer** ⓝ 면접관 **interviewee** ⓝ 면접 받는 사람

0279 **calendar** [kǽləndər]

ⓝ 달력

Please mark the date of the next meeting on your **calendar**.
달력에 다음 회의 날짜를 표시해 놓으세요.

Voca tip calendar

날짜를 세는 방법은 크게 양력과 음력으로 나눌 수 있어요. 양력은 태양을 기준으로 하기 때문에 the solar calendar라고 합니다. 그럼 음력은 어떻게 표현할까요? 맞아요. 달을 기준으로 하니까 the lunar calendar라고 합니다.

0280 **printer** [príntər]

ⓝ 인쇄기, 프린터

The new 3D **printers** can print out almost anything. 교과서
그 새로운 3D 프린터는 거의 모든 것을 출력할 수 있다.

⊕ **print** ⓥ 인쇄[출판]하다, 프린트하다

0281 **envelope** [énvəlòup]

ⓝ 봉투

He addressed the **envelope** and mailed it.
그는 봉투에 주소를 쓴 후 우편으로 그것을 보냈다.

⊕ **address an envelope** 봉투에 주소를 쓰다

0282 **folder** [fóuldər]

ⓝ 폴더, 서류철

I'll make copies and put them in the **folder**.
나는 복사해서 그것들을 폴더에 넣어 둘 것이다.

⊕ **fold** ⓥ 접다, 접어 포개다

0283 **call** [kɔːl]

ⓝ 통화 ⓥ 전화를 걸다

Please excuse me for a moment while I make a **call**.
내가 통화하는 동안 잠깐만 실례할게요.

⊕ **make a call** 전화를 걸다 **receive a call** 전화를 받다

0284 **letter** [létər]

ⓝ 편지

Thomas sent **letters** to newspapers across the country.
Thomas는 전국의 신문사에 편지를 보냈다. 교과서

0285 **seal** [siːl]

ⓝ 도장, 인감, 봉인 ⓥ 날인하다, 봉하다

Don't forget to **seal** the cookie jar well.
쿠키 단지를 잘 밀봉하는 것을 잊지 마라.

0286 **clip** [klip]
ⓝ 클립 ⓥ 자르다, 깎다
She **clipped** the coupon and put it into her wallet.
그녀는 쿠폰을 잘라서 그것을 그녀의 지갑에 넣었다.

0287 **pin** [pin]
ⓝ 핀 ⓥ 핀으로 고정하다
Be careful not to bend the **pins** when you use them.
핀을 사용 시 핀이 구부러지지 않도록 조심하세요.

0288 **message** [mésidʒ]
ⓝ 메시지
I'm afraid he is not at home now. Can I take a **message**?
지금 그가 집에 없는 것 같네요. 메시지를 전해 드릴까요? 기출
⊕ **take a message** 메시지를 전하다[받다]
leave a message 메시지를 남기다

0289 **bookcase** [búkkèis]
ⓝ 책장, 책꽂이
I think we need a bigger **bookcase**.
나는 우리가 더 큰 책장이 필요하다고 생각한다.

Voca tip case
case는 '상자, 용기'의 뜻으로 다른 단어와 함께 결합하여 활용될 수 있습니다.
suitcase 여행 가방 jewel case 보석 상자 pencil case 필통

Advanced

0290 **manager** [mǽnidʒər]
ⓝ 관리자
Which one do you think would be the best person for the new **manager**'s position? 기출
그 새로운 관리자 자리에 가장 적합한 사람이 누구라고 생각하십니까?
⊕ **manage** ⓥ 관리하다, 다루다

0291 **calculator** [kǽlkjulèitər]
ⓝ 계산기
Can I borrow your **calculator**, please?
계산기를 빌릴 수 있을까요?
⊕ **calculate** ⓥ 계산하다, 추정하다

0292 **stationery** [stéiʃənèri]
ⓝ 문구류
She ordered some more office **stationery**.
그녀는 사무용품을 좀 더 주문했다.
⊕ **stationery store** 문구점

0293 **staple** [stéipl]

ⓥ 스테이플러로 고정시키다

The teacher **stapled** the pages of the test together.
선생님은 시험지들을 스테이플러로 고정시켰다.

⊕ **stapler** ⓝ 스테이플러

0294 **punch** [pʌntʃ]

ⓝ (표에 구멍을 뚫는) 펀치 ⓥ 구멍을 뚫다

He **punched** tickets all day long.
그는 하루 종일 티켓에 구멍을 뚫었다.

0295 **highlighter** [háilàitər]

ⓝ 형광 컬러 펜

Please mark the important words with the **highlighter**.
형광 컬러 펜으로 중요한 단어들을 표시해 주세요.

⊕ **highlight** ⓝ 가장 중요한 점 ⓥ 강조하다

0296 **document** [dákjumənt]

ⓝ 서류, 문서

Would you make two copies of this **document**?
이 문서를 2부만 복사해 주시겠어요?

0297 **printout** [príntàut]

ⓝ 출력물

Could you get me a **printout** of last year's sales figures?
지난해 판매 수치에 대한 출력물을 제게 가져다주시겠어요?

0298 **photocopy** [fóutəkàpi]

ⓝ 사진 복사물 ⓥ 사진 복사하다

A: Can I **photocopy** the summary notes? 기출
B: No problem.
A: 요약 노트를 복사할 수 있을까요?
B: 그러세요.

Idioms

0299 **deal with**

~을 다루다, 처리하다

The boss is satisfied with the way she **deals with** things.
사장은 그녀가 일을 처리하는 방식을 마음에 들어 한다.

0300 **fill out**

~을 작성하다, 기입하다

Please **fill out** the usage request form before using the meeting room.
회의실을 사용하기 전에 사용 요청 양식을 작성해 주세요.

Exercise

[1~8] 다음 우리말과 같은 뜻이 되도록 빈칸에 알맞은 단어를 쓰세요.

1 회의실 a conference ________________

2 편지를 보내다 send a ________________

3 봉투에 주소를 쓰다 address an ________________

4 문구점 a ________________ store

5 서식을 작성하다 ________________ a form

6 전화를 걸다 make a ________________

7 메시지를 남기다 leave a ________________

8 양력 the solar ________________

[9~12] 다음 단어와 영어 풀이를 알맞은 것끼리 연결하세요.

9 scissors •

10 bookcase •

11 calculator •

12 document •

• ⓐ a piece of furniture that you keep books on

• ⓑ one or more official pieces of paper

• ⓒ a tool for cutting material

• ⓓ an electronic device that is used for adding, subtracting, etc.

[13~15] 다음 빈칸에 알맞은 말을 보기에서 골라 쓰세요.

보기	folder	glue	interview

13 I'll ________________ a label on the package.

14 Mr. Jones kept the document in the ________________.

15 She is nervous because she has a job ________________ tomorrow.

Day 11 On the Road 길 위

Previous Check

- □ building
- □ bakery
- □ fire station
- □ hospital
- □ museum
- □ city hall
- □ police station
- □ left
- □ trash
- □ village
- □ direction
- □ street
- □ avenue
- □ block
- □ straight
- □ corner
- □ turn
- □ drugstore
- □ pedestrian
- □ department store
- □ sidewalk
- □ crosswalk
- □ intersection
- □ patrol
- □ signal
- □ highway
- □ sewer
- □ give ~ a ride
- □ be known for
- □ in the middle of

★ Day 11

On the Road

01 02 03 04 05 06 07 08 09 10 11 12 13 14 15 16 17 18 19 20

Basic

0301 **building** [bíldiŋ]

ⓝ 건물

This is a small park between two **buildings**. 교과서

이곳은 두 건물 사이에 있는 작은 공원이다.

0302 **bakery** [béikəri]

ⓝ 제과점

I'll stop off at a **bakery** on the way home.

나는 집에 가는 길에 제과점에 잠깐 들를 것이다.

⊕ **bake** ⓥ (빵, 과자를) 굽다 **baker** ⓝ 빵 굽는 사람

0303 **fire station** [faíər stèiʃən]

ⓝ 소방서

A: Did you have a nice weekend?

B: Yes. I volunteered at a **fire station**. 기출

A: 주말 잘 보냈니?

B: 응. 소방서에서 자원 봉사를 했어.

0304 **hospital** [hάspitl]

ⓝ 병원

She took her cat to the animal **hospital**. 교과서

그녀는 자신의 고양이를 동물 병원에 데려갔다.

⊕ **in (the) hospital** 병원에 입원하여

0305 **museum** [mjuːzíːəm]

ⓝ 박물관

You can visit special **museums** to take fun selfies. 교과서

당신은 재미있는 셀카를 찍기 위해 특별한 박물관에 방문할 수 있다.

Voca tip 길 묻기

길을 묻는 다양한 표현들을 알아봅시다! 아래는 모두 경복궁에 가는 길을 묻는 표현입니다.

Can[Could] you show me the way to Gyeongbokgung Palace?

Could you tell me how to get to Gyeongbokgung Palace?

How can I get to Gyeongbokgung Palace?

Where is Gyeongbokgung Palace?

0306 **city hall** [sìti hɔ́ːl]

ⓝ 시청

We got married in the **City Hall** in New York.

우리는 뉴욕 시청에서 결혼했다.

0307 **police station** [pəlíːs stèiʃən]

ⓝ **경찰서**

How can I get to the nearest **police station**?
가장 가까운 경찰서에 어떻게 갑니까?

⊕ **police officer** 경찰관

0308 **left** [left]

ⓝ **왼쪽** ↔ right 오른쪽

ABC Hotel is on your **left** at the end of this street.
ABC 호텔은 이 길 끝 왼쪽에 있다.

0309 **trash** [træʃ]

ⓝ **쓰레기**

Recycling is using **trash** to make new products. 기출
재활용은 새 상품을 만드는 데 쓰레기를 사용하는 것이다.

⊕ **trash bin** 쓰레기통

Intermediate

0310 **village** [vílidʒ]

ⓝ **(시골) 마을, 촌락**

People in the **village** are so poor that they can't pay for electricity. 교과서
그 마을의 사람들은 너무 가난해서 전기세를 낼 수 없다.

0311 **direction** [dirékʃən]

ⓝ **방향**

The sand stretches on and on in every **direction** in a great desert. 교과서
거대한 사막에서는 모래가 사방으로 계속 이어진다.

0312 **street** [striːt]

ⓝ **거리**

You can find lots of fancy restaurants along the main **street**.
중심가를 따라 멋진 식당들을 많이 발견할 수 있다.

0313 **avenue** [ǽvənjùː]

ⓝ **도시의 큰 대로, 넓은 길**

The **avenue** to his castle was beautiful with trees and flowers.
그의 성으로 가는 큰 길은 나무와 꽃들로 아름다웠다.

0314 **block** [blɑk]

ⓝ **1. (도로의) 블록, 구획 2. 덩어리, 장애물** ⓥ **막다, 봉쇄하다**

How many more **blocks** do we have to go?
몇 블록을 더 가야만 하죠?

⊕ **blockbuster** ⓝ (영화 등) 엄청난 히트작

0315 **straight** [streit]

ⓐ **똑바른, 직선의** ↔ winding 구불구불한 ⓐⓓ **곧장, 일직선으로**

Will you go **straight** home after school?

너는 방과 후에 곧장 집으로 갈 거니?

0316 **corner** [kɔ́ːrnər]

ⓝ **모퉁이, 구석**

A: Excuse me. Where is the nearest bookstore?

B: Well, go straight and turn right at the first **corner**. 기출

A: 실례합니다. 가장 가까운 서점이 어디죠?

B: 음, 직진하시다가 첫 번째 모퉁이에서 우회전하세요.

0317 **turn** [təːrn]

ⓝ **1. 회전 2. 방향 전환** ⓥ **돌다**

Turn left on the second block.

두 번째 블록에서 좌회전하세요.

⊕ **turn right[left]** 오른쪽[왼쪽]으로 돌다

= **make a right[left] turn**

0318 **drugstore** [drʌ́gstɔ̀ːr]

ⓝ **약국** = pharmacy

Is there a **drugstore** around here?

이 근처에 약국이 있나요?

0319 **pedestrian** [pədéstriən]

ⓝ **보행자**

Sideways are for **pedestrians**' safety.

인도는 보행자들의 안전을 위한 것이다.

⊕ **pedestrian walkway** 보행자 전용 도로

0320 **department store** [dipɑ́ːrtmənt stɔːr]

ⓝ **백화점**

The **department store** is across this street.

백화점은 이 길 건너편에 있다.

Advanced

0321 **sidewalk** [sáidwɔ̀ːk]

ⓝ **인도, 보도** = sideway ↔ driveway 차도

You can't park a motorcycle on **sidewalks**.

인도에는 오토바이를 주차할 수 없다.

0322 **crosswalk** [krɔ́ːswɔ̀ːk]

ⓝ **횡단보도**

It's not a **crosswalk**. Don't cross the street here.

여기는 횡단보도가 아니야. 여기서 길을 건너지 마.

□ 0323 **intersection** [ìntərsékʃən]

ⓝ **교차로**

Everyone saw the accident at the **intersection**.

모두가 그 교차로에서 일어난 사고를 봤다.

□ 0324 **patrol** [pətróul]

ⓝ **순찰대, 순찰 경관**

Why are there so many **patrol** cars?

저기에 왜 그렇게 순찰차들이 많죠?

□ 0325 **signal** [sígnəl]

ⓝ **신호, 신호기**

The driver ignored the traffic **signal**.

그 운전자가 교통 신호를 무시했다.

⊕ traffic signal 교통 신호

□ 0326 **highway** [háiwèi]

ⓝ **고속도로** ⊜ freeway

The speed limit for this **highway** is 110km/h.

이 고속도로의 제한 속도는 시속 110 킬로미터이다.

□ 0327 **sewer** [sú:ər]

ⓝ **하수구**

A bad smell was coming from the **sewer**.

하수구에서 악취가 올라오고 있었다.

Idioms

□ 0328 **give ~ a ride**

~를 태워 주다

Can you **give** me **a ride** to the hospital?

병원까지 나를 태워 줄 수 있나요?

□ 0329 **be known for**

~로 알려져 있다, ~로 유명하다

The city **is known for** its beautiful beaches.

그 도시는 아름다운 해변으로 유명하다.

□ 0330 **in the middle of**

~의 중간[중앙]에, ~의 도중에

This is the Hana Youth Center, and it is **in the middle of** our town. 교과서

여기는 하나 청소년 센터이고, 이곳은 우리 마을 중앙에 있다.

Exercise

[1~8] 다음 우리말과 같은 뜻이 되도록 빈칸에 알맞은 단어를 쓰세요.

1 쓰레기통 a ________________ bin

2 경찰서 a ________________ station

3 시청 a city ________________

4 소방서 a ________________ station

5 백화점 a ________________ store

6 바닷가 마을 a seaside ________________

7 보행자 전용 도로 a ________________ walkway

8 교통 신호 a traffic ________________

[9~11] 다음 괄호 안의 우리말과 같은 뜻이 되도록 빈칸에 알맞은 단어를 쓰세요.

9 Turn the key in an anticlockwise ________________.
(열쇠를 시계 반대 방향으로 돌려라.)

10 Turn right at the next ________________. (다음 교차로에서 우회전하세요.)

11 You should not ride your bike on the ________________.
(보도에서 자전거를 타면 안 된다.)

[12~15] 다음 빈칸에 알맞은 말을 보기에서 골라 쓰세요.

보기	crosswalk	hospital	highway	drugstore

12 She stopped by the ________________ to buy some cold medicine.

13 He has been in the ________________ for two weeks. He is getting better.

14 Let's cross the street at the ________________.

15 Snow covered the ________________, so we couldn't drive.

Day 12

Housework & Tools 집안일과 도구

Previous Check

- ☐ iron
- ☐ lift
- ☐ wash
- ☐ mop
- ☐ daily
- ☐ hang
- ☐ hammer
- ☐ switch
- ☐ dust
- ☐ ladder
- ☐ carry
- ☐ tool
- ☐ drill
- ☐ saw
- ☐ bucket
- ☐ housework
- ☐ dig
- ☐ sweep
- ☐ fold
- ☐ rake
- ☐ trim
- ☐ polish
- ☐ screw
- ☐ broom
- ☐ shovel
- ☐ wrench
- ☐ flashlight
- ☐ outlet
- ☐ set up
- ☐ clean up

Day 12 Housework & Tools

Basic

0331 **iron** [áiərn]

ⓝ 1. 다리미 2. 철 ⓥ 다림질하다

My shirt is so wrinkled, so I need an **iron**.
내 셔츠가 너무 구겨져서 다리미가 필요하다.

0332 **lift** [lift]

ⓥ 올리다, 들어올리다

The player **lifted** the trophy over his head.
그 선수는 트로피를 머리 위로 들어올렸다.

0333 **wash** [waʃ]

ⓝ 세탁물 ⓥ 씻다

A: I **washed** the dishes for you. 기출
B: How kind of you!
A: 너를 위해 내가 설거지를 했어.
B: 친절하기도 하지!

Voca tip wash와 관련된 집안일

wash와 관련된 집안일 표현을 알아봅시다.
wash the dishes 설거지를 하다 wash the car 세차하다 do the wash 세탁하다

0334 **mop** [map]

ⓝ 대걸레 ⓥ 대걸레로 닦다

Mop the kitchen floor and be sure to clean the table. 기출
부엌 바닥을 대걸레로 닦고 반드시 식탁을 청소하세요.

0335 **daily** [déili]

ⓐ 매일의, 나날의

Big data allows us to learn more about our **daily** lives. 교과서
빅데이터는 우리의 일상생활에 대해 우리가 더 많이 알게 해 준다.
⊕ daily life 일상생활

0336 **hang** [hæŋ]

ⓥ 걸다, 매달리다 (hung-hung)

I helped dad **hang** out the wash.
나는 아빠가 빨래를 너시는 것을 도왔다.
⊕ hang out the wash 빨래를 널다

0337 **hammer** [hǽmər]

ⓝ 망치

My uncle hit a nail with a **hammer**.
삼촌은 망치로 못을 박았다.

☐ 0338 **switch** [switʃ]

ⓝ 스위치

Pull out the plug or turn off the **switch** to save energy.
에너지를 절약하기 위해 플러그를 뽑거나 스위치를 꺼라.

⊕ turn on[off] the switch 스위치를 켜다[끄다]

Voca tip switch

switch는 전기와 관련된 '스위치'라는 뜻 외에, '바꾸다'라는 의미의 동사로도 쓰입니다.
Let's switch places. 자리를 바꾸자.

Intermediate

☐ 0339 **dust** [dʌst]

ⓝ 먼지, 티끌 ⓥ 먼지를 털다

My mom was beating **dust** out of the carpet.
엄마는 카펫을 두드려 먼지를 털고 있었다.

☐ 0340 **ladder** [lǽdər]

ⓝ 사다리

He climbed up the **ladder** to fix the roof.
그는 지붕을 고치기 위해 사다리를 올라갔다.

⊕ climb up[down] a ladder 사다리를 올라가다[내려가다]

☐ 0341 **carry** [kǽri]

ⓥ 나르다

The women were **carrying** food on their heads.
그 여자들은 음식을 머리에 이고 나르고 있었다.

☐ 0342 **tool** [tuːl]

ⓝ 도구, 연장

Jack brought a **tool** box to fix the bike.
Jack은 자전거를 고치기 위해서 공구 상자를 가져왔다.

☐ 0343 **drill** [dril]

ⓝ 송곳 ⓥ 구멍을 뚫다

My father used a **drill** to make a hole in the board.
아버지는 판자에 구멍을 뚫기 위해 송곳을 사용하셨다.

☐ 0344 **saw** [sɔː]

ⓝ 톱 ⓥ 톱질하다 (sawed-sawn)

They **sawed** the dead branches off the tree.
그들은 그 나무에서 죽은 가지들을 톱으로 잘라 냈다.

□ 0345 **bucket** [bʌ́kit]
□
ⓝ 물통, 양동이
The little girl is filling **buckets** with water.
그 소녀가 양동이들에 물을 채우고 있다.

□ 0346 **housework** [háuswə̀ːrk]
□
ⓝ 가사, 집안일
I'll help you more with the **housework**. 기출
내가 너의 집안일을 더 도와줄게.

□ 0347 **dig** [dig]
□
ⓥ 파다, 파헤치다 (dug-dug)
Workers are **digging** holes in the garden.
인부들이 정원에서 구덩이를 파고 있다.

□ 0348 **sweep** [swiːp]
□
ⓥ 청소하다, 쓸다 (swept-swept)
She **swept** the garden clean.
그녀는 정원을 깨끗이 청소했다.

□ 0349 **fold** [fould]
□
ⓥ 개다, 접다
She **folded** the clothes neatly and put them in the closet.
그녀는 옷을 깔끔하게 개서 그것들을 옷장에 넣었다.

Advanced

□ 0350 **rake** [reik]
□
ⓝ 갈퀴 ⓥ 긁어모으다
I **raked** up the fallen leaves in the yard.
나는 마당에서 낙엽을 긁어모았다.

□ 0351 **trim** [trim]
□
ⓥ 깎아 다듬다
She takes delight in **trimming** the garden every Sunday.
그녀는 일요일마다 정원을 손질하는 것이 낙이다.

□ 0352 **polish** [pɑ́liʃ]
□
ⓥ 닦다, 윤을 내다
I sometimes **polish** my father's shoes.
나는 가끔 아버지의 구두를 닦는다.

□ 0353 **screw** [skruː]
□
ⓝ 나사 ⓥ 나사로 죄다, 비틀다
The **screw** is loose. Please turn the **screw** to the right.
나사가 헐거워요. 나사를 오른쪽으로 돌려 주세요.
⊕ **tighten[loosen] a screw** 나사를 죄다[풀다]

0354 **broom** [bru:m]

ⓝ **빗자루**

My mother is sweeping the floor with a **broom**.

어머니가 빗자루로 바닥을 쓸고 계신다.

0355 **shovel** [ʃʌ́vəl]

ⓝ **삽**

The **shovel** is hanging on the wall.

삽이 벽에 걸려 있다.

0356 **wrench** [rentʃ]

ⓝ **렌치(너트를 죄는 기구)** ⊜ spanner

If you hand me that **wrench**, I'll tighten it up.

네가 그 렌치를 나에게 건네주면, 나는 그것을 조일 것이다.

0357 **flashlight** [flǽʃlàit]

ⓝ **손전등**

A: Do you want me to shine my **flashlight** on your steps?
B: Yes, please. It's really dark here.

A: 손전등으로 발밑을 비추어 줄까요?
B: 네. 여기는 정말 어두워요.

0358 **outlet** [áutlet]

ⓝ **1. (전기) 콘센트 2. 출구, 배출구**

A: Did you find the **outlet** in the living room?
B: No, I didn't.

A: 거실에 있는 전기 콘센트를 찾았니?
B: 아니, 못 찾았어.

⊕ **put a plug into an outlet** 플러그를 콘센트에 끼우다

Idioms

0359 **set up**

세우다, 설치[설립]하다

He **set up** a fence around the garden.

그는 정원 주변에 울타리를 세웠다.

0360 **clean up**

치우다, 청소하다

A: Your room is messy. Why don't you **clean** it **up** right now?
B: Okay, I will.

A: 네 방은 지저분하구나. 지금 당장 치우는 게 어때?
B: 알겠어요. 그럴게요.

Exercise

[1~8] 다음 우리말과 같은 뜻이 되도록 빈칸에 알맞은 단어를 쓰세요.

1	설거지를 하다	______________ the dishes
2	빨래를 널다	______________ out the wash
3	사다리를 올라가다	climb up a ______________
4	나사를 죄다	tighten a ______________
5	옷을 개다	______________ the clothes
6	낙엽을 긁어모으다	______________ up the fallen leaves
7	빗자루로 쓸다	sweep with a ______________
8	플러그를 콘센트에 끼우다	put a plug into an ______________

[9~12] 다음 단어와 영어 풀이를 알맞은 것끼리 연결하세요.

9 sweep • • ⓐ to make a hole in the ground

10 flashlight • • ⓑ a tool for cutting wood

11 dig • • ⓒ to remove dust or dirt with a broom or brush

12 saw • • ⓓ a small battery-powered electric light

[13~15] 다음 빈칸에 알맞은 말을 보기에서 골라 쓰세요.

보기	hammer	iron	dust

13 She used to ______________ his shirts.

14 You'd better wear a mask when you ______________ the old books.

15 He used a ______________ to hit the nails into a piece of wood.

Day 13

At the Supermarket 슈퍼마켓

Previous Check

□ bottle	□ bin	□ grocery
□ package	□ smoked	□ container
□ can	□ fresh	□ aisle
□ item	□ grain	□ dairy
□ pack	□ vegetable	□ bundle
□ ice	□ cart	□ pile
□ bar	□ seafood	□ cash register
□ piece	□ cashier	□ on sale
□ counter	□ freezer	□ for free
□ spray	□ frozen food	□ line up

★ Day 13 At the Supermarket

01 02 03 04 05 06 07 08 09 10 11 12 13 14 15 16 17 18 19 20

Basic

0361 **bottle** [bátl]
ⓝ 병
Don't throw away paper and empty **bottles** with other garbage. 기출
종이와 빈 병을 다른 쓰레기와 함께 버리지 마세요.

0362 **package** [pǽkidʒ]
ⓝ 1. (포장용) 용기, 상자 2. 꾸러미, 소포
Can I have a **package** to put some food into it?
안에 음식을 담을 포장 용기를 얻을 수 있을까요?

0363 **can** [kæn]
ⓝ 깡통, 통조림 ⊜ tin ⓥ (음식물을) 통조림으로 만들다
She bought three **cans** of tuna fish.
그녀는 참치 통조림 세 개를 샀다.
⊕ **canned** ⓐ 통조림한

Voca tip can

우리가 가장 많이 알고 있는 can은 '~할 수 있다'라는 뜻의 조동사입니다. 그러나 깡통, 통조림을 말할 때도 can을 사용합니다. 손잡이, 뚜껑이 달린 금속제 용기를 말할 때도 can을 사용합니다.
oil can 기름통 garbage can 쓰레기통 sprinkling can 물뿌리개

0364 **item** [áitem]
ⓝ 항목, 품목
They sell that **item** at a discount of 40 percent.
그들은 그 품목을 40% 할인하여 판매한다.

0365 **pack** [pæk]
ⓝ 꾸러미, 한 상자 ⓥ (짐을) 싸다, 꾸리다
Let's buy the large economy **pack**!
큰 절약형 꾸러미를 사자!

0366 **ice** [ais]
ⓝ 얼음
Paul always puts **ice** in his water or juice.
Paul은 항상 자신의 물이나 주스에 얼음을 넣는다.

0367 **bar** [baːr]
ⓝ 막대기, 막대기 모양의 것
We will introduce two new chocolate **bars** this year.
우리는 올해 두 가지 새로운 초콜릿 바를 선보일 것입니다.

□ 0368 **piece** [pi:s]
□

ⓝ **조각**

A: What would you like?

B: I'll have a **piece** of pizza and an apple juice.

A: 무엇을 드실 건가요?

B: 피자 한 조각과 사과 주스요.

□ 0369 **counter** [káuntər]
□

ⓝ **계산대**

Could you put your groceries up on the **counter**?

식료품을 계산대 위에 올려 주시겠어요?

Intermediate

□ 0370 **spray** [sprei]
□

ⓝ **스프레이, 분무기** ⓥ **뿌리다**

I put **spray** on my hair every morning.

나는 매일 아침 머리에 스프레이를 뿌린다.

□ 0371 **bin** [bin]
□

ⓝ **(뚜껑 달린) 큰 상자**

The clerk is putting fruits in the **bin**.

점원이 과일을 큰 상자에 담고 있다.

□ 0372 **smoked** [smoukt]
□

ⓐ **훈제된**

Slices of **smoked** salmon are a popular appetizer in Europe.

얇게 썬 훈제 연어는 유럽에서 인기 있는 전채 요리이다.

⊕ **smoke** ⓥ 연기를 내다, 훈제하다

□ 0373 **fresh** [freʃ]
□

ⓐ **신선한**

She made salad with some **fresh** lettuce and tomatoes.

그녀는 약간의 신선한 양상추와 토마토로 샐러드를 만들었다.

□ 0374 **grain** [grein]
□

ⓝ **곡물, 곡류**

Maetdol is used to grind **grains** like rice or beans into flour or paste. 기출

맷돌은 쌀이나 콩과 같은 곡물을 가루나 반죽으로 빻는 데 사용된다.

□ 0375 **vegetable** [védʒətəbl]
□

ⓝ **채소**

You can find tomatoes at the **vegetable** stand.

당신은 채소 진열대에서 토마토를 찾을 수 있어요.

0376 **cart** [kɑːrt]
ⓝ **손수레, 카트**
She was pushing a shopping **cart** in the supermarket.
그녀는 슈퍼마켓에서 쇼핑 카트를 밀고 있었다.

0377 **seafood** [síːfùːd]
ⓝ **해산물**
Don't forget our week-long **seafood** promotion!
일주일간 열리는 해산물 판촉 행사를 놓치지 마세요!

0378 **cashier** [kæʃíər]
ⓝ **계산원**
You can pay the **cashier** at the checkout counter.
계산대에 있는 계산원에게 지불하면 됩니다.

Advanced

0379 **freezer** [fríːzər]
ⓝ **냉동고**
There are many foods in supermarket **freezers**.
슈퍼마켓의 냉동고에 많은 음식들이 있다.
⊕ **freeze** ⓥ 얼리다, 냉동하다

0380 **frozen food** [fróuzən fuːd]
ⓝ **냉동식품**
Frozen food is a way to preserve food for a long time.
냉동식품은 음식을 오랫동안 보관하기 위한 하나의 방법이다.

0381 **grocery** [gróusəri]
ⓝ **1. 식료 잡화점, 식품점 2. [*pl.*] 식료품류**
I went to the **grocery** store to buy some food.
나는 음식을 사러 식료품 가게에 갔다.

0382 **container** [kəntéinər]
ⓝ **용기**
He was thirsty, so he opened a milk **container** and shook it. 교과서
그는 목이 말라서 우유 용기를 열고 그것을 흔들었다.
⊕ **contain** ⓥ 담고 있다, 포함하다

0383 **aisle** [ail]
ⓝ **통로**
The cereal is at the end of **aisle** 15.
시리얼은 15번 통로 끝에 있다.

0384 **dairy** [déəri]

ⓐ **우유의, 유제품의**

Yogurt is in the **dairy** section, aisle B. 기출

요구르트는 유제품 구역인 B 통로에 있다.

⊕ **dairy products** 유제품

Voca tip dairy *vs.* daily

철자가 비슷해서 혼동하기 쉬운 단어입니다. dairy는 milk, yogurt 등의 '유제품의'를 뜻하는 반면, daily는 day에서 유래한 단어로 '날마다'라는 뜻을 가지고 있습니다.

daily newspaper 일간 신문 daily meals 매일의 식사 daily schedule 일과표

0385 **bundle** [bʌ́ndl]

ⓝ **(한 묶음의) 다발, 뭉치**

Please give me two **bundles** of these bananas.

이 바나나 두 다발 주세요.

0386 **pile** [pail]

ⓝ **더미**

A clerk was resting his head on a **pile** of books.

한 점원이 책 더미에 머리를 기대어 쉬고 있었다.

0387 **cash register** [kǽʃ rédʒistər]

ⓝ **금전 등록기**

A **cash register** is a machine used in shops to keep the money and record.

금전 등록기는 돈과 기록을 보관하기 위해 가게에서 사용되는 기계이다.

Idioms

0388 **on sale**

1. 판매되는 2. 할인 중인

Ice cream is **on sale** for half price.

아이스크림이 반값에 판매되고 있다.

0389 **for free**

공짜로, 무료로

If you buy this toothbrush, we'll give you toothpaste **for free**.

이 칫솔을 구입하시면, 치약 하나를 공짜로 드립니다.

0390 **line up**

줄을 서다

A lot of customers **line up** at the counter.

많은 고객이 계산대에 줄을 서 있다.

Exercise

[1~8] 다음 우리말과 같은 뜻이 되도록 빈칸에 알맞은 단어를 쓰세요.

1	초콜릿 바	a chocolate ________________
2	피자 한 조각	a ________________ of pizza
3	금전 등록기	a ________________ register
4	유제품 구역	a ________________ section
5	우유 용기	a milk ________________
6	냉동식품	________________ food
7	훈제 연어	________________ salmon
8	식료품 가게	a ________________ store

[9~13] 다음 단어와 영어 풀이를 알맞은 것끼리 연결하세요.

9	aisle •	• ⓐ many things put on top of each other
10	for free •	• ⓑ a person who takes payments in shops
11	pile •	• ⓒ a long narrow passage
12	cashier •	• ⓓ not costing any money
13	bundle •	• ⓔ a group of things that are wrapped together

[14~15] 다음 빈칸에 알맞은 단어를 고르세요.

14 We keep frozen food in a ________________.

① freezer ② piece ③ bar ④ spray

15 The store is selling every ________________ at 20 percent off.

① aisle ② smoke ③ contain ④ item

Day 14

Describing Things 사물 묘사

Previous Check

□ clean	□ light	□ shallow
□ high	□ famous	□ oval
□ low	□ colorful	□ square
□ open	□ empty	□ triangle
□ heavy	□ metal	□ crack
□ full	□ plastic	□ glitter
□ flat	□ wide	□ firm
□ dark	□ tight	□ wooden
□ deep	□ loose	□ be covered with
□ round	□ sharp	□ prefer A to B

Describing Things

Basic

0391 **clean** [kliːn]

ⓐ **깨끗한** ↔ dirty 더러운 ⓥ **청소하다, 깨끗이 하다**

Your room is **clean**. Did you **clean** it up?

네 방이 깨끗하구나. 청소를 했니?

0392 **high** [hai]

ⓐ **높은** ↔ low 낮은

Angel Falls in Venezuela is 979 meters **high**. 교과서

베네수엘라에 있는 엔젤 폭포는 979미터 높이이다.

⊕ **height** ⓝ 높이

0393 **low** [lou]

ⓐ **낮은** ↔ high 높은

Are you looking for high heels or **low** heels?

굽이 높은 구두를 찾나요, 아니면 낮은 구두를 찾나요?

0394 **open** [óupən]

ⓐ **열린** ↔ closed 닫힌 ⓥ **열다**

We are **open** from Tuesday to Sunday. 기출

우리는 화요일부터 일요일까지 문을 연다.

0395 **heavy** [hévi]

ⓐ **무거운** ↔ light 가벼운

You don't have to wear your big **heavy** space suits. 교과서

당신은 크고 무거운 우주복을 입을 필요가 없다.

⊕ **heavy rain** 폭우 **heavy snow** 폭설

0396 **full** [ful]

ⓐ 1. **가득 찬** ↔ empty 텅 빈 2. **배부른** ↔ hungry 배고픈

This room is **full** of traditional Korean things. 교과서

이 방은 한국의 전통적인 물건들로 가득 차 있다.

⊕ **be full of** ~로 가득 차 있다

Intermediate

0397 **flat** [flæt]

ⓐ **평평한, 편평한**

Products like big **flat** light switches and phones with touch buttons are helping people live better lives. 교과서

큰 평평한 전등 스위치와 터치 버튼이 있는 전화기와 같은 제품들은 사람들이 더 나은 삶을 살도록 돕고 있다.

0398 **dark** [dɑːrk]

ⓐ **어두운** ↔ bright 밝은

She used to sit alone in a **dark** room.

그녀는 어두운 방에 혼자 앉아 있곤 했다.

□ 0399 **deep** [di:p]

ⓐ **깊은** ↔ shallow 얕은

This river is not too **deep**, so we can swim here.
이 강은 그리 깊지 않아서 우리는 여기서 수영을 할 수 있어.

⊕ **take a deep breath** 깊은 숨을 쉬다
depth ⓝ 깊이 **deepen** ⓥ 깊게 하다

Voca tip -en

-en은 명사나 형용사 뒤에 붙어, '~하게 하다'라는 의미의 동사를 만듭니다.
dark(어두운) + en ➔ darken 어둡게 하다
bright(밝은) + en ➔ brighten 밝게 하다
tight(꽉 조이는) + en ➔ tighten 꽉 조이게 하다

□ 0400 **round** [raund]

ⓐ **1. 둥근 2. 한 바퀴를 도는**

We all know that the earth is **round**.
우리 모두는 지구가 둥글다는 것을 알고 있다.

⊕ **round trip** 왕복 여행

□ 0401 **light** [lait]

ⓐ **가벼운, (양이) 적은** ↔ heavy 무거운 ⓝ **빛**

They served us drinks and a **light** snack.
그들은 우리에게 음료와 가벼운 간식을 제공했다.

□ 0402 **famous** [féiməs]

ⓐ **유명한** ⊜ well-known

There are many **famous** restaurants near this hotel.
이 호텔 근처에는 유명한 식당들이 많이 있다.

⊕ **be famous for** ~로 유명하다 **fame** ⓝ 명성

□ 0403 **colorful** [kʌ́lərfəl]

ⓐ **다채로운, 화려한**

This sea is full of coral and **colorful** fish. 기출
이 바다는 산호와 화려한 색상의 물고기들로 가득 차 있다.

□ 0404 **empty** [émpti]

ⓐ **텅 빈** ↔ full 가득 찬

The actor looked at the **empty** seats in the theater.
그 배우는 극장의 텅 빈 객석을 바라보았다.

⊕ **emptiness** ⓝ 텅 빔, 공허함

□ 0405 **metal** [métl]

ⓝ **금속**

Jikji was printed with movable **metal** type. 교과서
직지는 이동 가능한 금속 형태로 인쇄되었다.

□ 0406 **plastic** [plǽstik]
□

ⓐ **1. 플라스틱의, 비닐의 2. 성형의**

We made a small fish bowl with a **plastic** water bottle.

우리는 플라스틱 물병으로 작은 어항을 만들었다.

⊕ **plastic surgery** 성형 수술

□ 0407 **wide** [waid]
□

ⓐ **넓은** ↔ narrow 좁은

The city library has **wide** doors and elevators.

그 시립 도서관에는 넓은 문과 엘리베이터가 있다.

⊕ **width** ⓝ 넓이, 폭 **widen** ⓥ 넓히다

Advanced

□ 0408 **tight** [tait]
□

ⓐ **꽉 조이는** ↔ loose 헐렁한

The skirt that I bought yesterday was a little **tight**.

내가 어제 산 그 치마는 조금 몸에 끼었다.

⊕ **tighten** ⓥ 꽉 조이게 하다

□ 0409 **loose** [luːs]
□

ⓐ **헐렁한** ↔ tight 꽉 조이는

I like the style and the color, but it looks **loose**. 기출

나는 그 스타일과 색을 좋아하지만, 그것은 헐렁해 보인다.

⊕ **loosen** ⓥ 헐렁하게 하다

□ 0410 **sharp** [ʃɑːrp]
□

ⓐ **날카로운**

He cut the chicken with a **sharp** knife.

그는 날카로운 칼로 닭고기를 잘랐다.

⊕ **as sharp as a needle** 매우 날카로운, 눈치가 빠른

□ 0411 **shallow** [ʃǽlou]
□

ⓐ **얕은** ↔ deep 깊은

It's dangerous to dive into a **shallow** pool.

얕은 수영장에 뛰어드는 것은 위험하다.

Voca tip shallow *vs.* swallow

shallow와 swallow는 철자가 비슷해서 혼동되는 단어들입니다. shallow는 '얕은'을 의미하고, swallow는 '제비; 삼키다'의 뜻을 가지고 있습니다.

□ 0412 **oval** [óuvəl]
□
ⓝ 달걀 모양, 타원형 ⓐ 달걀 모양의, 타원형의
An **oval** mirror is hung on the wall.
타원형의 거울이 벽에 걸려 있다.

□ 0413 **square** [skwɛər]
□
ⓝ 1. 정사각형 2. 광장 ⓐ 정사각형의, 사각의
One is a circle, another is a star, and the other is a **square**.
하나는 원, 다른 하나는 별, 그리고 나머지 하나는 정사각형이다.

□ 0414 **triangle** [tráiæŋgl]
□
ⓝ 삼각형
That tree shaped like a **triangle** is very unique.
삼각형 모양의 저 나무는 매우 독특하다.
⊕ triangular ⓐ 삼각형의

□ 0415 **crack** [kræk]
□
ⓝ (갈라진) 틈, 틈새
There are some **cracks** in the ice.
얼음에 깨진 금이 가 있다.

□ 0416 **glitter** [glítər]
□
ⓥ 빛나다 ⊜ shine
All that **glitters** is not gold.
빛나는 것이 다 금은 아니다.

□ 0417 **firm** [fəːrm]
□
ⓐ 단단한, 굳은 ⊜ hard ⓝ 회사
You should stand the fish tank on a **firm** base.
어항을 단단한 바닥에 두어야 한다.

□ 0418 **wooden** [wúdn]
□
ⓐ 나무로 만든
I'm looking for a big **wooden** wall clock.
나는 나무로 만든 커다란 벽시계를 찾고 있다.

Idioms

□ 0419 **be covered with**
□
~으로 덮여 있다
The hills **are covered with** soft green grass. 교과서
그 언덕은 부드러운 푸른 잔디로 뒤덮여 있다.

□ 0420 **prefer A to B**
□
B보다 A를 더 선호하다
I **prefer** the oval mirror **to** the square one.
나는 정사각형 거울보다 타원형 거울이 더 마음에 든다.

Exercise

[1~8] 다음 우리말과 같은 뜻이 되도록 빈칸에 알맞은 단어를 쓰세요.

1 폭우 ________ rain

2 날카로운 칼 a ________ knife

3 성형 수술 ________ surgery

4 얕은 수영장 a ________ pool

5 왕복 여행 a ________ trip

6 넓은 문 a ________ door

7 타원형의 거울 an ________ mirror

8 삼각관계 a love ________

[9~12] 다음 밑줄 친 부분을 문맥에 맞게 형태나 철자를 고쳐 쓰세요.

9 The ceiling in this room is not <u>height</u>.

10 The man was in <u>depth</u> thought by the lake.

11 These blue jeans are too <u>tighten</u> for me. Can you show me a bigger pair?

12 My friend likes to wear <u>color</u> dresses. She doesn't like simple ones.

[13~15] 다음 빈칸에 알맞은 말을 보기에서 골라 쓰세요.

보기	take a deep breath	covered with	full of

13 It has been snowing since last night, so the mountain is ________ snow.

14 Everything will be alright. Sit here and ________.

15 The restaurant was ________ people, so we had to wait for 2 hours to enter.

Day 15

Senses 감각

Previous Check

□ watch	□ bitter	□ stare
□ look	□ sweet	□ whisper
□ listen	□ sour	□ audio
□ smell	□ juicy	□ flavor
□ loud	□ touch	□ smooth
□ bad	□ rough	□ notice
□ feel	□ soft	□ observe
□ hard	□ sense	□ discover
□ scream	□ objective	□ make sense
□ noise	□ sight	□ focus on

★ Day 15

Senses

01 02 03 04 05 06 07 08 09 10 11 12 13 14 **15** 16 17 18 19 20

Basic

□ 0421 **watch** [watʃ]
□

ⓥ **지켜보다**

This is one of the best places on earth to **watch** stars.

이곳은 지구상에서 별을 지켜보기에 최적의 장소 중 하나이다. 교과서

⊕ **watch out** 조심하다, 주의하다

□ 0422 **look** [luk]
□

ⓥ **보다, 바라보다**

You don't blink often when you **look** at your smartphone.

당신이 스마트폰을 볼 때는 눈을 자주 깜박이지 않는다. 교과서

⊕ **look at** ~을 보다 **look forward to** ~을 고대하다

Voca tip see *vs.* watch *vs.* look

의도하지 않고 눈에 들어오는 무엇인가를 보는 것은 see이고, look이나 watch는 주의를 기울여 볼 때에 사용합니다.

□ 0423 **listen** [lísn]
□

ⓥ **(주의해서) 듣다** ⊜ hear

So far we've **listened** to three songs. 기출

지금까지 우리는 3곡을 들었다.

⊕ **listen to** ~을 듣다

□ 0424 **smell** [smel]
□

ⓝ **냄새, 후각** ⓥ **냄새가 나다, 냄새를 맡다**

I love the **smell** of freshly baked bread.

나는 갓 구운 빵 냄새를 무척 좋아한다.

□ 0425 **loud** [laud]
□

ⓐ **(소리가) 큰, 시끄러운** ⊜ noisy

All of a sudden, there was a **loud** sound of thunder. 교과서

갑자기 시끄러운 천둥소리가 났다.

□ 0426 **bad** [bæd]
□

ⓐ **1. 불쾌한, 나쁜 2. (음식이) 상한**

His speech made people feel **bad**.

그의 연설은 사람들을 불쾌하게 만들었다.

□ 0427 **feel** [fiːl]
□

ⓥ **(기분이) 들다, 느끼다 (felt-felt)**

Get some rest if you **feel** tired.

피곤하다고 느껴진다면 휴식을 취해라.

⊕ **feel like ~ing** ~하고 싶다

□ 0428 **hard** [hɑːrd]
□

ⓐ **1. 굳은, 단단한** ↔ soft 부드러운 **2. 어려운** ≡ difficult

There is a **hard** wooden chair in my room.
내 방에는 단단한 나무 의자가 하나 있다.

It's really **hard** to get information about the topic.
그 주제에 대해서 정보를 얻는 것은 정말 어렵다.

Intermediate

□ 0429 **scream** [skriːm]
□

ⓥ **비명을 지르다, 소리치다** ⓝ **비명, 절규**

People **scream** and throw flowers onto the stage. 교과서
사람들은 소리치며 무대 위로 꽃을 던진다.

□ 0430 **noise** [nɔiz]
□

ⓝ **소음**

I can't get to sleep because of the **noise** outside. 기출
바깥 소음 때문에 잠을 잘 수가 없어요.

⊕ **noisy** ⓐ 시끄러운 **make (a) noise** 시끄럽게 하다

□ 0431 **bitter** [bítər]
□

ⓐ **쓴, 쓴맛의**

In general, a good medicine tastes **bitter**.
일반적으로, 몸에 좋은 약은 쓰다.

□ 0432 **sweet** [swiːt]
□

ⓐ **달콤한**

This ice cream is very **sweet**.
이 아이스크림은 매우 달다.

□ 0433 **sour** [sauər]
□

ⓐ **신, 신맛의**

This food tastes **sour**. What is in it?
이 음식은 신맛이 나네. 안에 뭐가 들었지?

□ 0434 **juicy** [dʒúːsi]
□

ⓐ **즙이 많은**

I like **juicy** pears.
나는 즙이 많은 배를 좋아한다.

□ 0435 **touch** [tʌtʃ]
□

ⓝ **1. 촉감 2. 접촉** ⓥ **만지다, 건드리다**

Don't **touch** the toys. The kid will get angry.
그 장난감을 만지지 마세요. 그 아이가 화낼 거예요.

⊕ **keep in touch with** ~와 연락하고 지내다

□ 0436 **rough** [rʌf]
□

ⓐ **1. 거친** ↔ smooth 부드러운 **2. 가공하지 않은**

The skin on his hands was hard and **rough**.
그의 손 피부는 단단하고 거칠었다.

□ 0437 **soft** [sɔːft]
□

ⓐ **부드러운** ↔ hard, tough 딱딱한, 거친

You should choose a **soft** toothbrush.

당신은 부드러운 칫솔을 선택해야 합니다.

➕ **soften** ⓥ 부드럽게 하다

□ 0438 **sense** [sens]
□

ⓝ **감각** ⓥ **감지하다**

How many **senses** do people have?

사람들은 몇 개의 감각을 가지고 있지?

➕ **sense of humor** 유머 감각

Voca tip 오감(five senses)에는 어떤 감각들이 있을까요?

오감에는 sight(시각), hearing(청각), touch(촉각), smell(후각), taste(미각)가 있습니다. 그러나 이 감각 이외에 하나의 감각을 더 추가하기도 하죠. 바로 육감! 이것은 영어로 sixth sense라고 합니다.

Advanced

□ 0439 **objective** [əbdʒéktiv]
□

ⓐ **객관적인** ↔ subjective 주관적인 ⓝ **목적, 목표**

We need to take an **objective** view on that matter.

우리는 그 문제에 대해서 객관적인 시각을 가져야 한다.

□ 0440 **sight** [sait]
□

ⓝ 1. **시각, 시력** ⊜ vision 2. **보기, 일견**

Jimmy fell in love with her at first **sight**.

Jimmy는 첫눈에 그녀와 사랑에 빠졌다.

➕ **at first sight** 첫눈에

□ 0441 **stare** [stεər]
□

ⓥ **빤히 보다, 응시하다** ⊜ look

He **stared** at blank space.

그는 빈 공간을 응시했다.

➕ **stare at** ~을 빤히 보다

□ 0442 **whisper** [hwíspər]
□

ⓝ **속삭임** ⓥ **속삭이다**

Because she is **whispering**, I can't hear her voice.

그녀가 속삭이고 있어서 그녀의 목소리를 들을 수가 없어.

□ 0443 **audio** [ɔ́ːdiòu]
□

ⓝ **음의 재생, 오디오** ⓐ **음성의, 오디오의**

Audio-visual aids can enhance the students' learning.

시청각 교구는 학생들의 학습 효과를 높일 수 있다.

Voca tip audio

audio는 자체로 '음성의, 오디오의'라는 의미도 있지만, 접두어로 쓰인다는 것을 잊지 마세요. 소리를 녹음할 때 쓰이는 테이프는 audiotape이라고 하죠? 또한 audio book은 책의 내용을 CD 등에 녹음하여 그대로 듣는 자료를 말합니다.

0444 **flavor** [fléivər]
ⓝ **맛, 풍미** ⊜ taste
My favorite ice cream **flavor** is vanilla.
내가 가장 좋아하는 아이스크림 맛은 바닐라 맛이다.

0445 **smooth** [smuːð]
ⓐ **부드러운** ↔ rough 거친 ⓥ **부드럽게 하다**
I envy you for your white **smooth** skin.
나는 너의 희고 부드러운 피부가 부러워.

0446 **notice** [nóutis]
ⓝ **주의, 주목** ⓥ **주의하다, 알아차리다** ⊜ observe
I **noticed** that my dog was behaving strangely. 기출
나는 내 개가 이상하게 행동하는 것을 알아차렸다.

0447 **observe** [əbzə́ːrv]
ⓥ **관찰하다, 알아차리다**
She **observed** his facial expressions.
그녀는 그의 얼굴 표정을 관찰했다.
⊕ **observation** ⓝ 관찰

0448 **discover** [diskʌ́vər]
ⓥ **발견하다, 알아내다**
I **discovered** that Sam was lying.
나는 Sam이 거짓말을 하고 있음을 알게 되었다.

Idioms

0449 **make sense**
의미가 통하다, 이해가[말이] 되다
This sentence doesn't **make sense** at all.
이 문장은 전혀 의미가 통하지 않는다.

0450 **focus on**
~에 집중하다, 초점을 맞추다
Everything became dark, so we were able to **focus on** the sounds there. 교과서
모든 것이 어두워져서 우리는 그곳의 소리에 집중할 수 있었다.

Exercise

[1~4] 다음 빈칸에 공통으로 들어갈 말을 보기에서 골라 쓰세요.

보기	look	smooth	hard	sense

1 **a.** The baby's skin is very ______________.
b. I don't know how to ______________ my hair.

2 **a.** Take a ______________ at this. Isn't it great?
b. Please don't ______________ at me that way.

3 **a.** A walnut has a ______________ shell.
b. That is a ______________ question to answer.

4 **a.** I lost all ______________ of direction.
b. Jin has a great ______________ of humor.

[5~8] 다음 중 단어의 성격이 나머지와 다른 하나를 고르세요.

5 ① watch ② look ③ stare ④ listen

6 ① rough ② soft ③ smell ④ smooth

7 ① loud ② bitter ③ sweet ④ sour

8 ① notice ② whisper ③ discover ④ observe

[9~15] 다음 빈칸에 알맞은 말을 보기에서 골라 쓰세요.

보기
keep in touch with / feel like / first sight
make any noise / watch out / focus on / make sense

9 Please don't ______________! The baby is sleeping.

10 I know him very well. We still ______________ each other.

11 I don't want to be here anymore. I ______________ going home.

12 ______________! Didn't you see the car coming right behind you?

13 I could not ______________ the exam because of the ticking of the clock.

14 She fell in love with him at ______________.

15 I didn't know what he was going on about. It didn't ______________.

Day 16

Health & Illness

건강과 질병

Previous Check

- □ cough
- □ fever
- □ sore
- □ cut
- □ pain
- □ medicine
- □ virus
- □ ache
- □ dizzy
- □ disease
- □ cancer
- □ blind
- □ deaf
- □ patient
- □ cure
- □ relax
- □ burn
- □ symptom
- □ wound
- □ vomit
- □ sneeze
- □ bruise
- □ examine
- □ recover
- □ prevent
- □ medical
- □ operate
- □ emergency
- □ catch a cold
- □ see a doctor

★ Day 16

Health & Illness

01 02 03 04 05 06 07 08 09 10 11 12 13 14 15 **16** 17 18 19 20

Basic

0451 **cough** [kɔːf]
ⓝ 기침 ⓥ 기침하다
I couldn't stop **coughing**.
나는 기침을 멈출 수 없었다.

0452 **fever** [fíːvər]
ⓝ 열, 발열
I ran a **fever** when I had the flu.
독감에 걸렸을 때 나는 열이 났다.
⊕ **run[have] a fever** 열이 나다

0453 **sore** [sɔːr]
ⓐ 아픈, 쑤시는
I have a fever and a **sore** throat. 기출
나는 열이 나고 목이 아프다.
⊕ **have a sore throat** 목이 아프다

0454 **cut** [kʌt]
ⓝ 베인 상처 ⓥ 상처를 내다, ~을 베다 (cut-cut)
She looked at the cat closely and found a bad **cut** on his leg. 교과서
그녀는 고양이를 면밀히 살폈고 다리에서 심하게 베인 상처를 발견했다.

0455 **pain** [pein]
ⓝ 고통
Some aspirin will ease your **pain**. 기출
약간의 아스피린이 통증을 완화해 줄 거야.

0456 **medicine** [médəsin]
ⓝ 약
You should take some **medicine** after your meals. 기출
너는 식사 후에 약을 복용해야 한다.
⊕ **take a medicine** 약을 복용하다

Voca tip medicine

알약은 pill 또는 tablet이라고 하며, 바르는 연고는 ointment라고 합니다.

Intermediate

0457 **virus** [váiərəs]
ⓝ 바이러스
Viruses cause diseases such as the flu. 교과서
바이러스는 독감과 같은 질병을 야기한다.

0458 **ache** [eik]

ⓝ 통증, 아픔 ⊜pain ⓥ 통증이 있다

I have a fever and my whole body is **aching**.
나는 열이 나고 몸 전체가 다 아프다.

Voca tip -ache

ache는 신체 부위를 나타내는 말 뒤에 붙어 그 부위의 통증을 가리키는 말로 활용될 수 있습니다.
stomachache 복통 toothache 치통 earache 이통(귀앓이) backache 요통

0459 **dizzy** [dízi]

ⓐ 어지러운

When I stood up, I felt **dizzy**.
나는 일어났을 때 어지러움을 느꼈다.

0460 **disease** [dizí:z]

ⓝ 병, 질병 ⊜illness

The **disease** kept spreading around the whole village.
그 질병은 온 마을에 계속 퍼졌다. 교과서

⊕ mad cow disease 광우병

0461 **cancer** [kǽnsər]

ⓝ 암

My grandparents died of **cancer**.
나의 조부모님은 암으로 돌아가셨다.

⊕ die of cancer 암으로 죽다

0462 **blind** [blaind]

ⓐ 눈이 먼, 시각 장애의

The car accident made him go **blind**.
차 사고로 그는 시각 장애인이 되었다.

⊕ go blind 시각 장애인이 되다, 시력을 잃다
(as) blind as a bat 전혀 눈이 보이지 않는

0463 **deaf** [def]

ⓐ 귀가 먹은, 청각 장애가 있는

Sign language is very important for **deaf** people. 기출
수화는 청각 장애인을 위해 매우 중요하다.

0464 **patient** [péiʃənt]

ⓝ 환자 ⓐ 끈기 있는, 참을성 있는

The nurse gave the **patient** some pills.
간호사는 환자에게 약을 몇 알 주었다.

0465 **cure** [kjuər]
ⓝ 치료법 ⓥ 치료하다
A **cure** for a cold is to rest.
감기에 대한 치료법은 휴식을 취하는 것이다.
⊕ a cure for ~에 대한 치료법

0466 **relax** [rilǽks]
ⓥ 쉬게 하다, 편히 쉬다
It was nice to **relax** in a cafe and read comic books. 교과서
카페에서 편히 쉬면서 만화책을 읽는 것은 좋았다.
⊕ relaxation ⓝ 휴식

0467 **burn** [bəːrn]
ⓝ 화상 ⓥ 화상을 입다[입히다], (햇볕에) 타다
She **burned** herself on the stove.
그녀는 스토브에 화상을 입었다.

Advanced

0468 **symptom** [símptəm]
ⓝ 증상
Flu has **symptoms** such as a headache and a cough.
독감에는 두통과 기침 같은 증상이 있다.

0469 **wound** [wuːnd]
ⓝ 상처 ⊜ injury ⓥ 상처를 내다 ⊜ injure
This ointment will treat your **wounds**. 기출
이 연고가 당신의 상처를 치료해 줄 거예요.

0470 **vomit** [vámit]
ⓥ 토하다
I **vomited** everything I had eaten last night.
나는 지난밤에 먹은 것을 모두 토했다.

0471 **sneeze** [sniːz]
ⓥ 재채기하다
Cover your mouth and nose when you **sneeze**.
재채기할 때는 코와 입을 가리세요.

0472 **bruise** [bruːz]
ⓝ 멍, 타박상
Mark had a **bruise** on his eye after the fight with Jack.
Mark는 Jack과 싸운 후에 눈에 멍이 들었다.

0473 **examine** [igzǽmin]
ⓥ 진찰하다
A doctor **examined** me and discovered that I had a cold.
의사가 나를 진찰하여 감기에 걸렸다는 것을 알았다.
⊕ examination ⓝ 진찰, 검사

0474 **recover** [rikʌ́vər]

ⓥ **회복하다** ⊜ get over

Taking a rest can help you **recover** strength. 기출

휴식은 당신이 원기를 회복하는 것을 도울 수 있다.

⊕ **recovery** ⓝ 회복

0475 **prevent** [privént]

ⓥ **예방하다, 막다**

You should wash your hands often to **prevent** the flu.

독감을 예방하기 위해서 손을 자주 씻어야 한다.

⊕ **prevention** ⓝ 예방 **preventive** ⓐ 예방의 ⓝ 예방약
prevent disaster 재해를 방지하다

0476 **medical** [médikəl]

ⓐ **의학의**

You should have a **medical** checkup regularly.

당신은 정기적으로 건강 검진을 받아야 한다.

⊕ **have a medical checkup** 건강 검진을 받다

0477 **operate** [ápərèit]

ⓥ **수술하다**

Dr. Foster will **operate** on my back next week.

Foster 박사가 다음 주에 내 허리를 수술할 것이다.

⊕ **operation** ⓝ 수술 **operating room** 수술실

0478 **emergency** [imə́ːrdʒənsi]

ⓝ **비상사태, 응급**

Take him to the **emergency** room right now.

지금 당장 그를 응급실로 데려가세요.

⊕ **emergency room** 응급실

Idioms

0479 **catch a cold**

감기에 걸리다

Pineapples are an excellent source of vitamin C. So when you **catch a cold**, try pineapples. 교과서

파인애플은 비타민 C의 훌륭한 원천이다. 그러니 당신이 감기에 걸렸을 때 파인애플을 먹어 보라.

0480 **see a doctor**

의사의 진찰을 받다, 병원에 가다

You had better **see a doctor** about that cough.

너는 그 기침에 대해 의사의 진찰을 받아 보는 게 좋겠어.

Exercise

[1~8] 다음 우리말과 같은 뜻이 되도록 빈칸에 알맞은 단어를 쓰세요.

1	열이 나다	run a ________
2	감기에 걸리다	________ a cold
3	목이 아프다	have a ________ throat
4	응급실	an ________ room
5	광우병	mad cow ________
6	수술실	an ________ room
7	의사의 진찰을 받다	see a ________
8	찰과상과 타박상	cuts and ________

[9~12] 다음 단어의 관계가 보기와 일치하도록 빈칸에 알맞은 단어를 쓰세요.

보기 observe – observation

9 examine – ________

10 recover – ________

11 relax – ________

12 prevent – ________

[13~15] 다음 빈칸에 알맞은 말을 보기에서 골라 쓰세요.

보기 died of cancer　have a medical checkup　cure for

13 My mom is sick, so I want her to ________.

14 There is no ________ a cold. The best medicine is to rest.

15 I'm so sad. My grandmother ________ in the hospital.

Day 17 Travel 여행

Previous Check

□ trip	□ passport	□ baggage
□ journey	□ insurance	□ claim
□ sightseeing	□ reach	□ check
□ visa	□ attendant	□ destination
□ flight	□ board	□ security
□ landscape	□ depart	□ delay
□ reserve	□ arrive	□ jet lag
□ cancel	□ land	□ souvenir
□ scenery	□ abroad	□ all over the world
□ apply	□ itinerary	□ have a good time

★ Day 17

Travel

01 02 03 04 05 06 07 08 09 10 11 12 13 14 15 16 **17** 18 19 20

Basic

□ 0481 **trip** [trip]

ⓝ **여행**

My family is planning a **trip** to France.

우리 가족은 프랑스 여행을 계획하고 있다.

□ 0482 **journey** [dʒə́ːrni]

ⓝ **(보통 멀리 가는) 여행, 여정**

In 1979, she started a **journey** to cities in the U.S. and Canada. 교과서

1979년에 그녀는 미국과 캐나다의 도시들로 가는 여행을 시작했다.

Voca tip 여행의 종류

영어에는 '여행'을 뜻하는 단어가 참 많습니다.

- trip: 목적을 가지고 하는 여행 ex. business trip 사업상의 출장
- travel: 먼 곳으로 가는 여행 (해외 여행 등)
- journey: 긴 여정의 고된 여행
- tour: 짜여진 계획에 따라 움직이는 여행 ex. package tour 여행사의 패키지 여행

□ 0483 **sightseeing** [sáitsìːiŋ]

ⓝ **관광**

A: What's the purpose of your visit to Canada?

B: **Sightseeing**. 기출

A: 캐나다를 방문한 목적이 무엇입니까?

B: 관광입니다.

⊕ **sightseer** ⓝ 관광객 **city sightseeing** 도시 관광

□ 0484 **visa** [víːzə]

ⓝ **비자, 사증**

Have you already done the **visa** interview?

비자 인터뷰를 이미 했나요?

□ 0485 **flight** [flait]

ⓝ **비행**

I'm checking the **flight** schedule for this weekend. 기출

이번 주말의 비행 일정을 확인하는 중이야.

Intermediate

□ 0486 **landscape** [lǽndskèip]

ⓝ **풍경** ⊜ scenery

The seaside **landscape** was peaceful and beautiful. 교과서

바닷가 풍경이 평화롭고 아름다웠다.

☐ 0487 **reserve** [rizə́ːrv]
ⓥ **예약하다** ⊜ book
I've **reserved** a room under the name of Mariam.
Mariam이라는 이름으로 객실을 예약했어요.
⊕ **reservation** ⓝ 예약 **make a reservation** 예약하다

☐ 0488 **cancel** [kǽnsəl]
ⓥ **취소하다** ⓝ **취소**
We had to **cancel** the city tour because of bad weather.
우리는 악천후 때문에 시티 투어를 취소해야 했다.

☐ 0489 **scenery** [síːnəri]
ⓝ **풍경** ⊜ landscape
Jeju-do is well-known for its beautiful **scenery**.
제주도는 아름다운 풍경으로 잘 알려져 있다.

☐ 0490 **apply** [əplái]
ⓥ **신청하다 (for)**
I **applied** for a visa for the U.S.
나는 미국 비자를 신청했다.

☐ 0491 **passport** [pǽspɔːrt]
ⓝ **여권**
Be careful not to lose your **passport**.
여권을 잃어버리지 않도록 조심하세요.
⊕ **passport number** 여권 번호

☐ 0492 **insurance** [inʃúərəns]
ⓝ **보험**
Do you have travel **insurance**?
여행 보험을 가지고 있나요?

☐ 0493 **reach** [riːtʃ]
ⓥ **도착하다, 도달하다**
Our journey has almost **reached** its end.
우리의 여행은 거의 막바지에 이르렀다.

☐ 0494 **attendant** [əténdənt]
ⓝ **안내원, 종업원**
I want to be a flight **attendant**.
나는 비행기 승무원이 되고 싶다.
⊕ **flight attendant** 승무원

☐ 0495 **board** [bɔːrd]
ⓥ **탑승하다, 승차하다**
Please **board** the plane at Gate 5.
5번 게이트에서 비행기에 탑승해 주시기 바랍니다.
⊕ **boarding pass** 탑승권

0496 **depart** [dipá:rt]

ⓥ **출발하다** ↔ arrive 도착하다

Attention, please. Our flight to Italy will be **departing** shortly.
안내 말씀 드립니다. 이탈리아행 우리 비행기가 곧 출발하겠습니다.

⊕ **departure** ⓝ 출발 ↔ **arrival** ⓝ 도착
departure time 출발 시각 ↔ **arrival time** 도착 시각

0497 **arrive** [əráiv]

ⓥ **도착하다** ↔ depart 출발하다

When he **arrived** home, his wife told him the good news.
그가 집에 도착했을 때 그의 부인이 그에게 좋은 소식을 말해 주었다. 교과서

0498 **land** [lænd]

ⓝ **땅** ⓥ **착륙하다**

We will be **landing** at Incheon International Airport in 10 minutes. 기출
우리는 10분 후에 인천 국제 공항에 착륙할 예정입니다.

⊕ **landing** ⓝ 착륙 ↔ **taking off** ⓝ 이륙

0499 **abroad** [əbrɔ́:d]

ad **해외로**

My dream is to travel **abroad** after retirement.
내 꿈은 은퇴 후에 해외 여행을 하는 것이다.

Advanced

0500 **itinerary** [aitínərèri]

ⓝ **1. 여행 일정표 2. 여행 일기**

Please check your **itinerary** before departure.
출발 전에 여행 일정표를 확인하시기 바랍니다.

0501 **baggage** [bǽgidʒ]

ⓝ **짐, 수하물** = luggage

Do you have check-in **baggage**?
부치실 짐이 있습니까?

Voca tip baggage의 종류

- check-in baggage: check-in counter에서 부치고 도착지에서 다시 찾아가는 짐
- carry-on baggage: 비행기 안으로 가지고 들어가는 짐

0502 **claim** [kleim]

ⓝ **1. 요구, 청구 2. 주장** ⓥ **1. 요구하다 2. 주장하다**

Where is the baggage **claim**?
수하물 찾는 곳이 어디죠?

⊕ **baggage claim** (공항의) 수하물 찾는 곳

0503 **check** [tʃek]

ⓝ 1. 수표 2. 점검 ⓥ 조사하다, 점검하다

A: Good afternoon! I'd like to **check** in. 기출
B: Do you have a reservation?

A: 안녕하세요! 체크인(입실 수속)을 하고 싶은데요.
B: 예약을 하셨나요?

⊕ **check in** 입실[탑승] 수속을 밟다, 체크인하다
check-in counter 탑승이나 입실 수속을 하는 곳

0504 **destination** [dèstənéiʃən]

ⓝ (여행 등의) 목적지

Spain is one of the most popular holiday **destinations**.

스페인은 가장 인기 있는 휴가 목적지 중 하나이다.

0505 **security** [sikjúərəti]

ⓝ 보안, 안전

We must go through the airport **security** check.

우리는 반드시 공항 보안 검사를 거쳐야 한다.

⊕ **security check** 보안 검사(탑승 전에 실시하는 수하물 및 신체 검사)

0506 **delay** [diléi]

ⓝ 지연, 연기 ⓥ 연기하다

The departure was **delayed** due to the storm.

폭풍 때문에 출발이 지연되었다.

0507 **jet lag** [dʒét læg]

ⓝ 시차증(여행 시차에 의한 피로 · 신경 과민)

I am suffering from **jet lag** after a long trip.

나는 오랜 여행을 마치고 나서 시차증으로 고통받고 있다.

0508 **souvenir** [sùːvəníər]

ⓝ 기념품

This is a **souvenir** I got from my trip to China last year.

이것은 내가 작년 중국 여행에서 산 기념품이다.

Idioms

0509 **all over the world**

전 세계에

My dream is to travel **all over the world**.

내 꿈은 전 세계를 여행하는 것이다.

0510 **have a good time**

즐겁게 보내다, 좋은 시간을 갖다

Have a good time during your vacation!

휴가 동안 즐거운 시간 보내!

Exercise

[1~8] 다음 우리말과 같은 뜻이 되도록 빈칸에 알맞은 단어를 쓰세요.

1 보안 검사 a ______________ check

2 도시 관광 a city ______________

3 탑승권 a ______________ pass

4 예약하다 make a ______________

5 여권 번호 a ______________ number

6 비자를 신청하다 ______________ for a visa

7 여행 보험 travel ______________

8 승무원 a flight ______________

[9~12] 다음 괄호 안에 주어진 지시에 맞게 빈칸을 채우세요.

9 departure → (반의어) ______________

10 reserve → (유의어) ______________

11 landing → (반의어) ______________

12 scenery → (유의어) ______________

[13~15] 자연스러운 대화가 되도록 빈칸에 알맞은 말을 보기에서 골라 쓰세요.

보기	souvenir	destination	claim

13 A: I bought this ______________ for my sister.
B: Oh, she will be excited to get it.

14 A: Where is the baggage ______________? I need to get my luggage.
B: It's right there.

15 A: May I help you?
B: Yes, please. I'd like to mail this letter. The ______________ is Japan.

Day 18

Hobbies 취미

Previous Check

- □ movie
- □ puzzle
- □ game
- □ interest
- □ picture
- □ musical
- □ dance
- □ activity
- □ craft
- □ collect
- □ chess
- □ hike
- □ comic
- □ camp
- □ pleasure
- □ stamp
- □ jog
- □ magic
- □ fix
- □ favorite
- □ mania
- □ volunteer
- □ chat
- □ model
- □ knit
- □ leisure
- □ involve
- □ spend ... on ~ing
- □ go (out) for a walk
- □ from time to time

★ Day 18

Hobbies

01 02 03 04 05 06 07 08 09 10 11 12 13 14 15 16 17 **18** 19 20

Basic

□ 0511 **movie** [mú:vi]
□

ⓝ 영화

Where do you usually sit in a **movie** theater? 교과서

너는 영화관에서 대개 어디에 앉니?

□ 0512 **puzzle** [pʌ́zl]
□

ⓝ 수수께끼, 퍼즐 ⊜ riddle

We enjoy doing **puzzles** when we are at home.

우리는 집에 있을 때 퍼즐 맞추기를 즐긴다.

⊕ **crossword puzzle** 십자말풀이 퍼즐

□ 0513 **game** [geim]
□

ⓝ 게임, 시합

I can't believe that we won the **game**.

나는 우리가 그 시합에 이겼다는 것이 믿기지 않아.

Voca tip game과 관련된 단어

mass game 단체 경기
a tie 동점(의 경기)
fair play 정정당당한 경기 태도
overtime 연장전
neck and neck 막상막하의

□ 0514 **interest** [íntərəst]
□

ⓝ 흥미, 관심

They described their **interests** on the Internet. 기출

그들은 인터넷상에서 자신들의 관심사를 설명했다.

⊕ **interesting** ⓐ 흥미로운 **be interested in** ~에 흥미가 있다

□ 0515 **picture** [píktʃər]
□

ⓝ 사진, 그림

I like to take **pictures** of the food and post them on my blog. 교과서

나는 음식 사진을 찍어서 그것들을 내 블로그에 게시하는 것을 좋아한다.

⊕ **take a picture** 사진을 찍다

□ 0516 **musical** [mjú:zikəl]
□

ⓐ 음악의 ⓝ 뮤지컬

Which **musical** instrument can you play?

너는 어떤 악기를 연주할 수 있니?

⊕ **musical instrument** 악기

0517 **dance** [dæns]

ⓝ 춤 ⓥ 춤을 추다

In the youth center, we can learn many things, such as **dance** and music. 교과서

청소년 센터에서 우리는 춤과 음악 같은 많은 것을 배울 수 있다.

Intermediate

0518 **activity** [æktívəti]

ⓝ 1. 움직임 2. 활동

My favorite outdoor **activity** is dog sledding. 교과서

내가 가장 좋아하는 야외 활동은 개썰매 타기이다.

0519 **craft** [kræft]

ⓝ (수)공예 ⓥ 공예품을 만들다

They are doing a paper **craft** using paper and paste.

그들은 종이와 풀을 사용하여 종이 공예를 하고 있다.

0520 **collect** [kəlékt]

ⓥ 모으다

My sister likes to **collect** post cards.

내 여동생은 엽서 모으기를 좋아한다.

0521 **chess** [tʃes]

ⓝ 체스, 서양 장기

Would you play **chess** with me after dinner?

저녁 식사 후에 나와 체스 둘래?

0522 **hike** [haik]

ⓥ 하이킹하다, 도보여행하다

All of the students **hiked** for about one hour.

학생들 모두가 약 한 시간 동안 하이킹을 했다.

0523 **comic** [kámik]

ⓐ 희극의, 만화의

People really liked my **comic** books and cartoons. 기출

사람들이 내 만화책과 만화 영화를 정말로 좋아했다.

⊕ comic book 만화책 ⊜ comics

0524 **camp** [kæmp]

ⓝ 1. 야영, 캠프 2. 야영지 ⓥ 야영하다

People go **camping** in this season. 기출

사람들은 이 계절에 캠핑을 간다.

⊕ go camping 캠핑을 가다

0525 **pleasure** [pléʒər]

ⓝ 기쁨

Reading is her **pleasure**. I think she is a bookworm.

독서는 그녀의 기쁨이다. 내 생각에 그녀는 책벌레이다.

0526 **stamp** [stæmp]
ⓝ 1. 우표 ⊜ postage stamp 2. 도장
How many old **stamps** do you have?
너는 옛날 우표가 몇 장이 있니?

0527 **jog** [dʒɑg]
ⓥ 조깅하다
She **jogs** 1 kilometer on a regular basis.
그녀는 규칙적으로 1킬로미터를 조깅한다.

0528 **magic** [mǽdʒik]
ⓝ 마법, 주술 ⓐ 마법의
Some people think four-leaf clovers have **magic** powers.
어떤 사람들은 네잎 클로버가 마법의 힘을 갖고 있다고 생각한다.
⊕ **magic trick** 마술의 기술, 속임수

0529 **fix** [fiks]
ⓥ 1. 고치다 ⊜ repair 2. 고정시키다
My grandfather likes **fixing** things.
나의 할아버지는 물건을 고치는 것을 좋아하신다.

Voca tip fix *vs.* repair *vs.* amend

fix는 어떤 것이 고장이 나거나 잘 움직이지 않을 때 그것을 고치는 것을 의미합니다. 이와 같은 단어로는 repair가 있습니다. amend 역시 '고치다'라는 뜻으로 fix와 비슷해 보이지만 주로 법(law) 또는 헌법 등을 정확하고 더 나은 방향으로 수정한다는 의미로 사용됩니다.

0530 **favorite** [féivərit]
ⓐ 가장 좋아하는
My **favorite** time of the day is the running practice time.
하루 중 내가 가장 좋아하는 시간은 달리기 연습 시간이다. 교과서

Advanced

0531 **mania** [méiniə]
ⓝ 열광
She has a **mania** for traveling.
그녀는 여행에 열광적이다.
⊕ **maniac** ⓝ ~광, 미치광이

0532 **volunteer** [vὰləntíər]
ⓝ 자원 봉사자, 지원자 ⓥ 자진하여 하다
Many **volunteers** did a great job.
많은 자원 봉사자가 대단한 일을 해냈다.

☐ 0533 **chat** [tʃæt]

ⓥ 1. 수다를 떨다 2. (인터넷으로) 채팅하다

How often do you **chat** with your friends?
너는 친구들과 얼마나 자주 담소를 나누니?

⊕ internet chatting 인터넷 채팅

☐ 0534 **model** [mádl]

ⓝ 모형, 모델 ⓐ 모형의, 모델이 되는

My brother's hobby is making **model** airplanes.
내 남동생의 취미는 모형 비행기를 만드는 것이다.

⊕ model airplane 모형 비행기

☐ 0535 **knit** [nit]

ⓥ 뜨개질을 하다

My mother used to **knit** my clothes.
어머니는 내 옷을 뜨개질해 주시곤 했다.

☐ 0536 **leisure** [lí:ʒər]

ⓝ 여가, 한가한 시간 ⓐ 한가한

It's important to have **leisure** time for our health.
우리의 건강을 위해서 여가 시간을 갖는 것은 중요하다.

☐ 0537 **involve** [inválv]

ⓥ 수반하다, 필요로 하다

Collecting coins doesn't **involve** lots of energy.
동전을 수집하는 것은 많은 에너지를 필요로 하지 않는다.

Idioms

☐ 0538 **spend ... on ~ing**

~하는 데 …을 쓰다

Some students **spend** too much time **on** tak**ing** selfies.
몇몇 학생들은 셀카를 찍는 데 너무 많은 시간을 쓴다. 교과서

☐ 0539 **go (out) for a walk**

산책하러 (나)가다

One day, his grandfather **went out for a walk** and got lost.
어느 날 그의 할아버지가 산책하러 나갔다가 길을 잃었다. 교과서

☐ 0540 **from time to time**

때때로, 가끔

To be an active listener, nod your head **from time to time**.
능동적인 청자가 되기 위해 가끔 머리를 끄덕여라. 교과서

Exercise

[1~8] 다음 우리말과 같은 뜻이 되도록 주어진 철자로 시작하여 쓰세요.

1	모형 비행기	m__________	a__________
2	마술의 기술	m__________	t__________
3	만화책	c__________	b__________
4	악기	m__________	i__________
5	십자말풀이 퍼즐	c__________	p__________
6	종이 공예	p__________	c__________
7	캠핑을 가다	g__________	c__________
8	여가 활동	l__________	a__________

[9~12] 다음 괄호 안에서 알맞은 말을 고르세요.

9 She is (interesting / interested) in learning French.

10 Jack has a (mania / maniac) for collecting old CDs.

11 This chair is broken. I will ask my father to (amend / fix) it.

12 He spends too much money on (buy / buying) clothes.

[13~15] 다음 빈칸에 알맞은 말을 보기에서 골라 쓰세요.

보기	picture	puzzle	pleasure

13 He showed me how to do the __________.

14 Visiting her grandchildren is Mrs. Smith's only __________.

15 Excuse me, would you take a __________ of us?

Day 19

Sports 운동

Previous Check

- □ stretch
- □ swim
- □ kick
- □ outdoor
- □ player
- □ bowling
- □ prize
- □ competition
- □ goal
- □ shoot
- □ coach
- □ basketball
- □ baseball
- □ base
- □ match
- □ batter
- □ throw
- □ catch
- □ racket
- □ athlete
- □ defender
- □ score
- □ referee
- □ champion
- □ sweat
- □ dive
- □ skate
- □ surf
- □ warm up
- □ up and down

Day 19 Sports

Basic

0541 **stretch** [stretʃ]

ⓥ **몸을 쭉 뻗다, 쭉 내밀다**

Do enough **stretching** before you begin exercise.
운동을 시작하기 전에 충분한 스트레칭을 해라.

⊕ **stretch one's arm out** 팔을 쭉 뻗다

0542 **swim** [swim]

ⓥ **수영하다 (swam-swum)**

You may not want to **swim** in this river. 교과서
너는 이 강에서 수영하고 싶지 않을 것이다.

⊕ **swimmer** ⓝ 수영 선수, 수영하는 사람 **swimsuit** ⓝ 수영복
swimming goggles 물안경

Voca tip swimming

수영에는 다양한 영법들이 있죠? 자유형은 free style, 배영은 팔을 뒤로 젓기 때문에 backstroke, 평영은 팔을 가슴 앞으로 모았다가 저어 주므로 breaststroke, 접영은 butterfly라고 합니다.

0543 **kick** [kik]

ⓝ **(걷어) 차기, 발길질** ⓥ **발로 차다**

He finds a girl who is **kicking** a soccer ball against a wall.
그는 벽에 축구공을 차고 있는 한 소녀를 발견한다. 교과서

0544 **outdoor** [áutdɔ̀ːr]

ⓐ **실외의, 집밖의** ↔ indoor 실내의, 집안의

My favorite **outdoor** sport is tennis.
내가 가장 좋아하는 실외 스포츠는 테니스다.

0545 **player** [pléiər]

ⓝ **경기자, 선수**

Our **players** wear a red uniform.
우리 선수들은 빨간색 유니폼을 입는다.

0546 **bowling** [bóuliŋ]

ⓝ **볼링**

Let's go **bowling** this afternoon.
오늘 오후에 볼링 치러 가자.

⊕ **go bowling** 볼링 치러 가다

Intermediate

0547 **prize** [praiz]

ⓝ **상, 상품** ⊜ award

My goal is to win first **prize** in the race.
내 목표는 경주에서 1등을 하는 것이다.

⊕ **win (the) first prize** 1등을 하다, 1등 상을 타다

0548 **competition** [kàmpitíʃən]

ⓝ 1. 경쟁 2. 대회, 시합

The **competition** is open to young people under the age of 18.

그 대회에는 18세 미만의 청소년이 참가할 수 있다.

0549 **goal** [goul]

ⓝ 1. (축구의) 골, 득점 2. 목적, 목표

He scored two **goals** in the first half of the game.

그는 전반전에 두 골을 득점했다.

⊕ **score a goal** 득점하다

0550 **shoot** [ʃu:t]

ⓝ 사격 ⓥ 1. (총 등을) 쏘다 2. 슛을 하다 (shot-shot)

The man **shot** an arrow from his bow.

그 남자는 자신의 활로 화살을 한 대 쏘았다.

0551 **coach** [koutʃ]

ⓝ 1. 코치, 지도자 2. 마차 ⓥ 코치하다, 지도하다

They did great when my father **coached** the team.

나의 아버지가 그 팀을 지도하셨을 때 그들은 정말 잘했어.

0552 **basketball** [bǽskitbɔ̀:l]

ⓝ 농구

How about going to the school **basketball** game with me this Friday? 교과서

이번 주 금요일에 나와 함께 교내 농구 시합에 가는 게 어때?

⊕ **basketball court** 농구장

0553 **baseball** [béisbɔ̀:l]

ⓝ 야구

I went to see a **baseball** game last night.

나는 어젯밤에 야구 경기를 보러 갔었다.

⊕ **baseball glove** 야구 글러브 **baseball park** 야구 경기장

0554 **base** [beis]

ⓝ 1. (야구의) 루 2. 토대, 기초

It was a three-**base** hit.

그것은 3루타였어.

0555 **match** [mætʃ]

ⓝ 1. 시합, 경기 ⊜ game 2. 경쟁 상대

Last week's baseball **match** was really great.

지난주의 야구 시합은 정말 대단했어.

0556 **batter** [bǽtər]

ⓝ 타자 ↔ pitcher 투수

He struck out three **batters**.

그는 타자 세 명을 삼진으로 잡았다.

0557 **throw** [θrou]

ⓝ 투구, 던짐 ⓥ 던지다 (threw-thrown) ↔ catch 잡다

When he **throws** the ball, no one can hit it.

그가 공을 던지면 아무도 그것을 칠 수 없다.

0558 **catch** [kætʃ]

ⓥ 1. 잡다 2. 공을 받다 (caught-caught) ↔ pitch 공을 던지다

I **caught** the ball and threw it back to him.

나는 공을 받아 다시 그에게 던졌다.

⊕ catcher ⓝ 포수

0559 **racket** [rǽkit]

ⓝ 라켓 ⓥ 라켓으로 치다

To play tennis, you need a ball and a **racket**. 기출

테니스를 치기 위해서는 공과 라켓이 필요하다.

Advanced

0560 **athlete** [ǽθliːt]

ⓝ (운동)선수

The **athletes** are busy practicing for the Olympics.

운동선수들은 올림픽을 위해 연습하느라 바쁘다.

⊕ athletic ⓐ 운동 경기의, 건장한

0561 **defender** [diféndər]

ⓝ 수비수 ↔ forward 공격수

The player dribbled past three **defenders**.

그 선수는 공을 드리블해서 세 명의 수비수를 제쳤다.

⊕ defend ⓥ 방어하다

0562 **score** [skɔːr]

ⓝ (경기) 득점, 점수 ⓥ 득점하다

The **score** at half-time was 2-2.

전반전이 끝났을 때의 점수는 2대 2였다.

⊕ scoreboard ⓝ 득점 게시판

0563 **referee** [rèfəríː]

ⓝ (운동 경기) 심판 ≡ umpire ⓥ 심판을 보다

How many **referees** are usually on court for a basketball game?

농구 경기를 위해 보통 몇 명의 심판들이 경기장에 있니?

□ 0564 **champion** [tʃǽmpiən]
□

ⓝ 챔피언, 우승자

He is the world wrestling **champion**.

그는 레슬링 세계 챔피언이다.

⊕ **championship** ⓝ 챔피언의 지위, 선수권

□ 0565 **sweat** [swet]
□

ⓝ 1. 땀 2. (땀이 나도록) 힘든 일 ⓥ 땀을 흘리다

After the game, she was **sweating** heavily.

시합 후 그녀는 심하게 땀을 흘리고 있었다.

□ 0566 **dive** [daiv]
□

ⓝ 잠수 ⓥ 잠수하다, 물 속에 뛰어들다

He **dived** into the pool.

그는 수영장 안으로 뛰어들었다.

□ 0567 **skate** [skeit]
□

ⓝ 스케이트 구두 ⓥ 스케이트를 타다

Let's go **skating** this Sunday.

이번 일요일에 스케이트를 타러 가자.

⊕ **go skating** 스케이트를 타러 가다

□ 0568 **surf** [səːrf]
□

ⓝ 파도 ⓥ 파도를 타다, 서핑하다

This summer, I'm going to go **surfing**.

이번 여름에 나는 서핑을 하러 갈 것이다.

⊕ **surfer** ⓝ 서핑하는 사람 **surfing board** 서핑 보드

Voca tip 스포츠 관련 표현

The ball is in your court.는 테니스에서 나온 표현으로 '이제 결정은 너의 몫이다.'라는 뜻입니다. throw in the towel은 권투와 관련된 표현입니다. 코치가 수건을 링 안에 던지는 것은 패배를 인정하고 경기를 포기하겠다는 의사 표현인데, 일상생활에서는 give up(포기하다)의 뜻으로 쓰인답니다.

Idioms

□ 0569 **warm up**
□

(스포츠나 활동 전에) 몸을 천천히 풀다, 준비 운동을 하다

You should take the time to **warm up** before working out!

운동하기 전에 준비 운동을 할 시간을 가져야 해!

□ 0570 **up and down**
□

위아래로, 이리저리

The children were jumping **up and down** with excitement.

아이들은 신이 나서 위아래로 뛰고 있었다.

Exercise

[1~4] 다음 단어의 뜻을 쓰고 관련 있는 것과 연결하세요.

1 batter : ______________	•	• ⓐ surfing
2 surfer : ______________	•	• ⓑ swimming
3 racket : ______________	•	• ⓒ tennis
4 backstroke : ______________	•	• ⓓ baseball

[5~11] 다음 괄호 안의 우리말과 같은 뜻이 되도록 보기에서 알맞은 단어를 골라 쓰세요.

보기
athlete sweating coach scored competition warm up defender

5 She ______________ a goal. (그녀는 한 골을 득점했다.)

6 My father is a famous ______________. (우리 아버지는 유명한 코치이다.)

7 Remember to ______________ before lifting heavy weights.
(무거운 역기를 들기 전에 준비 운동을 하는 것을 기억해라.)

8 Italy last won the ______________ 30 years ago.
(이탈리아는 30년 전에 마지막으로 그 대회에서 우승했다.)

9 He is a great ______________. (그는 위대한 운동선수이다.)

10 He plays ______________ and I play forward. (그는 수비수이고 나는 공격수이다.)

11 It was very hot, so we were ______________.
(날씨가 매우 더워서 우리는 땀을 흘리고 있었다.)

[12~15] 다음 밑줄 친 부분과 바꿔 쓸 수 있는 알맞은 표현을 골라 연결하세요.

12 The <u>prize</u> went to the brown cat.	•	• shot
13 Tonight's soccer <u>game</u> was exciting.	•	• umpire
14 He <u>kicked</u> a ball.	•	• award
15 The <u>referee</u> blew his whistle.	•	• match

Day 20

Shopping 쇼핑

Previous Check

□ store	□ exchange	□ retail
□ gift	□ select	□ discount
□ cheap	□ goods	□ receipt
□ expensive	□ tag	□ brand-name
□ sale	□ medium	□ auction
□ sell	□ cash	□ reasonable
□ choose	□ change	□ catalog
□ pay	□ customer	□ quality
□ business	□ display	□ look around
□ tax	□ stand	□ drop by

★ Day 20

Shopping

01 02 03 04 05 06 07 08 09 10 11 12 13 14 15 16 17 18 19 **20**

Basic

□ 0571 **store** [stɔːr]
□

ⓝ **가게, 상점** ⊜ shop

A: Where did you buy this doll?
B: I bought it at the toy **store**.

A: 너는 어디서 이 인형을 샀니?
B: 나는 그것을 장난감 가게에서 샀어.

Voca tip -store

store는 다른 명사와 합쳐져 다양한 복합어를 만듭니다. bookstore(서점), drugstore(약국), department store(백화점) 등이 그 예입니다.

□ 0572 **gift** [gift]
□

ⓝ **선물** ⊜ present

I'm looking for a birthday **gift** for my friend.
나는 친구에게 줄 생일 선물을 찾고 있다.

□ 0573 **cheap** [tʃiːp]
□

ⓐ **값싼, 저렴한** ⊖ expensive 값비싼

I bought this dress **cheap** at a sale.
나는 이 원피스를 세일 때 싸게 샀다.

□ 0574 **expensive** [ikspénsiv]
□

ⓐ **값비싼** ⊖ cheap 값싼, 저렴한

The jacket is too **expensive** and the color doesn't suit you.
그 재킷은 값이 너무 비싼데다 색깔도 네게 안 어울려.

□ 0575 **sale** [seil]
□

ⓝ **1. 판매 2. 염가 판매, 세일**

Tickets are on **sale** from next Tuesday. 기출
표는 다음 주 화요일부터 판매됩니다.

⊕ **for[on] sale** 팔려고 내놓은 **clearance sale** 재고 정리 세일

□ 0576 **sell** [sel]
□

ⓥ **팔다 (sold-sold)** ⊖ buy 사다

They were **selling** five T-shirts for only 10 dollars. 기출
그들은 티셔츠 5장을 겨우 10달러에 팔고 있었다.

⊕ **seller** ⓝ 판매자

Voca tip -er

동사에 접미사 -er을 붙여 '~하는 사람'이라는 명사를 만들 수 있습니다.
sell(팔다) ➔ seller(판매자) buy(사다) ➔ buyer(구매자) teach(가르치다) ➔ teacher(교사)

0577 **choose** [tʃu:z]

ⓥ 선택하다 (chose-chosen)

You can **choose** many kinds of food at the market. 교과서

당신은 그 시장에서 많은 종류의 음식을 고를 수 있다.

⊕ choice ⓝ 선택, 선택된 것[사람]

0578 **pay** [pei]

ⓥ 지불하다 (paid-paid)

Then, how much do I have to **pay** for it? 기출

그러면, 제가 그것에 대해 얼마를 지불해야 합니까?

⊕ payment ⓝ 지불, 납입

0579 **business** [bíznis]

ⓝ 사업, 상업, 장사

She runs a small **business** from her home.

그녀는 자신의 집에서 조그마한 사업을 운영한다.

⊕ business trip 출장 business hour 영업시간

0580 **tax** [tæks]

ⓝ 세금

The tickets are $50 each, including **tax**. 기출

그 표는 세금을 포함해서 각 50달러입니다.

Intermediate

0581 **exchange** [ikstʃéindʒ]

ⓝ 1. 교환 2. 거래소 ⓥ 교환하다

I am here to **exchange** this tablet PC.

이 태블릿 PC를 교환하러 여기에 왔어요.

0582 **select** [silékt]

ⓥ 선발하다, 선택하다 ⓐ 엄선된, 고급의

Please **select** only one of these goods.

이 상품들 중 하나만 선택해 주세요.

⊕ selection ⓝ 선발, 선발된 것들[사람들]

0583 **goods** [gudz]

ⓝ 상품, 물품

One floor up, there is a sale on sporting **goods**. 기출

한 층 올라가면, 스포츠 물품들이 판매되고 있습니다.

0584 **tag** [tæg]

ⓝ 1. 꼬리표, 태그 2. 정가표

The price is written on the **tag**.

가격은 정가표에 쓰여 있습니다.

0585 **medium** [mí:diəm]

ⓝ 중간 ⓐ 중간의

Jenny wears a **medium**-sized jacket.

Jenny는 중간 크기의 재킷을 입는다.

0586 **cash**
[kæʃ]

ⓝ **현금**

I will pay for this with **cash**. 기출

저는 이것을 현금으로 지불하겠습니다.

⊕ **cash card** 현금 인출 카드 ⊜ **ATM card**

0587 **change**
[tʃeindʒ]

ⓝ **1. 거스름돈 2. 변화** ⓥ **바꾸다**

The clerk at the counter gave me **change**.

계산대 직원이 나에게 거스름돈을 내주었다.

0588 **customer**
[kʌ́stəmər]

ⓝ **고객** ⊖ clerk 점원

She collected data from **customers** to find out the best style for them. 교과서

그녀는 고객들을 위한 가장 좋은 스타일을 찾기 위해 그들에게서 정보를 수집했다.

0589 **display**
[displéi]

ⓝ **전시, 진열** ⓥ **전시하다**

The museum **displays** more than 1,500 paintings.

그 박물관은 1,500점이 넘는 그림들을 전시한다.

0590 **stand**
[stænd]

ⓝ **노점, 가판대**

I bought some magazines from the newspaper **stand**.

나는 신문 가판대에서 잡지를 좀 샀다.

⊕ **newspaper stand** 신문 가판대

Voca tip stand

stand는 다양한 의미를 가지고 있는 단어입니다. Stand up, please.에서는 '서다'라는 의미를 나타내는 반면에 I can't stand the pain.에서는 '참다, 견디다'라는 의미를 나타냅니다. 명사일 때는 '정지, 작은 탁자, 노점, 가판대' 등의 의미를 갖습니다. 그래서 거리의 신문 가판대를 newsstand 또는 newspaper stand라고 한답니다.

Advanced

0591 **retail**
[rí:tèil]

ⓝ **소매** ⊖ wholesale 도매

There are many **retail** shops in the town.

그 마을에 많은 소매점이 있다.

0592 **discount**
ⓝ [dískaunt]
ⓥ [diskáunt]

ⓝ **할인** ⓥ **할인하다**

Can you give me a **discount**? 기출

할인을 해 주실 수 있나요?

□ 0593 **receipt** [risí:t]

ⓝ 영수증

We cannot give you a refund without the **receipt**.
영수증 없이는 환불해 드릴 수 없어요.

□ 0594 **brand-name** [brǽndnèim]

ⓐ (유명) 상표가 붙은

There's a special bargain on **brand-name** skirts on the third floor. 기출
3층에서 메이커 치마를 특가로 판매합니다.

□ 0595 **auction** [ɔ́:kʃən]

ⓝ 경매

Try e-Market, the world's biggest online **auction** site. 기출
세계에서 가장 큰 온라인 경매 사이트인 e-Market을 이용해 보세요.

□ 0596 **reasonable** [rí:zənəbl]

ⓐ 1. (가격이) 합리적인, 저렴한 2. 이치에 맞는

A: How much is the rent?
B: It's 500 dollars a month. That's **reasonable**. 기출
A: 집세는 얼마인가요?
B: 한 달에 500달러입니다. 저렴하지요.

⊕ **reason** ⓝ 이유, 이성, 이치

□ 0597 **catalog** [kǽtəlɔ̀:g]

ⓝ 목록, (상품 등의) 카탈로그

First, we'll go to a counter to find the store's **catalog**. 기출
우선, 우리는 계산대로 가서 그 가게의 물품 목록을 찾을 것이다.

□ 0598 **quality** [kwáləti]

ⓝ 질, 품질

The store has products of high **quality** from all over the world.
그 가게는 전 세계에서 온 고품질의 상품들을 갖고 있다.

Idioms

□ 0599 **look around**

둘러보다, 구경하다

You can **look around** various stores at this mall.
이 쇼핑몰에서 다양한 상점들을 둘러볼 수 있다.

□ 0600 **drop by**

잠깐 들르다

Drop by the convenience store and buy some milk.
편의점에 들러서 우유를 좀 사오렴.

Exercise

[1~8] 다음 우리말과 같은 뜻이 되도록 빈칸에 알맞은 단어를 쓰세요.

1	중간 크기의 재킷	a ________________-sized jacket
2	빵집에 잠깐 들르다	________________ the bakery
3	장소 선정	a site ________________
4	외국환 거래소	foreign ________________
5	스포츠 물품	sporting ________________
6	고품질	high ________________
7	온라인 경매 사이트	an online ________________ site
8	신문 가판대	a newspaper ________________

[9~12] 다음 괄호 안에 주어진 지시에 맞게 빈칸을 채우세요.

9 present → (유의어) ________________

10 cheap → (반의어) ________________

11 clerk → (반의어) ________________

12 retail → (반의어) ________________

[13~15] 다음 빈칸에 알맞은 단어를 고르세요.

13 How much did you ________________ for that bag?
① sell ② look around ③ display ④ pay

14 Is the price ________________?
① discount ② reasonable ③ tax ④ cash

15 Is this piano for ________________?
① tag ② medium ③ sale ④ stand

Day 21

At the Restaurant 식당

Previous Check

□ take
□ order
□ cook
□ chef
□ buffet
□ waiter
□ dessert
□ napkin
□ set
□ deliver
□ wipe
□ straw
□ bite
□ spill
□ special
□ rare
□ calorie
□ serve
□ tip
□ beverage
□ refill
□ wrap
□ bill
□ total
□ ingredient
□ recommend
□ appetite
□ be ready to
□ wait for
□ either A or B

★ Day 21

At the Restaurant

01 02 03 04 05 06 07 08 09 10 11 12 13 14 15 16 17 18 19 20

Basic

□ 0601 **take** [teik]
□

ⓥ **받다 (took-taken)**

May I **take** your order?

주문하시겠어요?

⊕ take an order 주문을 받다

□ 0602 **order** [ɔ́ːrdər]
□

ⓝ **주문** ⓥ **주문하다**

I **ordered** a steak 30 minutes ago, but it hasn't come yet.

제가 30분 전에 스테이크를 주문했는데 아직 나오지 않았어요.

□ 0603 **cook** [kuk]
□

ⓝ **요리사** ⓥ **요리하다**

Do you know how to **cook** curry?

너는 카레를 요리하는 방법을 아니?

□ 0604 **chef** [ʃef]
□

ⓝ **요리사, 주방장**

The **chef** created this tasty new dish.

그 요리사가 이 맛있는 새 음식을 개발했다.

□ 0605 **buffet** [bəféi]
□

ⓝ **뷔페 식당, 뷔페식 상차림**

We had a nice brunch at North Park's five-star **buffet** restaurant. 기출

우리는 노스파크의 오성 뷔페 식당에서 훌륭한 브런치를 먹었다.

□ 0606 **waiter** [wéitər]
□

ⓝ **웨이터**

The **waiter** is coming to take our order.

웨이터가 우리의 주문을 받으러 오고 있다.

⊕ waitress ⓝ 웨이트리스(여성종업원)

□ 0607 **dessert** [dizə́ːrt]
□

ⓝ **디저트, 후식**

We have a **dessert** like churros at lunch. 교과서

우리는 점심에 추로스와 같은 디저트를 먹는다.

□ 0608 **napkin** [nǽpkin]
□

ⓝ **냅킨**

We use cloth **napkins** because paper napkins are not good for your skin. 교과서

종이 냅킨은 피부에 좋지 않기 때문에 우리는 천 냅킨을 사용한다.

Voca tip It's on me.

'내가 살게.'라는 뜻으로 누군가에게 식사를 대접하고 싶을 때 쓸 수 있는 표현입니다. It's on me. 외에도 It's my treat.나 I'll pick up the bill.이라는 표현도 있습니다. '각자 내자!'라고 할 때는 Let's go Dutch! 라고 하면 됩니다. Dutch pay는 쓰지 않는 표현입니다.

Intermediate

□ 0609 **set** [set]
□

ⓥ **1. 놓다 2. 준비하다**

Can you help me **set** the table? 기출

내가 상 차리는 것 좀 도와줄래?

⊕ **set the table** 상을 차리다

□ 0610 **deliver** [dilívər]
□

ⓥ **배달하다**

We promise to **deliver** within 24 hours.

24시간 이내 배송을 약속드립니다.

⊕ **delivery** ⓝ 배달 **a delivery person** 배달원
have (one's) lunch delivered 점심을 배달시켜 먹다

□ 0611 **wipe** [waip]
□

ⓥ **닦다**

Could you **wipe** down the table again?

테이블을 다시 닦아 주시겠어요?

□ 0612 **straw** [strɔː]
□

ⓝ **1. 빨대 2. 지푸라기**

How many **straws** do you need?

빨대가 몇 개 필요하신가요?

□ 0613 **bite** [bait]
□

ⓝ **한입** ⓥ **물다**

Paul took a **bite** of the apple.

Paul은 사과를 한입 베어 먹었다.

□ 0614 **spill** [spil]
□

ⓥ **흘리다, 엎지르다 (spilt/spilled - spilt/spilled)**

I **spilt** coffee on your smartphone. 기출

내가 네 스마트폰에 커피를 엎질렀어.

⊕ **spilt[spilled]** ⓐ 엎질러진 **spilt[spilled] water** 엎질러진 물

□ 0615 **special** [spéʃəl]
□

ⓝ **특별한 것, 특별 메뉴** ⓐ **특별한**

Sometimes the restaurant serves **special** dishes, such as pizza, *bibimbap*, or pasta. 교과서

때때로 그 식당은 피자, 비빔밥이나 파스타와 같은 특식을 제공한다.

□ 0616 **rare** [rɛər]
ⓐ **1. (고기 등이) 덜 익은 2. 드문, 희귀한**
I'd like my steak **rare**, please.
제 스테이크는 덜 익혀 주세요.

Voca tip How would you like your steak?

잘 익혀 달라고 하려면 well-done, 중간 정도를 원하면 medium, 덜 익힌 것을 원하면 rare라고 하면 됩니다. 우리나라 사람들은 설 익힌 rare보다는 대부분 medium이나 medium well-done을 선호한다고 합니다.

□ 0617 **calorie** [kǽləri]
ⓝ **칼로리, 열량**
Many people like low-**calorie** food these days.
요즘 많은 사람이 저열량 음식을 좋아한다.
⊕ low-calorie ⓐ 저열량의

□ 0618 **serve** [səːrv]
ⓥ **1. 시중들다 2. 제공하다**
We **serve** drinks for two dollars each. 기출
저희는 각 2달러에 음료수를 제공합니다.
⊕ service charge (호텔, 음식점 등의) 서비스 요금

□ 0619 **tip** [tip]
ⓝ **1. 팁 2. (물건 · 신체의) 뾰족한 끝**
That was great service. I'll leave a big **tip**.
서비스가 훌륭했어. 팁을 많이 줘야지.

Advanced

□ 0620 **beverage** [bévəridʒ]
ⓝ **음료** ⊜ drink
Here's the **beverage** menu.
여기 음료 메뉴판이 있습니다.

□ 0621 **refill** ⓝ [ríːfìl] ⓥ [rìːfíl]
ⓝ **새 보충물** ⓥ **다시 채우다, 보충하다**
Can I have a **refill**, please?
한 잔 더 주시겠어요?

□ 0622 **wrap** [ræp]
ⓥ **싸다, 포장하다** ⓝ **포장지**
Could you **wrap** up the leftovers?
남은 음식을 좀 싸 주시겠어요?

□ 0623 **bill** [bil]
ⓝ **계산서, 청구서** ⊜ check
Can I get the **bill**?
계산서 좀 주시겠어요?

Voca tip bill[check] *vs.* receipt

돈을 내기 전에 받는 청구서가 bill 또는 check이고, 돈을 내고 나서 받는 영수증이 receipt입니다.

0624 **total** [tóutl]

ⓝ 합계, 총액 ⓐ 전체의, 총계의

The **total** bill is $85.

총 비용은 85달러입니다.

⊕ the total cost 전체 비용

0625 **ingredient** [ingríːdiənt]

ⓝ 재료

Mix the **ingredients** together in the bowl.

그릇에 담긴 재료들을 함께 섞으세요.

0626 **recommend** [rèkəménd]

ⓥ 추천하다

The pasta will be delicious since the chef **recommended** it.

그 파스타는 주방장이 추천했기 때문에 맛있을 겁니다.

0627 **appetite** [ǽpətàit]

ⓝ 식욕

Actually I don't have much of an **appetite** now. 기출

사실 지금은 식욕이 별로 없어.

⊕ appetizer ⓝ 애피타이저, 전채

lose (one's) appetite 식욕을 잃다

Idioms

0628 **be ready to**

~할 준비가 되다

Are you **ready to** order now?

이제 주문할 준비가 되셨나요?

0629 **wait for**

~을 기다리다

The food is very hot, so **wait for** it to cool down.

음식이 무척 뜨거우니 그것이 식기를 기다리세요.

0630 **either A or B**

A와 B 둘 중 하나

You can have **either** ice cream **or** apple pie for dessert.

디저트로 아이스크림과 애플파이 중 하나를 드실 수 있습니다.

Exercise

[1~8] 다음 우리말과 같은 뜻이 되도록 빈칸에 알맞은 단어를 쓰세요.

1 주문을 받다 take an ________________

2 저열량의 low-________________

3 너를 기다리다 ________________ you

4 식욕을 잃다 lose one's ________________

5 엎질러진 물 ________________ water

6 갈 준비가 되다 ________________ go

7 서비스 요금 a ________________ charge

8 배달원 a ________________ person

[9~11] 다음 영어 풀이에 알맞은 단어를 보기에서 골라 쓰세요.

보기	dessert	straw	beverage

9 ________________ : a hot or cold drink

10 ________________ : the last course in a meal such as cake, fruit, etc.

11 ________________ : a thin tube of plastic for sucking up liquid from a cup

[12~15] 다음 괄호 안에 주어진 단어들을 순서대로 배열하여 문장을 완성하세요.

12 상을 차리자. (table, set, the)

→ Let's ____.

13 점심을 배달시켜 먹자. (delivered, lunch, have, our)

→ Let's ____.

14 내가 살게. (me, on)

→ It's ____.

15 나는 점심으로 햄버거와 샌드위치 중 하나를 먹고 싶어.
(or, a sandwich, a hamburger, either)

→ I'd like ____ for lunch.

Day 22

At the Beach 해변

Previous Check

□ sand	□ whistle	□ lifeguard
□ wave	□ lifeboat	□ float
□ shell	□ scuba	□ flipper
□ suntan	□ swimsuit	□ binoculars
□ raft	□ sunblock	□ snorkel
□ yacht	□ cooler	□ pebble
□ sunglasses	□ blanket	□ expose
□ parasol	□ shade	□ all day long
□ mat	□ shore	□ look forward to ~ing
□ vacation	□ sunbath	□ throw away

At the Beach

01 02 03 04 05 06 07 08 09 10 11 12 13 14 15 16 17 18 19 20

Basic

0631 **sand** [sænd]

ⓝ **모래**

They are making a **sand** castle on the shore.

그들은 해안가에서 모래성을 만들고 있다.

⊕ **sand castle** 모래성

0632 **wave** [weiv]

ⓝ **파도**

Unfortunately their ship sank beneath the **waves**.

불행히도 그들의 배가 파도 속으로 가라앉고 말았다.

⊕ **Korean wave** 한류

0633 **shell** [ʃel]

ⓝ **조개** ⊜ seashell

They are picking up **shells** on the beach.

그들은 해변에서 조개를 줍고 있다.

0634 **suntan** [sʌ́ntæ̀n]

ⓝ **선탠, 볕에 그을음**

Take a **suntan** lotion when you go to the beach.

해변에 갈 때에는 선탠로션을 가지고 가세요.

⊕ **suntan lotion** 선탠로션

0635 **raft** [ræft]

ⓝ **고무 보트, 뗏목**

A banana boat is a long **raft**.

바나나 보트는 긴 고무 보트이다.

⊕ **white water rafting** 급류 래프팅(고무 보트를 타고 계곡의 급류를 헤쳐 나가는 레포츠)

0636 **yacht** [jɑt]

ⓝ **요트**

He traveled around the world on a **yacht**.

그는 요트를 타고 세계 곳곳을 여행했다.

⊕ **by yacht** 요트로

0637 **sunglasses** [sʌ́nglæ̀siz]

ⓝ **선글라스**

Don't forget to wear **sunglasses** to protect your eyes.

눈을 보호하기 위해 선글라스 쓰는 것을 잊지 마라.

Voca tip glasses

안경을 spectacles라고도 합니다. 다이버들이 쓰는 안경은 a pair of diver's goggles, 스키를 탈 때 쓰는 보호 안경은 ski goggles라고 한답니다. 보통 독서할 때 글씨가 잘 보이지 않아 사용하는 돋보기나 확대경은 magnifying glasses라고 합니다.

0638 **parasol** [pǽrəsɔ̀:l]

ⓝ **파라솔, 양산** ⊜ sunshade

People have put up **parasols** of various colors all along the beach.

사람들이 해변을 따라 다양한 색의 파라솔을 세워 두었다.

0639 **mat** [mæt]

ⓝ **돗자리, 매트**

They spread a **mat** on the sand and lay down.

그들은 모래 위에 돗자리를 펴고 누웠다.

0640 **vacation** [veikéiʃən]

ⓝ **방학**

She stayed at her grandparents' during summer **vacation**.

그녀는 여름방학 동안 자신의 조부모님 댁에 머물렀다.

Intermediate

0641 **whistle** [hwísl]

ⓝ **호각** ⓥ **호각을 불다**

They blew a **whistle** to warn the swimmers of possible danger.

그들은 수영하는 사람들에게 발생할 수 있는 위험을 경고하고자 호각을 불었다.

0642 **lifeboat** [láifbòut]

ⓝ **구명보트**

They left the Titanic in a **lifeboat**.

그들은 구명보트를 타고 타이타닉 호를 떠났다.

0643 **scuba** [skjú:bə]

ⓝ **스쿠버, 잠수용 호흡 장치**

Scuba is a device used by divers in **scuba** diving.

잠수용 호흡 장치는 스쿠버 다이빙 시 다이버들이 사용하는 장치이다.

⊕ **scuba diving** 스쿠버 다이빙

0644 **swimsuit** [swímsù:t]

ⓝ **수영복** ⊜ bathing suit

We wore a one-piece **swimsuit** and dived into the pool.

우리는 원피스 수영복을 입고 수영장으로 뛰어들었다.

0645 **sunblock** [sʌ́nblɑk]

ⓝ **자외선 차단제** ⊜ sunscreen

I applied **sunblock** to protect my skin.

나는 피부를 보호하기 위해 자외선 차단제를 발랐다.

⊕ **apply sunblock** 자외선 차단제를 바르다

0646 **cooler** [kúːlər]
ⓝ **냉장 박스**
We took a **cooler** full of drinks to the beach.
우리는 음료수가 가득 든 냉장 박스를 해변에 가져갔다.

0647 **blanket** [blǽŋkit]
ⓝ **담요**
She covered herself with a **blanket**.
그녀는 담요로 자신의 몸을 감쌌다.

0648 **shade** [ʃeid]
ⓝ **그늘**
Let's take a rest in the **shade**.
그늘에서 좀 쉬자.

0649 **shore** [ʃɔːr]
ⓝ **물가, 기슭**
They were standing on the **shore** looking at the sunset.
그들은 일몰을 바라보며 물가에 서 있었다.

Voca tip **shore**와 비슷한 말

shore는 하천이나 호수 또는 바다의 기슭을 말합니다. bank는 하천의 기슭, beach는 바닷가의 모래밭을 가리킵니다. 또한 seaside는 휴양지 또는 유람지로서 사람들이 휴가 등을 위해 찾는 해변을 말합니다.

Advanced

0650 **sunbath** [sʌ́nbæ̀θ]
ⓝ **일광욕**
People at the seaside were taking a **sunbath**.
해변에 있는 사람들은 일광욕을 하고 있었다.
⊕ **take a sunbath** 일광욕을 하다

0651 **lifeguard** [láifgɑ̀ːrd]
ⓝ **인명 구조원**
A **lifeguard** is an expert swimmer who rescues people in danger.
인명 구조원은 위험에 처한 사람들을 구조하는 수영 전문가이다.

0652 **float** [flout]
ⓥ **물 위에 뜨다, (배 등을) 띄우다**
Can you **float** on your back?
너는 누워서 물에 떠 있을 수 있니?

0653 **flipper** [flípər]
ⓝ **물갈퀴, 오리발** ⊜ fin
She put on a diving suit and **flippers** to dive.
그녀는 다이빙을 하려고 잠수복과 오리발을 착용했다.
⊕ **swim in flippers** 오리발을 신고 수영하다

0654 **binocularsf** [bənάkjulərz]

ⓝ **쌍안경**

They were watching other swimmers with the **binoculars**.

그들은 쌍안경으로 다른 수영선수들을 지켜보고 있었다.

Voca tip bi-

접두사 bi-는 '둘, 두 개'를 뜻합니다. bi-가 쓰인 단어들은 아래와 같습니다.

bicycle 자전거 biennially 2년마다 biannual 연 2회의 bilingual 2개의 언어를 말하는

0655 **snorkel** [snɔ́ːrkəl]

ⓥ **스노클을 쓰고 잠수하다, 헤엄치다**

Snorkeling is a great way to discover the mysteries of the underwater world.

스노클링은 바닷속 세계의 신비를 발견하는 멋진 방법이다.

0656 **pebble** [pébl]

ⓝ **조약돌, 자갈**

There are many **pebbles** on this beach.

이 해변에는 조약돌이 많다.

0657 **expose** [ikspóuz]

ⓥ **노출하다**

You should not **expose** your skin to the sun.

햇볕에 피부를 노출해서는 안 된다.

⊕ **exposure** ⓝ 노출

Idioms

0658 **all day long**

하루 종일

We enjoyed ourselves at the beach **all day long**.

우리는 하루 종일 해변에서 즐거운 시간을 보냈다.

0659 **look forward to ~ing**

~을 고대하다, 손꼽아 기다리다

I'm **looking forward to** visit**ing** Hawaii this summer.

나는 이번 여름에 하와이에 가기를 손꼽아 기다리고 있다.

0660 **throw away**

1. (쓰레기 등을) 버리다 2. (기회 등을) 놓치다, 날리다

A lot of plastic spoons are **thrown away** in the ocean every year. 교과서

매년 많은 플라스틱 숟가락이 바다에 버려진다.

Exercise

[1~4] 다음 단어들을 연결하여 어구를 완성하고 그 뜻을 쓰세요.

1	sand •	• rafting	→	________
2	suntan •	• diving	→	________
3	white water •	• castle	→	________
4	scuba •	• lotion	→	________

[5~8] 다음 단어의 유의어를 주어진 철자로 시작하여 쓰세요.

5 fin → f________

6 sunshade → p________

7 sunblock → s________

8 bathing suit → s________

[9~12] 다음 빈칸에 알맞은 말을 보기에서 골라 쓰세요.

보기	lifeguard	whistle	float	blanket

9 It's cold in here. Would you bring me a ________?

10 Call a ________ for help if you are in danger.

11 A fresh egg will sink and an old egg will ________.

12 The ________ blew to mark the beginning of the game.

[13~15] 다음 괄호 안에 주어진 단어를 이용하여 영작하세요.

13 내 여동생은 하루 종일 거울을 들여다본다. (all day long, look into, mirror)

____

14 나는 이 회사에서 일하는 것을 기대하고 있다. (work at, company, look forward to)

____

15 좋은 기회를 놓치지 마라. (throw away, opportunity)

____

Day 23

Special Days 특별한 날

Previous Check

□ festival	□ honeymoon	□ anniversary
□ Valentine	□ Easter	□ congratulate
□ blow	□ hide	□ Thanksgiving
□ Christmas	□ invitation	□ Halloween
□ candy	□ Eve	□ reindeer
□ year	□ decorate	□ lantern
□ wish	□ witch	□ stuff
□ mask	□ trick	□ crowded
□ celebrate	□ costume	□ take place
□ gather	□ turkey	□ be similar to

Day 23 Special Days

Basic

□ 0661 **festival** [féstəvəl]
ⓝ 축제
Holi is the most popular **festival** in India. 교과서
'홀리'는 인도에서 가장 인기 있는 축제이다.
⊕ hold a festival 축제를 열다

□ 0662 **Valentine** [vǽləntàin]
ⓝ 밸런타인
I'll buy a box of chocolate on Saint **Valentine**'s day.
나는 밸런타인데이에 초콜릿 한 상자를 살 거야.
⊕ (Saint) Valentine's Day (성) 밸런타인데이

□ 0663 **blow** [blou]
ⓥ 불다 (blew-blown)
Make a wish and **blow** the candle out.
소원을 빌고 초를 끄렴.
⊕ blow out ~을 불어 끄다

□ 0664 **Christmas** [krísməs]
ⓝ 크리스마스
All children want to have a great gift on **Christmas**.
모든 아이들은 크리스마스에 멋진 선물을 받기를 원한다.

□ 0665 **candy** [kǽndi]
ⓝ 사탕
Children go from house to house collecting **candy** on Halloween.
핼러윈에 어린이들은 집집마다 다니면서 사탕을 모은다.

□ 0666 **year** [jiər]
ⓝ 해, 년
I'll visit my grandparents on New **Year**'s Day.
나는 새해 첫날에 나의 조부모님 댁을 방문할 것이다.
⊕ New Year's Day 새해 첫날

□ 0667 **wish** [wiʃ]
ⓝ 소원 ⓥ 기원하다
One of her **wishes** is to see an aurora.
그녀의 소원들 중 하나는 오로라를 보는 것이다.
⊕ make a wish 소원을 빌다

□ 0668 **mask** [mæsk]
ⓝ 가면
You should wear a **mask** for the dance party.
너는 댄스파티를 위해 가면을 써야 한다.

Intermediate

0669 **celebrate** [séləbrèit]

ⓥ **기념하다, 축하하다**

They **celebrate** the festival everywhere for two days. 교과서

그들은 이틀 동안 도처에서 그 축제를 기념한다.

⊕ celebration ⓝ 기념[축하] 행사

0670 **gather** [gǽðər]

ⓥ **(사람들이) 모이다, 모으다**

People **gather** around a big fire at night and sing and dance.

사람들은 밤에 큰 불 주위에 모여서 노래하고 춤을 춘다. 교과서

0671 **honeymoon** [hʌ́nimùːn]

ⓝ **신혼여행**

They will spend their **honeymoon** in Santorini.

그들은 산토리니에서 그들의 신혼여행을 보낼 것이다.

Voca tip 미국의 결혼식

우리나라 결혼 관습과는 달리, 미국은 18세 이상이면 부모의 동의 없이 결혼을 할 수 있습니다. 예식장에서 거창하게 하기보다는 교회 혹은 도서관 같이 조촐한 장소를 택하는 경우가 많고, 결혼 예물이나 혼례품을 지나치게 많이 장만하지 않으며, 1명의 증인과 교회 목사 앞에서 서명하고 나면 결혼이 성립된답니다.

0672 **Easter** [íːstər]

ⓝ **부활절**

We went to church at **Easter**.

우리는 부활절에 교회에 갔다.

⊕ Easter egg 부활절 달걀

0673 **hide** [haid]

ⓥ **숨기다 (hid-hidden)** ⊜ conceal

Where did you **hide** the Easter eggs?

너는 어디에 부활절 달걀들을 숨겼니?

0674 **invitation** [ìnvitéiʃən]

ⓝ **1. 초대 2. 초대장**

We need an **invitation** card to attend the party.

우리가 파티에 참석하기 위해서는 초대장이 있어야 돼.

⊕ invite ⓥ 초대하다

0675 **Eve** [iːv]

ⓝ **전날 밤, 이브**

On Christmas **Eve**, everyone went out to see fireworks.

크리스마스 이브에 모든 사람들이 불꽃놀이를 보러 나갔다.

0676 **decorate** [dékərèit]

ⓥ **장식하다**

In Mexico, people often **decorate** their big hats with a lot of different materials. 교과서

멕시코에서 사람들은 종종 그들의 커다란 모자를 많은 다양한 재료로 장식한다.

⊕ **decoration** ⓝ 장식

0677 **witch** [witʃ]

ⓝ **마녀**

She disguised herself as a **witch**.

그녀는 마녀로 변장했다.

⊕ **wizard** ⓝ (주로 남자) 마법사, 주술사

0678 **trick** [trik]

ⓥ **속이다** ⓝ **속임수**

A: **Trick** or treat!
B: Here is some candy.

A: Trick or treat! (과자를 주지 않으면 장난을 칠 거예요!)
B: 사탕 여기 있어요.

⊕ **trick or treat** 아이들이 핼러윈에 집집마다 다니며 하는 말

0679 **costume** [kástjuːm]

ⓝ **1. 복장, 의상 2. 분장, 변장**

This year, Sam is going to host a **costume** party.

올해에는 Sam이 변장 파티를 주최할 것이다.

⊕ **costume party** 변장 파티

Voca tip party에는 어떤 종류가 있을까요?

a birthday party 생일 파티 / a New Year's eve party 새해 전야 파티
a dinner party 만찬회 / a farewell party 송별회 / a surprise party 깜짝 파티

0680 **turkey** [tə́ːrki]

ⓝ **칠면조, 칠면조 고기**

In America, people eat **turkey** on Thanksgiving Day.

미국에서는 추수 감사절에 칠면조 고기를 먹는다.

Advanced

0681 **anniversary** [æ̀nivə́ːrsəri]

ⓝ **기념일**

Today is my parents' wedding **anniversary**.

오늘은 우리 부모님의 결혼기념일이다.

0682 **congratulate** [kəngrǽtʃulèit]
ⓥ 축하하다
My family **congratulated** me on passing the exam.
우리 가족은 내가 시험에 합격한 것을 축하해 주었다.
⊕ congratulation ⓝ 축하 (인사)

0683 **Thanksgiving** [θæ̀ŋksgíviŋ]
ⓝ 추수 감사절
Thanksgiving Day is the fourth Thursday in November.
추수 감사절은 11월의 네 번째 목요일이다.
⊕ Thanksgiving dinner 추수 감사절 저녁 식사

0684 **Halloween** [hæ̀louíːn]
ⓝ 핼러윈
I'm going to dress up as a wizard this **Halloween**.
나는 이번 핼러윈에 마법사로 분장을 할 것이다.

0685 **reindeer** [réindìər]
ⓝ 순록
Many children believe that **reindeers** still pull the sleigh for Santa Claus.
많은 아이들은 순록이 여전히 산타클로스를 위한 썰매를 끈다고 믿는다.

0686 **lantern** [lǽntərn]
ⓝ 랜턴
People make a Jack-o'-**lantern** out of pumpkins on Halloween.
핼러윈에 사람들은 호박을 이용하여 호박등을 만든다.
⊕ Jack-o'-lantern 호박등

0687 **stuff** [stʌf]
ⓥ (속을) 채우다 ⓝ 것, 물건
His father **stuffed** a sock with toys by the fireplace.
그의 아버지는 벽난로 옆에서 양말을 장난감들로 채웠다.

0688 **crowded** [kráudid]
ⓐ 붐비는, 혼잡한
The department store was **crowded** with shoppers.
백화점은 쇼핑객들로 붐볐다.

Idioms

0689 **take place**
(회의, 행사 등이) 열리다, 개최되다
The film festival **takes place** in October.
그 영화제는 10월에 개최된다.

0690 **be similar to**
~와 비슷하다, 유사하다
Thanksgiving **is similar to** Korean *Chuseok*.
추수 감사절은 한국의 추석과 비슷하다.

Exercise

[1~8] 다음 우리말과 같은 뜻이 되도록 빈칸에 알맞은 단어를 쓰세요.

1 결혼기념일 wedding ______________

2 부활절 달걀 an ______________ egg

3 축제를 열다 hold a ______________

4 소원을 빌다 make a ______________

5 함께 모이다 ______________ together

6 호박등 Jack-o'-______________

7 송별회 a ______________ party

8 추수 감사절 저녁 식사 ______________ dinner

[9~11] 다음 괄호 안에 주어진 지시에 맞게 빈칸을 채우세요.

9 hide → (유의어) ______________

10 congratulate → (명사형) ______________

11 celebrate → (명사형) ______________

[12~15] 다음 빈칸에 알맞은 말을 보기에서 골라 쓰세요.

보기	Eve	Valentine	Year	honeymoon

12 She gave him a box of chocolates on ______________'s day.

13 Happy New ______________!

14 On Christmas ______________, I give Christmas cards to my family.

15 The couple spent their ______________ in Maui.

Day

24 Outdoor Activities 야외 활동

Previous Check

- □ seesaw
- □ walk
- □ ride
- □ bench
- □ event
- □ picnic
- □ zoo
- □ concert
- □ visit
- □ rope
- □ backpack
- □ slide
- □ fountain
- □ playground
- □ swing
- □ sleeping bag
- □ campfire
- □ fishing rod
- □ sail
- □ amusement
- □ merry-go-round
- □ flea market
- □ botanical garden
- □ aquarium
- □ thermos
- □ peak
- □ rapids
- □ get together
- □ because of
- □ be filled with

★ Day 24

Outdoor Activities

01 02 03 04 05 06 07 08 09 10 11 12 13 14 15 16 17 18 19 20

Basic

0691 **seesaw** [síːsɔ̀ː]
ⓝ 시소 ⓥ 시소를 타다
When he was a child, he used to go **seesawing** with his sister.
그는 어렸을 때 여동생과 시소를 타러 가곤 했다.

0692 **walk** [wɔːk]
ⓥ 걷다, 산책하다
I'm very tired because I **walked** all day.
나는 온종일 걸어서 무척 피곤하다.

0693 **ride** [raid]
ⓝ 탈것 ⓥ 타다 (rode-ridden)
It was exciting to **ride** a raft on the rough water. 교과서
거친 물에서 뗏목을 타는 것은 흥미진진했다.

0694 **bench** [bentʃ]
ⓝ 긴 의자, 벤치
A man is resting peacefully on the **bench**.
한 남자가 벤치에서 한가롭게 쉬고 있다.

0695 **event** [ivént]
ⓝ 사건, 행사
He works as an **event** coordinator for a company. 기출
그는 회사의 행사 책임자로 일한다.
⊕ event coordinator 행사 책임자

0696 **picnic** [píknik]
ⓝ 소풍
A: Are you ready to go on a **picnic**? 기출
B: Sure. I have everything packed.
A: 소풍 갈 준비 됐어?
B: 물론이지. 짐을 다 싸 놓았어.
⊕ go on a picnic 소풍을 가다

0697 **zoo** [zuː]
ⓝ 동물원
You can see pandas at the **zoo**.
너는 동물원에서 판다를 볼 수 있다.

0698 **concert** [kánsəːrt]
ⓝ 콘서트, 공연
About 20,000 fans showed up to the **concert**.
2만여 명의 팬들이 그 콘서트에 왔다.

Intermediate

□ 0699 **visit** [vízit]

ⓥ 방문하다

She **visited** more than 115 cities and ended her trip in 1982. 교과서

그녀는 115개 이상의 도시를 방문했고 그녀의 여정은 1982년에 끝이 났다.

□ 0700 **rope** [roup]

ⓝ 줄

I see some people jumping **rope** in the park.

나는 몇몇 사람들이 공원에서 줄넘기를 하는 것을 본다.

□ 0701 **backpack** [bǽkpæ̀k]

ⓝ 배낭 ⓥ 배낭을 지고 걷다

I will go **backpacking** with Crystal.

나는 Crystal과 배낭여행을 갈 것이다.

□ 0702 **slide** [slaid]

ⓝ 미끄럼틀 ⓥ 미끄러지다

There is a **slide** in the playground.

운동장에 미끄럼틀이 하나 있다.

Voca tip slide *vs.* slip *vs.* glide

slide는 '미끄러져 이동하다'라는 뜻으로 짧은 시간 동안의 이동을 뜻합니다. slip은 주로 '부주의나 사고로 갑자기 미끄러지다'를 뜻하고, glide는 '소리 없이 매끈하게 흐르듯 미끄러지다'를 뜻합니다.

□ 0703 **fountain** [fáuntən]

ⓝ 분수

She has never seen the Trevi **Fountain** in Rome.

그녀는 로마에 있는 트레비 분수를 한 번도 본 적이 없다.

⊕ **fountain pen** 만년필

□ 0704 **playground** [pléigràund]

ⓝ 놀이터, 운동장

We moved to the **playground** to play soccer. 기출

우리는 축구 경기를 하기 위해 운동장으로 이동했다.

□ 0705 **swing** [swiŋ]

ⓝ 그네 ⓥ 그네를 타다 (swung/swang-swung)

He pushed hard on the **swing** that his daughter was on.

그는 자신의 딸이 탄 그네를 힘껏 밀어 주었다.

□ 0706 **sleeping bag** [slí:piŋ bæg]

ⓝ 침낭

They unrolled a **sleeping bag** to rest.

그들은 휴식을 취하기 위해 침낭을 폈다.

0707 **campfire** [kǽmpfàiər]

ⓝ **모닥불** ⊜ bonfire

Before starting a **campfire**, they had to collect some firewood. 기출

모닥불을 피우기 전에 그들은 (모닥불용) 땔나무를 모아야 했다.

0708 **fishing rod** [fíʃiŋ rɑd]

ⓝ **낚싯대** ⊜ fishing pole

He was very happy with his new **fishing rod**.

그는 자신의 새 낚싯대에 매우 행복해했다.

Advanced

0709 **sail** [seil]

ⓥ **1. 요트를 타다 2. 항해하다, 나아가다**

They spent the weekend **sailing** off the south coast.

그들은 남해안에서 요트를 타면서 주말을 보냈다.

0710 **amusement** [əmjúːzmənt]

ⓝ **놀이, 즐거움, 재미** ⊜ recreation

He hunted animals for **amusement**.

그는 재미로 동물들을 사냥했다.

⊕ **amusement park** 놀이공원 **amuse** ⓥ 즐겁게 하다

0711 **merry-go-round** [méri-gou-raund]

ⓝ **회전목마**

My kids like to ride on a **merry-go-round**.

내 아이들은 회전목마를 타는 것을 좋아한다.

⊕ **ride on a merry-go-round** 회전목마를 타다

0712 **flea market** [flíː mɑːrkit]

ⓝ **벼룩시장**

I bought this bike at the **flea market**.

나는 벼룩시장에서 이 자전거를 샀다.

0713 **botanical garden** [bətǽnikəl gɑ́ːrdn]

ⓝ **식물원**

Bob saw many different kinds of plants in the Jeju **Botanical Garden**.

Bob은 제주 식물원에서 많은 다른 종류의 식물들을 보았다.

0714 **aquarium** [əkwέəriəm]

ⓝ **수족관**

This **aquarium** is famous for its shark exhibit.

이 수족관은 상어를 전시하는 것으로 유명하다.

0715 **thermos** [θə́ːrməs]

ⓝ **보온병**

We need a **thermos** to keep water warm.

우리는 물을 따뜻하게 유지할 보온병이 필요하다.

Voca tip therm-

therm-은 '열'과 관련 있는 접두어입니다. therm-을 접두어로 사용한 단어들을 좀 더 알아봅시다.

thermometer 온도계   thermometric 온도계의   thermostat 자동 온도 조절기

0716 **peak** [piːk]

ⓝ **꼭대기** ⊜ top

Finally, we all reached the **peak**.

마침내 우리 모두는 정상에 도달했다.

0717 **rapids** [rǽpidz]

ⓝ **급류, 여울**

It is very thrilling to shoot the **rapids** by boat.

보트로 급류를 타는 것은 정말 박진감이 있다.

⊕ **shoot the rapids** 급류를 타다

Voca tip rapids *vs.* creek *vs.* stream

rapids, creek, stream은 얼핏 보면 비슷해 보이지만, 그 의미가 전부 다르답니다. rapids는 '급류', creek은 '시내 샛강' 또는 '도랑', 그리고 stream은 '개울(매우 좁은 강)'을 뜻합니다.

Idioms

0718 **get together**

모이다, 모으다

On most days, my family **gets together** and has a big lunch. 교과서

대부분 날에 우리 가족은 모여서 성대한 점심을 먹는다.

0719 **because of**

~ 때문에

Because of the heavy snow, a dog sled relay was the only way to get to Nome. 교과서

폭설 때문에 개썰매 릴레이가 Nome으로 가는 유일한 방법이었다.

0720 **be filled with**

~으로 가득 차다

The campsite **was filled with** tents of various shapes and sizes.

야영지는 다양한 모양과 크기의 텐트들로 가득 차 있었다.

Exercise

[1~6] 다음 우리말과 같은 뜻이 되도록 보기에서 알맞은 말을 골라 쓰세요.

보기			
	flea	botanical	fountain
	rod	sleeping	together

1 모이다 get ______________

2 만년필 a ______________ pen

3 낚싯대 a fishing ______________

4 침낭 a ______________ bag

5 식물원 a ______________ garden

6 벼룩시장 a ______________ market

[7~10] 다음 단어와 영어 풀이를 알맞은 것끼리 연결하세요.

7 campfire •

8 amusement •

9 bench •

10 sail •

• ⓐ pleasure, delight

• ⓑ to travel on water in a ship or boat

• ⓒ a hard seat for two or more people

• ⓓ a fire built outside by campers

[11~13] 다음 중 단어의 성격이 나머지와 다른 하나를 고르세요.

11 ① slide ② seesaw ③ swing ④ thermos

12 ① zoo ② peak ③ aquarium ④ playground

13 ① glide ② slip ③ slide ④ ride

[14~15] 다음 괄호 안에 주어진 단어를 이용하여 영작하세요.

14 나는 그 소음 때문에 잠을 잘 수가 없었다. (because of, noise)

____

15 그 싱크대에 물이 가득 차 있다. (sink, be filled with)

____

Day 25

Nature 자연

Previous Check

□ flood	□ natural	□ tide
□ hurricane	□ forest	□ landslide
□ thunder	□ desert	□ earthquake
□ lightning	□ explore	□ element
□ creature	□ stream	□ appear
□ valley	□ lake	□ source
□ polar	□ waterfall	□ disaster
□ breeze	□ river	□ food chain
□ cliff	□ ocean	□ find out
□ volcano	□ coast	□ right away

Day 25 Nature

01 02 03 04 05 06 07 08 09 10 11 12 13 14 15 16 17 18 19 20

Basic

0721 **flood** [flʌd]

ⓝ **홍수** ↔ drought 가뭄

The amount of hurricanes and **floods** may increase. 기출

허리케인과 홍수의 양이 증가할지 모른다.

⊕ **floods of rain** 마구 쏟아지는 비

0722 **hurricane** [hə́:rəkèin]

ⓝ **폭풍, 허리케인**

What's the difference between a **hurricane** and a typhoon?

허리케인과 태풍의 차이점이 무엇인가요?

0723 **thunder** [θʌ́ndər]

ⓝ **천둥, 천둥같이 큰 소리**

All of a sudden, there was a loud sound of **thunder**. 교과서

갑자기 시끄러운 천둥소리가 났다.

⊕ **thunderous** ⓐ 우레 같은, 벼락을 칠 듯한

0724 **lightning** [láitniŋ]

ⓝ **번개** ⓐ **번개 같은**

Lightning followed and it became bright for a second or two. 교과서

번개가 뒤이어 쳤고 1~2초 동안 밝아졌다.

⊕ **at a lightning speed** 번개같이 빠른 속도로

0725 **creature** [krí:tʃər]

ⓝ **(신의) 창조물, 피조물**

The sea **creatures** come in all sizes.

바다 생물들은 크기가 가지각색이다.

Intermediate

0726 **valley** [vǽli]

ⓝ **계곡, 골짜기**

There are some houses here and there around the **valley**.

계곡 주변에 몇몇 집들이 드문드문 있다.

0727 **polar** [póulər]

ⓐ **북극[남극]의, 극지의**

The Arctic is a **polar** region at the top of the earth.

북극은 지구의 꼭대기에 있는 극지방이다.

⊕ **polar bear** 북극곰

0728 **breeze** [bri:z]

ⓝ **산들바람**

The letter on the table blew away in the **breeze**.

탁자 위의 편지가 산들바람에 날아가 버렸다.

0729 **cliff** [klif]

ⓝ **벼랑, 절벽**

Some Indians built their houses on a narrow **cliff**. 기출

몇몇 인디언들은 좁은 절벽 위에 그들의 집을 지었다.

0730 **volcano** [valkéinou]

ⓝ **화산** [*pl.* volcanos/volcanoes]

There are many active **volcanos** in Hawaii.

하와이에 많은 활화산이 있다.

0731 **natural** [nǽtʃərəl]

ⓐ **자연의, 자연스러운** ↔ artificial 인공적인

Try listening to **natural** sounds, like the singing of a bird.

새소리와 같은 자연의 소리를 들어보세요.

0732 **forest** [fɔ́:rist]

ⓝ **숲, 삼림** ≒ wood(s)

Amazon is the biggest rain **forest** in the world.

아마존은 세계에서 가장 큰 열대 우림이다.

⊕ **rain forest** 열대 우림

0733 **desert** [dézərt]

ⓝ **사막**

They stopped at an oasis in the **desert**.

그들은 사막의 오아시스에서 발걸음을 멈췄다.

0734 **explore** [iksplɔ́:r]

ⓥ **탐험하다**

Do you want to **explore** many places? 기출

당신은 많은 곳을 탐험하고 싶나요?

0735 **stream** [stri:m]

ⓝ **1. 시내, 개울 2. 흐름, 동향**

Let's cross the **stream** here. It's not that deep.

여기서 개울을 건너자. 그렇게 깊지 않아.

□ 0736 **lake** [leik]

ⓝ **호수**

Lake Emerald is one of the most beautiful **lakes** in the Rocky Mountains.

에메랄드 호수는 로키 산맥에서 가장 아름다운 호수들 중 하나이다.

□ 0737 **waterfall** [wɔ́ːtərfɔ̀ːl]

ⓝ **폭포**

Jimmie Angel first flew over the **waterfall** in 1933. 교과서

Jimmie Angel이 1933년에 그 폭포 위를 처음 비행했다.

□ 0738 **river** [rívər]

ⓝ **강**

The Han **River** has more than 30 bridges over it.

한강은 그 위로 30개가 넘는 다리를 가지고 있다.

⊕ **riverbank** ⓝ 강둑

Advanced

□ 0739 **ocean** [óuʃən]

ⓝ **바다, 대양** ⊜ sea

What is the biggest **ocean** in the world?

세상에서 가장 큰 바다는 무엇인가요?

⊕ **the Pacific Ocean** 태평양 **the Atlantic Ocean** 대서양

Voca tip ocean *vs.* sea

규모가 아주 큰 대양을 ocean이라고 하고, 규모가 좀 작은 바다를 sea라고 부릅니다. 예를 들어, 우리나라의 동해를 the East Sea, 유럽의 흑해를 the Black Sea라고 부르는 것이지요. 우리가 5대양 6대주라고 말할 때의 5대양에는 어떤 것들이 있을까요? 태평양은 the Pacific Ocean, 대서양은 the Atlantic Ocean, 인도양은 the Indian Ocean, 북극해 또는 북빙양은 the Arctic Ocean, 그리고 남극해 또는 남빙양은 the Antarctic Ocean이라고 합니다.

□ 0740 **coast** [koust]

ⓝ **해안, 연안** ⊜ seashore, seaside

In 1741, a Russian explorer landed on the Alaskan **coast**.

1741년에 한 러시아인 탐험가가 알래스카의 해안에 상륙했다. 기출

□ 0741 **tide** [taid]

ⓝ **조수, 간만**

The island can only be reached at low **tide**.

그 섬에는 썰물 때에만 갈 수 있다.

□ 0742 **landslide** [lǽndslàid]

ⓝ **산사태**

A **landslide** blocked the railway traffic.

산사태로 철도 교통이 차단이 되었다.

□ 0743 **earthquake** [ə́ːrθkwèik]
□

ⓝ **지진**

There was an **earthquake** in Japan last week.

지난주에 일본에서 지진이 일어났다.

□ 0744 **element** [éləmənt]
□

ⓝ **1. 요소, 성분 2. 원소**

The four **elements** are earth, water, air, and fire.

4대 요소는 흙, 물, 공기, 그리고 불이다.

□ 0745 **appear** [əpíər]
□

ⓥ **나타나다** ⊜ show up ⊖ disappear 사라지다

The first living creature **appeared** on earth about 4 billion years ago.

최초의 생명체는 약 40억 년 전에 지구상에 나타났다.

□ 0746 **source** [sɔːrs]
□

ⓝ **원천, 수원**

Water and wind can be used as **sources** of energy.

물과 바람은 에너지의 원천으로 사용될 수 있다.

□ 0747 **disaster** [dizǽstər]
□

ⓝ **재난, 재해**

What can we do to protect people from natural **disasters**?

사람들을 자연 재해로부터 보호하기 위해 우리는 무엇을 할 수 있나요?

⊕ **natural disaster** 자연 재해

⊖ **man-made disaster** 인재(인간이 일으키는 재난)

□ 0748 **food chain** [fúːd tʃein]
□

ⓝ **먹이 사슬**

Bears are at the top of the **food chain**.

곰은 먹이 사슬의 최상위에 있다.

Idioms

□ 0749 **find out**
□

~을 찾아내다, 알아내다

Scientists have **found out** a lot of volcanoes are still active.

과학자들은 많은 화산이 여전히 활동 중이라는 것을 찾아냈다.

□ 0750 **right away**
□

곧바로, 즉시

They needed medicine **right away**, but the town did not have any. 교과서

그들은 즉시 약이 필요했지만, 그 마을에는 전혀 없었다.

Exercise

[1~8] 다음 우리말과 같은 뜻이 되도록 빈칸에 알맞은 단어를 쓰세요.

1 태평양 the Pacific ________________

2 마구 쏟아지는 비 ________________ of rain

3 번개같이 빠른 속도로 at a ________________ speed

4 한강 the Han ________________

5 자연 재해 a natural ________________

6 열대 우림 a rain ________________

7 북극곰 a ________________ bear

8 약한 지진 a light ________________

[9~11] 다음 주어진 관계에 알맞은 단어를 빈칸에 쓰고 그 뜻을 쓰세요.

9 flood ↔ d________________ 뜻: ________________

10 forest = w________________ 뜻: ________________

11 appear ↔ d________________ 뜻: ________________

[12~15] 다음 괄호 안의 우리말과 같은 뜻이 되도록 보기에서 알맞은 단어를 골라 쓰세요.

보기	explored	right away	cliff	volcano

12 He ________________ a dark and long cave. (그는 어둡고 긴 동굴을 탐험했다.)

13 The ________________ erupted. (그 화산이 폭발했다.)

14 The waves dashed against the ________________. (파도가 절벽에 부딪쳤다.)

15 A smart student solved the problem ________________.
(한 영리한 학생이 그 문제를 즉시 풀었다.)

Day 26

Weather 날씨

Previous Check

- □ clear
- □ sunny
- □ cloudy
- □ rainy
- □ windy
- □ snowy
- □ mild
- □ foggy
- □ freezing
- □ icy
- □ dry
- □ moist
- □ storm
- □ rainfall
- □ hail
- □ snowstorm
- □ blizzard
- □ drizzle
- □ melt
- □ gale
- □ forecast
- □ condition
- □ drought
- □ climate
- □ degree
- □ temperature
- □ humid
- □ sticky
- □ up to
- □ on the way (to)

★ Day 26

Weather

01 02 03 04 05 06 07 08 09 10 11 12 13 14 15 16 17 18 19 20

Basic

□ 0751 **clear** [kliər]
□

ⓐ **1. 청명한** ⊜ fine **2. 깨끗한 3. 명백한**
It's my pleasure to see the **clear** sky.
맑은 하늘을 보는 것이 나의 기쁨이다.

□ 0752 **sunny** [sʌ́ni]
□

ⓐ **햇빛이 밝은, 화창한**
He went out to enjoy the **sunny** morning. 교과서
그는 화창한 아침을 즐기기 위해 밖에 나갔다.

□ 0753 **cloudy** [kláudi]
□

ⓐ **구름 낀**
It's a little **cloudy** today in Busan.
오늘 부산은 구름이 조금 낀 날씨이다.
⊕ **cloud** ⓝ 구름 **cloudless** ⓐ 구름 한 점 없는

Voca tip 날씨의 형용사형

날씨와 관련된 명사 뒤에 -y를 붙여서 형용사로 만들어 쓸 수 있습니다. 단, sun ➔ sunny, fog ➔ foggy처럼 「단모음+단자음」으로 끝나는 단어는 y를 붙이기 전에 마지막 자음을 한 번 더 써야 합니다.

□ 0754 **rainy** [réini]
□

ⓐ **비가 오는**
She wears a raincoat on a **rainy** day.
그녀는 비가 오는 날에 우비를 입는다.
⊕ **rain** ⓝ 비 ⓥ 비가 오다 **raindrop** ⓝ 빗방울

□ 0755 **windy** [wíndi]
□

ⓐ **바람이 부는** ⟷ still 바람이 없는
It was **windy** and Judy felt cold.
바람이 불어서 Judy는 추웠다.

□ 0756 **snowy** [snóui]
□

ⓐ **눈이 내리는**
Most children love **snowy** days.
대부분의 아이들은 눈 오는 날을 무척 좋아한다.
⊕ **snow** ⓝ 눈 ⓥ 눈이 내리다 **snowflake** ⓝ 눈송이

Intermediate

□ 0757 **mild** [maild]
□

ⓐ **온화한, 포근한**
It's been a very **mild** autumn this year.
올해 가을은 아주 온화하다.

0758 **foggy** [fɔ́:gi]

ⓐ **안개 낀**

It's quite **foggy** this evening, so be careful driving home.

오늘 저녁은 안개가 자욱하니 귀갓길 운전 조심해.

⊕ fog ⓝ 안개

0759 **freezing** [fríːziŋ]

ⓐ **몹시 추운, 얼어붙을 듯한**

We have had **freezing** weather for weeks.

몹시 추운 날씨가 몇 주간 계속되고 있다.

⊕ freeze ⓥ 얼리다 Freeze! 꼼짝 마!

0760 **icy** [áisi]

ⓐ **얼음의, 싸늘한**

The **icy** wind was blowing.

얼음같이 찬 바람이 불고 있었다.

⊕ ice ⓝ 얼음 iceberg ⓝ 빙산

0761 **dry** [drai]

ⓐ **건조한** ↔ wet 젖은 ⓥ **말리다, 건조하게 하다**

The ground in some areas is so **dry** that plants can't grow.

몇몇 지역의 땅은 너무 건조해서 식물이 자랄 수 없다. 교과서

0762 **moist** [mɔist]

ⓐ **축축한, 습기 있는**

Store away from heat, and keep it **moist**. 기출

열을 피해 그것을 촉촉하게 보관하세요.

⊕ moisture ⓝ 습기

0763 **storm** [stɔːrm]

ⓝ **폭풍(우)**

The flight is cancelled due to severe **storms**.

항공편은 심한 폭풍 때문에 취소되었다.

⊕ stormy ⓐ 폭풍의, 비바람이 몰아치는

0764 **rainfall** [réinfɔ̀ːl]

ⓝ **강우, 강우량**

The **rainfall** for both seasons continuously increased. 기출

두 계절의 강우량은 지속적으로 증가했다.

0765 **hail** [heil]

ⓝ **우박, 싸락눈**

Sometimes during summer storms, **hail** falls from the sky.

때때로 여름 폭풍이 불 때면, 하늘에서 우박이 내린다. 기출

□ 0766 **snowstorm** [snóustɔ̀ːrm]

ⓝ 눈보라

The sled dog race teams often race through **snowstorms**.

개썰매 경주팀들은 종종 눈보라를 뚫고 경주한다. 교과서

□ 0767 **blizzard** [blízərd]

ⓝ 강한 눈보라, 블리자드

A **blizzard** is a severe snowstorm with low temperature and strong winds.

블리자드는 낮은 기온과 강한 바람을 동반하는 심한 눈보라이다.

□ 0768 **drizzle** [drízl]

ⓝ 이슬비

A cold **drizzle** began to fall from the sky.

하늘에서 차가운 이슬비가 떨어지기 시작했다.

□ 0769 **melt** [melt]

ⓥ 녹다, 녹이다

The ice at the North and South Poles will **melt**, and the sea level will rise. 기출

북극과 남극의 얼음이 녹고, 해수면이 상승할 것이다.

□ 0770 **gale** [geil]

ⓝ 강풍 ↔ breeze 산들바람, 미풍

A strong **gale** blew along the east coast.

동해안을 따라 대강풍이 불었다.

Voca tip 넓은 땅만큼이나 다양한 미국의 날씨

smog는 smoke(연기)와 fog(안개)를 합친 합성어지요? 미국의 마지막 주가 된 하와이는 화산이 많기 때문에 일기 예보자가 한 가지를 더 언급한답니다. vog가 생기는지 아닌지 말이죠. vog란 volcano(화산)로 인해 생기는 fog(안개)를 말하는데요. vog가 어느 정도 심각한지를 보도해서 주민들이 대비할 수 있도록 배려하기 위해서입니다.

Advanced

□ 0771 **forecast** [fɔ́ːrkæ̀st]

ⓝ 예측, (일기의) 예보 ⓥ 예측하다, (일기 · 기상을) 예보하다

This is the weather **forecast** for next week. 기출

다음 주의 일기 예보입니다.

□ 0772 **condition** [kəndíʃən]

ⓝ 상태, 상황

Our departure depends on the weather **condition**.

우리의 출발은 날씨 상황에 달려 있다.

0773 **drought** [draut]

ⓝ 가뭄 ↔ flood 홍수

A severe **drought** has dried up the soil completely.
극심한 가뭄이 땅을 완전히 말라붙게 만들었다.

0774 **climate** [kláimit]

ⓝ 기후

Unlike weather, **climate** is a long-term condition.
날씨와는 달리 기후는 장기적 상황이다.

0775 **degree** [digríː]

ⓝ (온도 단위인) 도

The temperature dropped to 10 **degrees** below zero.
기온이 영하 10도까지 떨어졌다.

0776 **temperature** [témpərətʃər]

ⓝ 온도

The nurse measured the patient's body **temperature**.
간호사가 환자의 체온을 쟀다.

⊕ **body temperature** 체온

0777 **humid** [hjúːmid]

ⓐ 습한, 눅눅한

A: How many times have I told you to wear a helmet?
B: It's too hot and **humid** to wear it. 기출

A: 헬멧을 쓰라고 내가 너에게 몇 번 말했니?
B: 그것을 쓰기에는 너무 덥고 습해요.

⊕ **humidity** ⓝ 습기, 습도

0778 **sticky** [stíki]

ⓐ 1. 끈적끈적한 2. 무더운 ≡ muggy

My body is **sticky** with sweat after jogging.
조깅 후에 내 몸은 땀으로 끈적거린다.

Idioms

0779 **up to**

~까지

Temperatures can reach **up to** 50°C in the Sahara Desert.
사하라 사막에서 기온은 섭씨 50도까지 올라갈 수 있다. 교과서

0780 **on the way (to)**

~로 가는 길에

On the way to our hotel, we met a terrible storm.
우리가 묵는 호텔로 가는 길에 우리는 사나운 폭풍우를 맞닥뜨렸다.

Exercise

[1~6] 다음 단어의 뜻을 쓰고 관련 있는 것과 연결하세요.

1	gale	______________	•	• ⓐ rain
2	drizzle	______________	•	• ⓑ wind
3	blizzard	______________	•	• ⓒ very cold
4	drought	______________	•	• ⓓ snowstorm
5	freezing	______________	•	• ⓔ clear
6	cloudless	______________	•	• ⓕ no rain

[7~12] 다음 괄호 안에 주어진 지시에 맞게 빈칸을 채우세요.

7 moist → (명사형) ______________

8 windy → (반의어) ______________

9 rain → (형용사형) ______________

10 freezing → (동사형) ______________

11 humid → (명사형) ______________

12 dry → (반의어) ______________

[13~15] 다음 괄호 안의 우리말과 같은 뜻이 되도록 빈칸에 알맞은 단어를 쓰세요.

13 The snow on top of Mt. Halla never ______________s.
(한라산 꼭대기의 눈은 절대 녹지 않는다.)

14 ______________ and weather are not the same. (기후와 날씨는 같지 않다.)

15 Due to global warming, the weather is very ______________ this winter.
(지구 온난화 때문에 올 겨울 날씨는 아주 온화하다.)

Day 27

Farming 농업

Previous Check

□ farm	□ meadow	□ cultivate
□ field	□ barn	□ orchard
□ cowboy	□ hay	□ shed
□ horse	□ harvest	□ ranch
□ bull	□ calf	□ pasture
□ chicken	□ cattle	□ scarecrow
□ goat	□ lay	□ livestock
□ pig	□ cotton	□ vineyard
□ buffalo	□ shepherd	□ take care of
□ crop	□ farmhouse	□ run away

★ Day 27

Farming

01 02 03 04 05 06 07 08 09 10 11 12 13 14 15 16 17 18 19 20

Basic

□ 0781 **farm** [fɑːrm]

ⓝ **농장**

The fruits and vegetables come from local **farms**, so they're very fresh. 교과서

과일과 채소는 지역 농장에서 온 것이어서 무척 신선하다.

⊕ **farmer** ⓝ 농부

Voca tip farm

farm에도 여러 종류가 있습니다.

a chicken farm 양계장　a dairy[milk] farm 낙농장　a poultry farm 가금 사육장

□ 0782 **field** [fiːld]

ⓝ **밭**

Farmers are working in the **field**.

농부들이 밭에서 일을 하고 있다.

□ 0783 **cowboy** [káubɔ̀i]

ⓝ **카우보이, 목동**

I saw a **cowboy** riding a horse.

나는 한 목동이 말을 타고 있는 것을 보았다.

□ 0784 **horse** [hɔːrs]

ⓝ **말**

In Mongolia, almost everyone can ride a **horse**. 교과서

몽골에서는 거의 모든 사람이 말을 탈 수 있다.

⊕ **horseback riding** 승마

□ 0785 **bull** [bul]

ⓝ **황소**

The angry **bull** broke the fence.

화가 난 황소가 그 울타리를 부쉈다.

□ 0786 **chicken** [tʃíkin]

ⓝ **닭**

The eggs changed into **chickens** and the cow bore her baby.

달걀은 닭으로 변했고 암소는 새끼를 뱄다. 교과서

□ 0787 **goat** [gout]

ⓝ **염소**

Some **goats** are eating grass on the hill.

염소 몇 마리가 언덕에서 풀을 먹고 있다.

0788 **pig** [pig]

ⓝ **돼지**

A young **pig** is called a piglet in English.
어린 돼지를 영어로 piglet이라고 한다.

⊕ **piglet** ⓝ 새끼 돼지

0789 **buffalo** [bʌ́fəlòu]

ⓝ **버팔로, 물소, 들소**

When I walked around Jim's farm, I saw a herd of **buffaloes**.
내가 Jim의 농장 주변을 걷고 있을 때, 한 무리의 버팔로를 보았다.

Intermediate

0790 **crop** [krɑp]

ⓝ **1. (농)작물 2. 수확량**

The farmers are looking forward to having a good **crop** of rice.
농부들은 많은 양의 쌀을 수확하기를 고대하고 있다.

0791 **meadow** [médou]

ⓝ **목초지, 초원**

Hundreds of cows are grazing in the **meadow**.
수백 마리의 소들이 초원에서 풀을 뜯고 있다.

0792 **barn** [bɑːrn]

ⓝ **헛간**

A farmer is fixing his old **barn**.
한 농부가 자신의 오래된 헛간을 수리하고 있다.

0793 **hay** [hei]

ⓝ **건초**

Make **hay** while the sun shines.
해가 날 때 건초를 말려라. (기회를 놓치지 마라.)

0794 **harvest** [hɑ́ːrvist]

ⓥ **수확하다**

The farmers **harvest** the carrots in the fall.
농부들은 가을에 당근을 수확한다.

0795 **calf** [kæf]

ⓝ **송아지**

Calves can walk minutes after birth.
송아지들은 태어난 후 몇 분 만에 걸을 수 있다.

Voca tip 동물의 울음소리

동물의 울음소리 표현은 영어와 우리말이 다릅니다. 영어로 수탉은 'Cock-a-doodle-doo', 소는 'Moo, moo, moo', 돼지는 'Oink, oink, oink', 말은 'Hee, hee, hee', 칠면조는 'Gobble, gobble, gobble', 그리고 개는 'Woof, woof, woof'라고 운답니다.

0796 **cattle** [kǽtl]
ⓝ 소
There are 50 **cattle** in the pasture.
목장에는 50마리의 소가 있다.

0797 **lay** [lei]
ⓥ 1. 알을 낳다 2. ~을 …에 두다 (laid-laid)
An ostrich **lays** eggs.
타조는 알을 낳는다.
She **laid** the books on the table.
그녀는 책들을 탁자에 놓았다.

0798 **cotton** [kátn]
ⓝ 면
This shirt is made of **cotton**.
이 셔츠는 면으로 만들어졌다.

0799 **shepherd** [ʃépərd]
ⓝ 양치기
The **shepherd** cast loose his sheep in the field.
양치기가 그의 양들을 들판에 풀어 놓았다.

0800 **farmhouse** [fá:rmhàus]
ⓝ 농가, 농가에 딸린 집
He will stay at the **farmhouse** for a while.
그는 당분간 농가에서 머물 것이다.

Advanced

0801 **cultivate** [kʌ́ltəvèit]
ⓥ 경작하다, 재배하다
They are **cultivating** beans on their farm.
그들은 자신들의 농장에서 콩을 경작하고 있다.

0802 **orchard** [ɔ́:rtʃərd]
ⓝ 과수원
People are picking apples at an **orchard**.
사람들이 과수원에서 사과를 따고 있다.

0803 **shed** [ʃed]

ⓝ 1. (작은) 헛간, 오두막 2. 창고

We have one bull and three cows in our cattle **shed**.

우리는 가축우리에 1마리의 황소와 3마리의 암소를 가지고 있다.

⊕ a cattle shed 가축우리

0804 **ranch** [ræntʃ]

ⓝ 농장, 목축장

A: Where is Jim?

B: He is working at the cattle **ranch**.

A: Jim은 어디 있니?

B: 소 목장에서 일하고 있어요.

0805 **pasture** [pǽstʃər]

ⓝ 목장 ⓥ 방목하다

They put sheep out to **pasture**.

그들은 양들을 목장에 풀어 놓았다.

⊕ put ~ out to pasture ~을 목장에 풀어 놓다

0806 **scarecrow** [skɛ́ərkròu]

ⓝ 허수아비

He put some **scarecrows** in the cornfield.

그는 옥수수밭에 허수아비 몇 개를 세웠다.

0807 **livestock** [láivstὰk]

ⓝ 가축류

This place isn't big enough to accommodate **livestock**.

이 장소는 가축을 수용할 수 있을 만큼 크지 않다.

⊕ livestock farming 목축

0808 **vineyard** [vínjərd]

ⓝ 포도밭, 포도원

My grandfather worked in a **vineyard** all his life.

나의 할아버지는 평생을 포도밭에서 일하셨다.

Idioms

0809 **take care of**

~을 돌보다

You will learn how to **take care of** farm animals such as chickens, cows and goats.

너는 닭, 소, 염소와 같은 농장 동물을 어떻게 돌보는지 배울 것이다.

0810 **run away**

도망치다, 달아나다

A man stole a chicken from the farm and **ran away**.

한 남자가 농장에서 닭 한 마리를 훔쳐 달아났다.

Exercise

[1~8] 다음 우리말과 같은 뜻이 되도록 빈칸에 알맞은 단어를 쓰세요.

1 콩을 경작하다 ________________ beans

2 가축우리 a cattle ________________

3 당근을 수확하다 ________________ the carrots

4 양계장 a chicken ________________

5 목축 ________________ farming

6 승마 ________________ riding

7 농작물 an agricultural ________________

8 알을 낳다 ________________ eggs

[9~11] 다음 영어 풀이에 해당하는 단어를 보기에서 골라 뜻과 함께 쓰세요.

보기	orchard	meadow	scarecrow

9 a field which has grass and flowers

10 land that is used for growing fruits

11 an object in the shape of a person to frighten birds away

[12~15] 다음 괄호 안의 우리말과 같은 뜻이 되도록 빈칸에 알맞은 단어를 쓰세요.

12 The ________________ runs when he sees the color red.
(황소는 빨간색을 보면 달린다.)

13 These ________________ pants come in beige only.
(이 면바지의 색상은 베이지뿐이다.)

14 She is old enough to ________________ herself.
(그녀는 스스로 자신을 돌볼 만큼 나이가 들었다.)

15 Some dogs ________________ when the umbrella pops open.
(어떤 개들은 우산이 좍 펴질 때 달아난다.)

Day
28 Plants 식물

Previous Check

- □ bloom
- □ fruit
- □ grass
- □ weed
- □ seed
- □ sprout
- □ bud
- □ petal
- □ root
- □ stem
- □ thorn
- □ branch
- □ bough
- □ maple
- □ bamboo
- □ needle
- □ pine tree
- □ cherry tree
- □ cactus
- □ trunk
- □ bark
- □ fertilizer
- □ bush
- □ palm
- □ bulb
- □ poisonous
- □ herb
- □ cut off
- □ little by little
- □ day by day

Plants

Basic

□ 0811 **bloom** [bluːm]
□

ⓝ 꽃, 개화 ⓥ 꽃이 피다, 개화하다

Apple blossoms have **bloomed** in my backyard.

우리집 뒷마당에 사과꽃들이 피었다.

□ 0812 **fruit** [fruːt]
□

ⓝ 1. 열매, 과일 2. 결과, 성과

Eating **fruits** is good for your health.

과일을 먹는 것은 너의 건강에 좋다.

He could enjoy the **fruits** of all his hard work.

그는 자신의 온갖 노고에 대한 성과를 즐길 수 있었다.

⊕ **fruitful** ⓐ 열매를 많이 맺는, 효과적인 ↔ **fruitless** ⓐ 보람 없는

□ 0813 **grass** [græs]
□

ⓝ 1. 풀, 잔디 2. 잔디밭

To build strong and warm houses, Norwegians cover their roofs with **grass**. 교과서

튼튼하고 따뜻한 집을 짓기 위해 노르웨이 사람들은 자신들의 집 지붕을 잔디로 덮는다.

□ 0814 **weed** [wiːd]
□

ⓝ 잡초 ⓥ ~의 잡초를 뽑다

I have to **weed** my garden.

나는 내 정원의 잡초를 뽑아야 한다.

□ 0815 **seed** [siːd]
□

ⓝ 씨앗, 종자

Cut a lemon in half and take out any **seeds**. 기출

레몬을 반으로 잘라 씨가 있으면 다 빼내세요.

□ 0816 **sprout** [spraut]
□

ⓝ 새싹 ⓥ 싹이 나다, 발아하다

The **sprouts** came up out of the soil.

흙 속에서 새싹들이 나왔다.

Intermediate

□ 0817 **bud** [bʌd]
□

ⓝ (식물의) 눈, 봉오리

A **bud** develops into a blossom.

꽃봉오리가 자라서 꽃이 된다.

⊕ **rosebud** ⓝ 장미꽃봉오리

□ 0818 **petal** [pétəl]
□

ⓝ 꽃잎

Rose **petals** were all over the garden.

장미 꽃잎들로 정원이 뒤덮여 있었다.

□ 0819 **root** [ru:t]
□

ⓝ 뿌리 ⓥ 뿌리 뽑다 (out)

People eat the **root** of a carrot plant.

사람들은 당근 식물의 뿌리를 먹는다.

⊕ root out[up] 근절하다

□ 0820 **stem** [stem]
□

ⓝ (식물의) 줄기, 대 ⓥ 유래하다, 시작되다 (from)

A **stem** is the stronger and thicker body of a plant.

줄기는 식물의 좀 더 강하고 두꺼운 몸통이다.

⊕ stem cell 줄기 세포

□ 0821 **thorn** [θɔːrn]
□

ⓝ 가시

A rose is beautiful, but its **thorn** is deadly.

장미는 아름답지만, 그 가시는 치명적이다.

□ 0822 **branch** [bræntʃ]
□

ⓝ 1. 나뭇가지 2. 분점, 지점

He cut the **branches** off a tree.

그는 나무에서 가지들을 잘라냈다.

The bank has **branches** all over the world.

그 은행은 전 세계에 지점들을 가지고 있다.

□ 0823 **bough** [bau]
□

ⓝ (나무의) 큰 가지

A monkey is hanging from the **bough** of a tree.

원숭이 한 마리가 나무의 큰 가지에 매달려 있다.

□ 0824 **maple** [méipl]
□

ⓝ 단풍나무

A red **maple** leaf appears on the Canadian flag.

붉은 단풍나무 잎이 캐나다 국기에 나와 있다.

⊕ maple syrup 메이플 시럽(핫케이크 등에 뿌려 먹는 시럽)

□ 0825 **bamboo** [bæmbúː]
□

ⓝ 대나무

Bamboo is hollow and lightweight, but strong.

대나무는 속이 비어 가볍지만 단단하다.

⊕ bamboo shoot 죽순

□ 0826 **needle**
□ [ní:dl]

ⓝ **1. (침엽수의) 바늘처럼 뾰족한 잎 2. 바늘**
A pine **needle** is on your shoulder.
솔잎 하나가 네 어깨에 있다.
⊕ **a needle and thread** 바늘과 실

□ 0827 **pine tree**
□ [páin trì:]

ⓝ **소나무**
Pine trees have needles.
소나무는 바늘처럼 뾰족한 잎을 가지고 있다.

□ 0828 **cherry tree**
□ [tʃéri tri:]

ⓝ **벚나무**
The bird is enjoying the spring day on a **cherry tree**.
그 새는 벚나무에서 봄날을 만끽하고 있다.
⊕ **cherry blossom** 벚꽃

□ 0829 **cactus**
□ [kǽktəs]

ⓝ **선인장** [*pl.* cacti]
I spent hours pulling out **cactus** thorns. 기출
나는 선인장 가시들을 뽑아내느라 몇 시간을 보냈다.

Advanced

□ 0830 **trunk**
□ [trʌŋk]

ⓝ **1. 나무의 몸통 부분 2. 코끼리의 코**
I leaned against the tree **trunk**.
나는 나무의 몸통에 기댔다.

□ 0831 **bark**
□ [bɑ:rk]

ⓝ **나무껍질** ⓥ **(개가) 짖다 (at)**
The **bark** of some trees is used as medicine.
어떤 나무들의 나무껍질은 약으로 사용된다.
The dog always **barks** at the mail carrier.
그 개는 우체부를 보고 늘 짖는다.

□ 0832 **fertilizer**
□ [fə́:rtəlàizər]

ⓝ **비료**
The farmer doesn't use any **fertilizers** to grow his crops.
그 농부는 작물을 기르는 데 어떤 비료도 사용하지 않는다.

□ 0833 **bush**
□ [buʃ]

ⓝ **관목, 작은 나무들이 우거진 관목 숲**
A squirrel went into the **bush**.
다람쥐 한 마리가 관목 속으로 들어갔다.

0834 **palm** [pɑːm]

ⓝ 1. 야자수 2. 손바닥

So many **palm** trees were in front of the airport.

공항 앞에는 매우 많은 야자수들이 있었다.

0835 **bulb** [bʌlb]

ⓝ 1. 구근, 알뿌리 2. 전구

An onion is a **bulb** crop.

양파는 알뿌리 농작물이다.

0836 **poisonous** [pɔ́izənəs]

ⓐ 독이 있는

The wild mushroom might be **poisonous**.

그 야생 버섯은 독이 있을 수 있다.

⊕ poison ⓝ 독 food poisoning 식중독

0837 **herb** [əːrb, həːrb]

ⓝ 약초, 허브

Many animals eat **herbs** to cure an upset stomach. 기출

많은 동물이 복통을 치료하기 위해 약초를 먹는다.

⊕ herbal ⓐ 약초의, 풀의 herbal medicine 한방약

Idioms

0838 **cut off**

1. 잘라내다 2. 차단하다

Cut off the flowers and dry them just after they bloom.

꽃이 활짝 핀 직후에 꽃을 자르고 말려라.

0839 **little by little**

조금씩, 천천히

The apples are growing **little by little**.

사과들이 조금씩 자라고 있다.

0840 **day by day**

나날이, 서서히

As it's getting warmer **day by day**, the cherry blossoms are starting to bloom.

나날이 날씨가 따뜻해짐에 따라 벚꽃이 피기 시작하고 있다.

Exercise

[1~8] 다음 우리말과 같은 뜻이 되도록 빈칸에 알맞은 단어를 쓰세요.

1 솔잎 a pine ________________
2 이 실을 자르다 ________________ this thread
3 한방약 a ________________ medicine
4 나무의 몸통 a tree ________________
5 벚꽃 a cherry ________________
6 죽순 a ________________ shoot
7 식중독 food ________________
8 소나무 a ________________ tree

[9~12] 다음 주어진 철자의 순서를 바로잡은 후 알맞은 의미와 연결하세요.

9 dees → ________________ • • 꽃잎
10 orot → ________________ • • 씨앗
11 ctusca → ________________ • • 선인장
12 talep → ________________ • • 뿌리

[13~15] 다음 빈칸에 알맞은 말을 보기에서 골라 쓰세요.

보기	day by day	grass	bloomed

13 I lay down on the ________________ to enjoy the sunshine.
14 Peach blossoms have ________________ in the garden.
15 Fortunately, his condition improved ________________.

Day

29 Animals 동물

Previous Check

- □ lion
- □ rat
- □ bat
- □ snake
- □ fox
- □ tiger
- □ whale
- □ bear
- □ deer
- □ turtle
- □ kangaroo
- □ giraffe
- □ zebra
- □ camel
- □ dolphin
- □ shark
- □ leopard
- □ frog
- □ dinosaur
- □ bird cage
- □ fish tank
- □ octopus
- □ jellyfish
- □ sea horse
- □ hippo
- □ rhino
- □ crocodile
- □ lizard
- □ make friends (with)
- □ on one's own

Animals

Basic

0841 **lion** [láiən]

ⓝ **사자**

I saw a group of **lions** approaching the baby elephant.

나는 한 무리의 사자들이 새끼 코끼리에게 다가가는 것을 보았다. 교과서

0842 **rat** [ræt]

ⓝ **쥐**

A female **rat** may have five or six litters yearly.

암컷 쥐는 해마다 대여섯 마리의 새끼를 낳는다.

0843 **bat** [bæt]

ⓝ **박쥐**

In many Western countries, **bats** remind people of darkness. 교과서

많은 서양 국가에서 박쥐는 사람들에게 어둠을 상기시킨다.

0844 **snake** [sneik]

ⓝ **뱀**

If you are bitten by a **snake**, you should go to a doctor immediately. 기출

만약에 뱀에 물리면, 즉시 병원으로 가야 한다.

⊕ **rattlesnake** ⓝ 방울뱀

0845 **fox** [fɑks]

ⓝ **여우**

A **fox** was running away from hunters. 기출

여우 한 마리가 사냥꾼들로부터 달아나고 있었다.

0846 **tiger** [táigər]

ⓝ **호랑이**

The **tigers** are fed 5 kilograms of beef every day.

그 호랑이들은 매일 5킬로그램의 소고기를 먹는다.

⊕ **tigress** ⓝ 암호랑이

0847 **whale** [*h*weil]

ⓝ **고래**

Whales usually swim in small groups. 기출

고래는 대개 소집단으로 모여 수영을 한다.

0848 **bear** [bɛər]

ⓝ **곰**

Bears eat a lot during the spring and summer.

곰은 봄과 여름 동안 많이 먹는다.

0849 **deer** [díər]

ⓝ **사슴** [*pl.* deer]

The two women did not have the slightest interest in hunting **deer**. 기출

그 두 여자는 사슴 사냥에 조금의 관심도 없었다.

Voca tip 새끼 동물들을 지칭하는 말

우리말에도 강아지, 송아지 등 새끼 동물들을 부르는 이름이 있듯이 영어에도 이런 이름들이 따로 있답니다. baby cow는 calf, baby horse는 foal, baby dog은 puppy, baby cat은 kitten 또는 kitty, baby sheep은 lamb, 그리고 baby lion, baby tiger, baby bear는 cub이라고 합니다.

Intermediate

0850 **turtle** [tə́ːrtl]

ⓝ **거북**

Sea **turtles** have trouble finding a place to lay eggs since beaches are too bright at night. 교과서

바다거북은 해변이 밤에 너무 밝아서 알을 낳을 장소를 찾는 데 애를 먹는다.

0851 **kangaroo** [kæ̀ŋgərúː]

ⓝ **캥거루**

How long do baby **kangaroos** stay in their mom's pouch?

새끼 캥거루는 얼마나 오래 어미 캥거루의 주머니 속에 머무나요?

0852 **giraffe** [dʒərǽf]

ⓝ **기린**

A **giraffe** has the longest neck on earth.

기린은 세상에서 목이 가장 긴 동물이다.

0853 **zebra** [zíːbrə]

ⓝ **얼룩말**

Zebras have beautiful skin with white and black stripes.

얼룩말은 흰색과 검정색 줄무늬가 있는 아름다운 가죽을 가지고 있다.

0854 **camel** [kǽməl]

ⓝ **1. 낙타 2. 낙타색, 황갈색**

Bactrian **camels** have two humps. 기출

쌍봉낙타는 두 개의 혹을 지니고 있다.

0855 **dolphin** [dálfin]

ⓝ **돌고래**

Dolphins are very cute and smart.

돌고래는 매우 귀엽고 영리하다.

0856 **shark** [ʃɑːrk]

ⓝ 상어

Are **sharks** cold-blooded or warm-blooded?

상어는 변온동물(냉혈동물)인가요, 항온동물(온혈동물)인가요?

0857 **leopard** [lépərd]

ⓝ 표범

Leopards have yellow fur and black spots.

표범은 노란색 털과 검은 점들을 가지고 있다.

0858 **frog** [frɔːg]

ⓝ 개구리

Kids these days aren't digging holes, catching **frogs**, or playing by the stream. 기출

요즘 어린이들은 구멍을 파거나 개구리를 잡거나 냇가에서 놀지 않는다.

⊕ **tadpole** ⓝ 올챙이 **toad** ⓝ 두꺼비

0859 **dinosaur** [dáinəsɔ̀ːr]

ⓝ 공룡

A **dinosaur** is a reptile that appeared on earth about 220 million years ago.

공룡은 약 2억 2천만 년 전에 지구상에 나타난 파충류이다.

Voca tip Types of animals

새끼를 낳아 젖을 먹이는 포유류는 mammal, 개구리나 두꺼비 같은 양서류는 amphibian, 뱀이나 도마뱀 등의 파충류는 reptile이라고 부릅니다. 이 중 mammal과 bird는 외부 온도와 상관없이 체온을 일정하게 유지하는 warm-blooded animal(항온동물 또는 온혈동물)이고, amphibian, reptile, fish 등은 외부 온도에 따라 체온이 변하는 cold-blooded animal(변온동물 또는 냉혈동물)입니다.

Advanced

0860 **bird cage** [bə́ːrd kèidʒ]

ⓝ 새장

This **bird cage** is too small for my parrots.

이 새장은 내 앵무새들에게 너무 작다.

0861 **fish tank** [fíʃ tæ̀ŋk]

ⓝ 어항

Dad decided to clean the **fish tank**.

아빠는 어항을 청소하기로 했다.

0862 **octopus** [ɑ́ktəpəs]

ⓝ 문어, 낙지

Octopuses are very smart, and they can use tools. 교과서

문어는 매우 영리하고 도구를 사용할 수 있다.

0863 **jellyfish** [dʒélifìʃ]

ⓝ **해파리** [*pl.* jellyfish/jellyfishes]

What should I do if I get a **jellyfish** sting?

해파리에 쏘이면 어떻게 해야 하죠?

⊕ **jellyfish sting** 해파리에 쏘이는 것 또는 쏘인 상처

0864 **sea horse** [síː hɔːrs]

ⓝ **해마**

Sea horses have heads that look like a horse's head.

해마는 말의 머리처럼 보이는 머리를 가지고 있다.

0865 **hippo** [hípou]

ⓝ **하마** ⊜ hippopotamus

Hippos usually stay in the water during the day.

하마는 대개 낮 동안 물속에서 지낸다.

0866 **rhino** [ráinou]

ⓝ **코뿔소** ⊜ rhinoceros

Rhinos have big horns on their heads.

코뿔소는 머리 위에 큰 뿔을 지니고 있다.

0867 **crocodile** [krákədàil]

ⓝ **악어**

A **crocodile** can't stick its tongue out.

악어는 자신의 혀를 내밀 수 없다.

0868 **lizard** [lízərd]

ⓝ **도마뱀**

A chameleon is a kind of **lizard** that can change its skin color.

카멜레온은 자신의 피부 색깔을 바꿀 수 있는 도마뱀의 일종이다.

Idioms

0869 **make friends (with)**

친구를 사귀다, ~와 친해지다

I want to explore the ocean and **make friends with** sea animals.

나는 바다를 탐험하면서 바다 동물들과 친구가 되고 싶다.

0870 **on one's own**

혼자, 혼자 힘으로

The newborn baby deer stood **on his own**.

갓 태어난 새끼 사슴이 혼자 힘으로 일어섰다.

Exercise

[1~5] 다음 동물들의 새끼를 지칭하는 말을 영어로 쓰세요.

1 lion → ______________

2 sheep → ______________

3 cow → ______________

4 cat → ______________

5 bear → ______________

[6~10] 다음 단어의 뜻을 쓰고 관련 있는 것과 연결하세요.

6 rattlesnake ____________ •

7 lizard ____________ • • mammal ____________

8 toad ____________ • • reptile ____________

9 whale ____________ • • amphibian ____________

10 dinosaur ____________ •

[11~15] 다음 빈칸에 알맞은 말을 보기에서 골라 쓰세요.

보기	turtle	jellyfish	zebra	octopus	kangaroo

11 ______________es have eight legs.

12 ______________s have beautiful stripes.

13 Watch out for ______________ in the sea. They sting.

14 The sea ______________ is crawling along slowly.

15 Mother ______________s have pouches for their babies.

Day

30 Birds & Insects

새와 곤충

Previous Check

- □ insect
- □ bee
- □ wing
- □ hen
- □ spider
- □ butterfly
- □ beetle
- □ ladybug
- □ flea
- □ mosquito
- □ swan
- □ penguin
- □ eagle
- □ beak
- □ crow
- □ pigeon
- □ parrot
- □ goose
- □ cuckoo
- □ owl
- □ peacock
- □ ostrich
- □ swallow
- □ moth
- □ cricket
- □ caterpillar
- □ hummingbird
- □ such as
- □ all the time
- □ thanks to

★ Day 30

Birds & Insects

01 02 03 04 05 06 07 08 09 10 11 12 13 14 15 16 17 18 19 20

Basic

0871 **insect** [ínsekt]

ⓝ **곤충**

Insects usually have six legs.

곤충들은 대개 6개의 다리를 가지고 있다.

Voca tip insect *vs.* bug *vs.* worm

사전을 찾아봐도 insect, bug, worm은 그냥 '벌레' 혹은 '곤충'이라고 나옵니다. 그럼 이 셋의 차이는 무엇일까요? insect는 머리, 가슴, 배로 나뉘고 다리가 6개인 일반적인 곤충을 말합니다. bug는 보통 아주 작은 곤충들이나 날벌레처럼 이름을 알 수 없는 작은 벌레들을 말합니다. 그리고 worm은 지렁이처럼 기어 다니는 벌레를 가리키는 말입니다.

0872 **bee** [biː]

ⓝ **벌**

A **bee** is an insect with a yellow-and-black striped body and a sting. 기출

벌은 노랑과 검정 줄무늬가 있는 몸체와 독침을 가진 곤충이다.

⊕ **as busy as a bee** (벌처럼) 매우 바쁜 **beehive** ⓝ 벌집

0873 **wing** [wiŋ]

ⓝ **날개**

Scientists say some insects have **wings** that have warning colors. 기출

과학자들은 몇몇 곤충들이 경계색이 있는 날개를 가지고 있다고 한다.

⊕ **winged** ⓐ 날개가 달린

0874 **hen** [hen]

ⓝ **암탉** ↔ cock/rooster 수탉

He took a fresh, warm egg from under a **hen**. 교과서

그는 암탉 아래에서 신선하고 따뜻한 달걀 하나를 가져왔다.

0875 **spider** [spáidər]

ⓝ **거미**

She screamed with fright to see a huge **spider**. 기출

그녀는 커다란 거미를 보고 공포에 질려 비명을 질렀다.

⊕ **spider web** 거미집[줄]

0876 **butterfly** [bʌ́tərflài]

ⓝ **나비**

He caught the **butterfly** sitting on the flower.

그는 꽃에 앉아 있는 나비를 잡았다.

⊕ **have butterflies in one's stomach** 가슴이 두근거리다

Intermediate

0877 **beetle** [bíːtl]

ⓝ 딱정벌레

The wings of these **beetles** change colors.

이 딱정벌레들의 날개는 색이 변한다.

0878 **ladybug** [léidibʌ̀g]

ⓝ 무당벌레 ⊜ ladybird

Kids love **ladybugs** because they are colorful and easy to catch.

아이들은 무당벌레가 색깔이 화려하고 잡기 쉽기 때문에 그것들을 매우 좋아한다.

0879 **flea** [fliː]

ⓝ 벼룩

Fleas jump on to animals or humans and hide in their hair.

벼룩은 동물이나 사람한테 튀어 올라 그들의 털에 몸을 숨긴다.

⊕ **flea market** 벼룩시장

0880 **mosquito** [məskíːtou]

ⓝ 모기

There is a **mosquito** on the ceiling.

천장에 모기 한 마리가 있다.

⊕ **mosquito bite** 모기에 물린 곳[상처]

0881 **swan** [swɑn]

ⓝ 백조

One day, the crow saw a **swan** on the lake. 교과서

어느 날 까마귀가 호수에 있는 백조 한 마리를 보았다.

0882 **penguin** [péŋgwin]

ⓝ 펭귄

A: Think of an animal that lives in the sea but is not a fish.

B: A **penguin**? 기출

A: 바다에 살지만 물고기는 아닌 동물을 하나 생각해 봐.

B: 펭귄?

0883 **eagle** [íːgl]

ⓝ 독수리

He saw some **eagles** hunting birds.

그는 몇 마리의 독수리들이 새를 사냥하는 것을 보았다.

⊕ **eagle-eyed** ⓐ 시력이 좋은

0884 **beak** [biːk]

ⓝ 부리

The gull held the fish in its **beak**.

그 갈매기는 자신의 부리로 그 물고기를 물었다.

□ 0885 **crow** [krou]
□

ⓝ **까마귀**

In Aesop's fable, a **crow** drops stones into a jar to raise the level of water. 교과서

이솝 우화에서 까마귀는 수면을 높이기 위해 병에 돌을 넣는다.

□ 0886 **pigeon** [pídʒən]
□

ⓝ **비둘기**

An old woman is feeding the **pigeons** in the park.

한 노부인이 공원에서 비둘기들에게 먹이를 주고 있다.

□ 0887 **parrot** [pǽrət]
□

ⓝ **앵무새**

Parrots can be trained to imitate human voices.

앵무새들은 인간의 목소리를 흉내내도록 훈련될 수 있다.

□ 0888 **goose** [gu:s]
□

ⓝ **거위** [*pl.* geese]

Geese have webbed feet and they can swim easily.

거위는 발에 물갈퀴가 있어서 쉽게 헤엄칠 수 있다.

⊕ **goose bumps** 소름 **wild goose** ⓝ 기러기

□ 0889 **cuckoo** [kú:ku:]
□

ⓝ **뻐꾸기**

Cuckoos never build their nests.

뻐꾸기는 자신의 둥지를 짓지 않는다.

Advanced

□ 0890 **owl** [aul]
□

ⓝ **올빼미**

Most **owls** are active at night.

대부분의 올빼미는 밤에 활동한다.

□ 0891 **peacock** [pí:kɑ̀k]
□

ⓝ **공작새**

Female **peacocks** are not as colorful as male **peacocks**.

암컷 공작새는 수컷 공작새처럼 색깔이 화려하지 않다.

⊕ **as proud as a peacock** 잘난 척하는, 우쭐대는

□ 0892 **ostrich** [ɔ́:stritʃ]
□

ⓝ **타조** [*pl.* ostrich/ostriches]

Penguins and **ostrich** are the birds that cannot fly.

펭귄과 타조는 날 수 없는 새들이다.

□ 0893 **swallow** [swɑ́lou]
□

ⓝ **제비** ⓥ **삼키다**

One **swallow** does not make a summer.

제비 한 마리가 여름을 만들지는 않는다. (하나를 가지고 속단하지 마라.)

□ 0894 **moth** [mɔːθ]

ⓝ 나방, 좀벌레 ⊜ clothes moth

Moths flew into a bonfire.

나방들이 모닥불 속으로 날아들었다.

⊕ moth-eaten ⓐ (옷이) 좀먹은, 낡아빠진

□ 0895 **cricket** [kríkit]

ⓝ 귀뚜라미

Only male **crickets** sing; females don't.

오직 수컷 귀뚜라미들만이 울고, 암컷은 울지 않는다.

□ 0896 **caterpillar** [kǽtərpìlər]

ⓝ 애벌레, 유충

Some **caterpillars** are not as ugly as people think.

어떤 애벌레들은 사람들이 생각하는 것처럼 흉하지 않다.

Voca tip entomology & entomologist

곤충을 연구하는 학문을 '곤충학'이라 하고, 곤충학을 연구하는 학자를 '곤충학자'라고 하는데 영어로 곤충학은 entomology, 곤충학자는 entomologist라고 합니다. Who is the most famous entomologist in the history of science? (과학의 역사상 가장 유명한 곤충학자는 누구일까요?) 그래요, 모두 알다시피 Jean Henry Fabre, 바로 파브르 박사랍니다.

□ 0897 **hummingbird** [hʌ́miŋbə̀ːrd]

ⓝ 벌새

Hummingbirds' wings beat very fast.

벌새의 날개는 매우 빠르게 퍼덕인다.

Idioms

□ 0898 **such as**

~와 같은

Some insects **such as** the mayfly only live one day.

하루살이와 같은 몇몇 곤충들은 겨우 하루를 산다.

□ 0899 **all the time**

내내, 줄곧

The birds in the cage were singing **all the time**.

새장 안의 새들은 줄곧 지저귀고 있었다.

□ 0900 **thanks to**

~ 덕분에, ~ 때문에

We can enjoy fresh fruits **thanks to** the hardworking butterflies.

우리는 열심히 일하는 나비들 덕분에 신선한 과일을 즐길 수 있다.

Exercise

[1~8] 다음 우리말과 같은 뜻이 되도록 보기에서 알맞은 말을 골라 쓰세요.

보기				
	eagle	peacock	moth	goose
	winged	butterflies	spider	bee

1 매우 바쁜 as busy as a ______________

2 우쭐대는 as proud as a ______________

3 가슴이 두근거리다 have ______________ in one's stomach

4 거미집 ______________ web

5 시력이 좋은 ______________-eyed

6 날개가 4개 달린 four-______________

7 소름 ______________ bumps

8 옷이 좀먹은 ______________-eaten

[9~11] 다음 빈칸에 주어진 철자로 시작하는 알맞은 단어를 쓰세요.

9 My h______________ lays a couple of eggs a day.

10 An o______________ can run very quickly but cannot fly.

11 If you have more than one goose, you call them g______________.

[12~15] 다음 괄호 안의 우리말과 같은 뜻이 되도록 빈칸에 알맞은 단어를 쓰세요.

12 Humans cannot digest plants ______________ grass.
(인간은 잔디와 같은 식물은 소화하지 못한다.)

13 I sleep well these days ______________ my body pillow.
(나는 요즘 내 바디 필로우 덕분에 잠을 잘 잔다.)

14 He leaves the lights on ______________. (그는 줄곧 불을 켜 둔다.)

15 When you have a ______________, you shouldn't scratch it.
(모기에 물린 곳이 있을 때 그곳을 긁으면 안 된다.)

Day 31

The Environment 환경

Previous Check

□ pollution	□ share	□ toxic
□ protect	□ cause	□ exhaust
□ separate	□ ruin	□ shortage
□ environment	□ raw	□ reduce
□ effect	□ electricity	□ endangered
□ resource	□ pure	□ leak
□ destroy	□ smog	□ overuse
□ global warming	□ fuel	□ greenhouse
□ damage	□ fossil	□ be worried about
□ garbage	□ acid	□ back and forth

★ Day 31

The Environment

01 02 03 04 05 06 07 08 09 10 11 12 13 14 15 16 17 18 19 20

Basic

□ 0901 **pollution** [pəlúːʃən]
□

ⓝ **오염**

Our earth is suffering from **pollution.** 기출

우리의 지구는 오염으로 고통받고 있다.

⊕ **pollute** ⓥ 오염시키다 **polluted** ⓐ 오염된

Voca tip pollution

우리 주변의 오염 상황을 영어로 무엇이라고 표현하는지 살펴볼까요?

air pollution 공기 오염 water pollution 수질 오염 noise pollution 소음 공해

□ 0902 **protect** [prətékt]
□

ⓥ **보호하다**

They're working to **protect** the rain forest in the Amazon.

그들은 아마존의 열대 우림을 보호하기 위해 노력하고 있다.

⊕ **protection** ⓝ 보호 **protective** ⓐ 보호의

□ 0903 **separate** [sépərèit]
□

ⓥ **분리하다**

They **separate** and recycle garbage.

그들은 쓰레기를 분리하고 재활용한다.

□ 0904 **environment** [inváiərənmənt]
□

ⓝ **환경**

Upcycling is also good for the **environment.** 교과서

업사이클링은 환경에도 좋다.

⊕ **environmental** ⓐ 환경의

□ 0905 **effect** [ifékt]
□

ⓝ **영향, 효과**

Light pollution can have serious **effects** on wildlife. 교과서

빛 공해는 야생 동물에 심각한 영향을 미칠 수 있다.

⊕ **have an effect on** ~에 영향을 미치다 ⊜ **affect**

□ 0906 **resource** [ríːsɔːrs]
□

ⓝ **자원**

Korea doesn't have many natural **resources.**

한국은 천연 자원이 많지 않다.

□ 0907 **destroy** [distrɔ́i]
□

ⓥ **파괴하다, 부수다** ⊖ construct, build 세우다, 짓다

Hurricanes have **destroyed** many villages.

허리케인이 많은 마을을 파괴했다.

Intermediate

□ 0908 **global warming**
□

ⓝ **지구 온난화**

Global warming is getting more serious.

지구 온난화가 점점 더 심각해지고 있다.

□ 0909 **damage**
□ [dǽmidʒ]

ⓝ **손상, 피해**

Luckily, the storm didn't do much **damage**.

다행스럽게도, 그 태풍은 큰 피해를 입히지 않았다.

⊕ **do damage** 피해를 입히다 **serious damage** 심각한 피해

□ 0910 **garbage**
□ [gáːrbidʒ]

ⓝ **쓰레기** ⊜ rubbish

They collect **garbage** once a week.

그들은 일주일에 한 번 쓰레기를 수거한다.

□ 0911 **share**
□ [ʃɛər]

ⓥ **공유하다**

The nations **shared** an interest in environmental issues.

그 나라들은 환경 문제들에 대한 관심을 공유했다.

□ 0912 **cause**
□ [kɔːz]

ⓥ **야기하다**

Water pollution can **cause** many kinds of illnesses.

수질 오염은 많은 종류의 질병을 야기할 수 있다.

□ 0913 **ruin**
□ [rúːin]

ⓝ **1. 파괴 2. 유적, 폐허** [보통 *pl.*] ⓥ **파멸시키다**

Too much development **ruined** the forest.

너무 많은 개발이 숲을 파괴했다.

□ 0914 **raw**
□ [rɔː]

ⓐ **날것의, 가공하지 않은** ⊖ processed 가공된

Raw material prices are rising.

원자재 가격이 상승하고 있다.

⊕ **raw material** 원료, 원자재(석유, 석탄, 금 등)

□ 0915 **electricity**
□ [ilektrísəti]

ⓝ **전기**

One plastic bottle can light up a whole room without using any **electricity**. 교과서

하나의 플라스틱병이 어떤 전기도 사용하지 않고 방 전체를 밝게 할 수 있다.

0916 **pure** [pjuər]
ⓐ **순수한** ↔ mixed 혼합의, 섞인
This ring is made of **pure** gold.
이 반지는 순금으로 만들어진다.

0917 **smog** [smɑg]
ⓝ **스모그, 연무**
Because of heavy **smog**, we could not see far away.
심한 스모그 때문에 우리는 멀리 볼 수 없었다.
+ **smoggy** ⓐ 스모그가 낀

0918 **fuel** [fjú:əl]
ⓝ **연료**
Hydrogen is a very clean source of **fuel**.
수소는 매우 깨끗한 연료원이다.

0919 **fossil** [fásl]
ⓝ **화석**
We depend greatly on **fossil** fuels to get energy. 기출
우리는 에너지를 얻기 위해 화석 연료에 크게 의존한다.
+ **fossil fuel** 화석 연료(석탄, 석유 등)

Advanced

0920 **acid** [ǽsid]
ⓝ **산** ⓐ **산성의** ↔ alkali ⓝ 알칼리 ⓐ 알칼리성의
Acid rain can damage crops, buildings and wildlife.
산성비는 농작물, 건물, 야생 동물에게 피해를 입힐 수 있다.
+ **acid rain** 산성비

0921 **toxic** [táksik]
ⓐ **유독한** = poisonous ↔ non-toxic 독성이 없는
The building was filled with **toxic** gases.
건물이 유독 가스로 가득 찼었다.
+ **toxic gas** 유독 가스

0922 **exhaust** [igzɔ́:st]
ⓝ **배기가스** ⓥ **다 써버리다**
Vehicle **exhaust** fumes cause air pollution.
자동차 매연은 대기 오염을 일으킨다.
+ **exhausted** ⓐ 기진맥진한

0923 **shortage** [ʃɔ́:rtidʒ]
ⓝ **부족, 결핍**
Lots of people suffer from water **shortage**.
많은 사람이 물 부족으로 고통받고 있다.
+ **water shortage** 물 부족 **food shortage** 식량 부족

0924 **reduce** [ridjúːs]

ⓥ 줄이다 ⊜ lessen

I'm trying to **reduce** the amount of food waste.

나는 음식물 쓰레기의 양을 줄이려고 노력하고 있다.

⊕ reduction ⓝ 감소

0925 **endangered** [indéindʒərd]

ⓐ 멸종 위기의, 위험에 처한

Many countries forbid the fishing of **endangered** species.

많은 나라가 멸종 위기종을 잡는 것을 금지한다.

⊕ endangered species 멸종 위기종

0926 **leak** [liːk]

ⓝ 누출 ⓥ 새다

A gas **leak** is dangerous and can cause a fire.

가스 누출은 위험하고 화재를 일으킬 수도 있다.

0927 **overuse** ⓝ [óuvərjùːs] ⓥ [òuvərjúːz]

ⓝ 남용 ⓥ 남용하다

It's harmful to **overuse** antibiotics.

항생제를 남용하는 것은 해롭다.

0928 **greenhouse** [gríːnhàus]

ⓝ 온실

The **greenhouse** effect is the rise of temperature on the Earth.

온실 효과는 지구의 온도가 상승하는 것이다.

⊕ greenhouse effect 온실 효과

Idioms

0929 **be worried about**

~에 대해 걱정하다

Many scientists **are worried about** the effect of global warming.

많은 과학자가 지구 온난화의 영향에 대해 걱정하고 있다.

0930 **back and forth**

1. 앞뒤로 2. 왔다갔다

Huge costs and pollution go into shipping the same goods **back and forth** from one part to another.

엄청난 비용과 오염이 한 지역에서 다른 지역으로 같은 상품을 왔다갔다 운송하는 데 들어간다.

Exercise

[1~6] 다음 우리말과 같은 뜻이 되도록 보기에서 알맞은 말을 골라 쓰세요.

보기			
	fossil	leak	raw
	shortage	endangered	pollution

1 수질 오염 water ________________

2 원자재 a ________________ material

3 화석 연료 a ________________ fuel

4 식량 부족 a food ________________

5 멸종 위기종 ________________ species

6 가스 누출 a gas ________________

[7~10] 다음 괄호 안에서 알맞은 말을 고르세요.

7 Exercise has a good (affect / effect) on your body.

8 We have to (protect / protection) rain forests.

9 (Acid / Alkali) rain is not good for the environment.

10 I am (worrying / worried) about the safety of the treatment.

[11~15] 다음 괄호 안의 우리말과 같은 뜻이 되도록 빈칸에 알맞은 단어를 쓰세요.

11 We should keep our ________________ clean.
(우리는 환경을 깨끗하게 유지해야 한다.)

12 The earthquake caused serious ________________ to the area.
(지진이 그 지역에 심각한 피해를 초래했다.)

13 This is ________________ water. (이것은 순수한 물이다.)

14 I smelled ________________ gas. (나는 유독 가스 냄새를 맡았다.)

15 The chair is rocking ________________. (그 의자는 앞뒤로 흔들리고 있다.)

Day 32

Science & Technology 과학과 기술

Previous Check

□ electric	□ chemical	□ multiply
□ invent	□ measure	□ gravity
□ machine	□ technology	□ browse
□ data	□ inspect	□ device
□ important	□ imagine	□ delete
□ cell	□ visible	□ wireless
□ prove	□ vacuum	□ transmit
□ inform	□ react	□ formula
□ experiment	□ mobile	□ lead to
□ method	□ charge	□ come up with

★ Day 32

Science & Technology

01 02 03 04 05 06 07 08 09 10 11 12 13 14 15 16 17 18 19 20

Basic

□ 0931 **electric** [iléktrik]
ⓐ 전기의
Electric bicycles are a new means of transport.
전기 자전거는 새로운 이동 수단이다.

□ 0932 **invent** [invént]
ⓥ 발명하다
Who **invented** the telephone?
누가 전화기를 발명했나요?
⊕ invention ⓝ 발명, 발명품 inventor ⓝ 발명가

□ 0933 **machine** [məʃíːn]
ⓝ 기계
This **machine** doesn't work well.
이 기계가 잘 작동하지 않는다.

Voca tip machine을 이용한 표현

machine이 포함된 물건 이름을 알아볼까요?
washing machine 세탁기 sewing machine 재봉틀 answering machine 자동 응답기
time machine 타임머신 vending machine 자동판매기

□ 0934 **data** [déitə]
ⓝ 자료, 정보
She needed to collect smartphone use **data**. 교과서
그녀는 스마트폰 이용 자료를 모을 필요가 있었다.

□ 0935 **important** [impɔ́ːrtənt]
ⓐ 중요한
I wrote down **important** information in my notebook.
나는 중요한 정보를 내 수첩에 적어 두었다.
⊕ importance ⓝ 중요성

□ 0936 **cell** [sel]
ⓝ 세포
Stem **cells** will be used in various ways.
줄기 세포는 다양한 방식으로 활용될 것이다.

□ 0937 **prove** [pruːv]
ⓥ 증명하다
The scientist found a way to **prove** his theory.
그 과학자는 자신의 이론을 증명할 방법을 찾았다.
⊕ proof ⓝ 증거, 근거

Intermediate

0938 **inform** [infɔ́ːrm]

ⓥ 알리다, 통지하다

The police **informed** Jim of the accident.

경찰이 Jim에게 그 사고를 알렸다.

⊕ information ⓝ 정보, 통지

0939 **experiment** [ikspérəmənt]

ⓝ 실험 ⓥ 실험하다

From this **experiment**, I grew my plants with aquaponics.

이 실험을 통해 나는 아쿠아포닉스를 사용해서 식물을 재배했다. 교과서

0940 **method** [méθəd]

ⓝ 방법

Everyone likes Mr. Baker's new teaching **method**.

모두가 Baker 씨의 새로운 교수법을 좋아한다.

0941 **chemical** [kémikəl]

ⓐ 화학의 ⓝ 화학 약품

Tom studied **chemical** engineering in university.

Tom은 대학교에서 화학 공학을 공부했다.

⊕ chemistry ⓝ 화학

0942 **measure** [méʒər]

ⓥ 측정하다

An IQ test is used to **measure** intelligence. 기출

IQ 테스트는 지능을 측정하기 위해 사용된다.

⊕ measurement ⓝ 치수, 측량

0943 **technology** [teknɑ́lədʒi]

ⓝ 기술

Modern **technology** has improved our lives. 기출

현대 기술이 우리의 삶을 향상시켰다.

⊕ information technology (=IT) 정보 기술

technological ⓐ 기술적인

0944 **inspect** [inspékt]

ⓥ 조사하다

He **inspected** the insect closely in order to know what it is.

그는 그 곤충이 무엇인지 알기 위해 그것을 면밀히 조사했다.

0945 **imagine** [imǽdʒin]

ⓥ 상상하다

Can you **imagine** living without your cell phone?

휴대 전화 없이 사는 것을 상상할 수 있나요?

0946 **visible** [vízəbl]

ⓐ **눈에 보이는** ↔ invisible 보이지 않는

Most stars aren't **visible** to the naked eye.

대부분의 별들은 육안으로 보이지 않는다.

0947 **vacuum** [vǽkjuəm]

ⓝ **진공, 공백** ⓥ **(진공청소기로) 청소하다**

Sound waves cannot travel through a **vacuum**.

음파는 진공을 통과할 수 없다.

⊕ **vacuum cleaner** 진공청소기

0948 **react** [riǽkt]

ⓥ **반응하다**

This material doesn't **react** to acid.

이 물질은 산에 반응하지 않는다.

⊕ **reaction** ⓝ 반응 **chemical reaction** 화학 반응

0949 **mobile** [móubəl]

ⓐ **이동성의** ⓝ **휴대 전화** ⊜ mobile phone

May I use your **mobile** phone?

제가 당신의 휴대 전화를 사용해도 될까요?

⊕ **mobility** ⓝ 이동성, 변동성

0950 **charge** [tʃɑːrdʒ]

ⓥ **충전하다** ↔ discharge 방전하다

I need to **charge** my mobile phone.

나는 내 휴대 전화를 충전해야 한다.

Advanced

0951 **multiply** [mʌ́ltəplài]

ⓥ **1. 곱하다 2. 증가시키다**

If you **multiply** 8 by 7, you get 56.

8에 7을 곱하면 56이다.

Voca tip 사칙 연산 표현

add 더하다	subtract 빼다	multiply 곱하다	divide 나누다
addition 덧셈(+)	subtraction 뺄셈(−)	multiplication 곱셈(×)	division 나눗셈(÷)

0952 **gravity** [grǽvəti]

ⓝ **중력**

Black holes have strong **gravity**.

블랙홀은 강력한 중력을 가지고 있다.

0953 **browse** [brauz]

ⓥ **검색하다**

I spent hours **browsing** in the bookshop.

나는 그 서점에서 검색하느라 몇 시간을 보냈다.

0954 **device** [diváis]

ⓝ **장치**

After much trial and error, he succeeded in making his **device**. 교과서

많은 시행착오 후에 그는 자신의 장치를 만드는 데 성공했다.

➕ input device 입력 장치 electronic device 전자 장치

0955 **delete** [dilí:t]

ⓥ **삭제하다**

Press this button to **delete** the picture.

그림을 지우려면 이 버튼을 누르세요.

➕ deletion ⓝ 삭제

0956 **wireless** [wáiərlis]

ⓐ **무선의**

I want to have a **wireless** keyboard.

나는 무선 키보드를 가지고 싶다.

➕ wire ⓝ 철사, 전선

0957 **transmit** [trænsmít]

ⓥ **1. 보내다, 전송하다 2. 전염시키다**

This device can **transmit** sound and pictures very fast.

이 장치는 음성과 그림을 매우 빠르게 전송할 수 있다.

➕ transmission ⓝ 전달, 전염

0958 **formula** [fɔ́:rmjulə]

ⓝ **공식**

Use this **formula** to solve the math problem.

그 수학 문제를 풀려면 이 공식을 이용해라.

Idioms

0959 **lead to**

~로 이어지다, ~을 초래하다

Different writing brushes **led to** different styles of calligraphy.

다른 붓이 다른 스타일의 글씨로 이어졌다. 교과서

0960 **come up with**

~을 찾아내다, 생각해 내다

This blackout made him **come up with** a new way to light his house. 교과서

이 정전은 그가 자신의 집을 밝히는 새로운 방법을 찾아내도록 만들었다.

Exercise

[1~8] 다음 우리말과 같은 뜻이 되도록 빈칸에 알맞은 단어를 쓰세요.

1 입력 장치 — an input ________________

2 세탁기 — a washing ________________

3 전기 기타 — an ________________ guitar

4 화학 반응 — a chemical ________________

5 무선 키보드 — a ________________ keyboard

6 진공청소기 — a ________________ cleaner

7 정보 기술 — information ________________

8 전쟁을 초래하다 — ________________ war

[9~12] 다음 주어진 철자의 순서를 바로잡은 후 알맞은 의미와 연결하세요.

9 tygravi → ________________ •		• 발명하다
10 ntveni → ________________ •		• 중력
11 porev → ________________ •		• 곱하다
12 pultmliy → ________________ •		• 증명하다

[13~15] 다음 빈칸에 알맞은 말을 보기에서 골라 쓰세요.

보기	come up with	data	delete

13 This small device can save lots of ________________.

14 I always try to ________________ new solutions to problems.

15 Be careful not to ________________ any important information.

Day 33

Space 우주

Previous Check

□ earth	□ Venus	□ eclipse
□ planet	□ Mars	□ satellite
□ universe	□ Jupiter	□ orbit
□ solar	□ Saturn	□ galaxy
□ lunar	□ ring	□ astronomy
□ crew	□ comet	□ astronomer
□ rocket	□ telescope	□ Big Bang
□ outer	□ Milky Way	□ light year
□ surface	□ space shuttle	□ far from
□ Mercury	□ space station	□ by chance

★ Day 33

Space

01 02 03 04 05 06 07 08 09 10 11 12 13 14 15 16 17 18 19 20

Basic

0961 **earth** [ə:rθ]

ⓝ **지구**

Let's think about what we can do to protect our **earth**. 기출

우리의 지구를 보호하기 위해 우리가 할 수 있는 것을 생각해 보자.

⊕ **earth science** 지구 과학

0962 **planet** [plǽnit]

ⓝ **행성**

Is it possible to live on another **planet**? 교과서

다른 행성에서 사는 것이 가능할까요?

0963 **universe** [jú:nəvə̀:rs]

ⓝ **우주** ⊜ cosmos, space

Our world is just a small part of the **universe**.

우리의 세계(지구)는 우주의 작은 일부분일 뿐이다.

⊕ **universal** ⓐ 우주의

0964 **solar** [sóulər]

ⓐ **태양의**

All the planets in our **solar** system orbit the sun.

태양계에 있는 모든 행성은 태양의 궤도를 돈다.

⊕ **the solar system** 태양계 **solar panel** 태양 전지판

0965 **lunar** [lú:nər]

ⓐ **달의**

Astronaut Neil Armstrong was the first man to walk on the **lunar** surface.

우주비행사 닐 암스트롱은 달 표면을 걸은 최초의 사람이었다.

0966 **crew** [kru:]

ⓝ **(비행기, 배의) 승무원**

Two **crew** members were on the space shuttle.

우주 왕복선에 두 명의 승무원이 탑승해 있었다.

⊕ **cabin crew** 객실 승무원

0967 **rocket** [rákit]

ⓝ **로켓** ⓥ **로켓으로 쏘아 올리다**

The Naro is Korea's first space **rocket**.

나로호는 한국 최초의 우주선 발사 로켓이다.

Intermediate

0968 **outer** [áutər]

ⓐ **외부의, 외곽의** ↔ inner 내부의

The soil in this region is very similar to the soil on Mars, so scientists study it in preparation for trips to **outer** space. 교과서

이 지역의 토양은 화성의 토양과 매우 비슷해서 과학자들은 우주로의 여행을 위한 준비로 그것을 연구한다.

0969 **surface** [sə́:rfis]

ⓝ **표면**

Seventy percent of the earth's **surface** is water.

지구 표면의 70%는 물이다.

0970 **Mercury** [mə́:rkjuri]

ⓝ **1. 수성 2. 수은**

Mercury is the closest to the sun in the solar system.

수성은 태양계에서 태양에 가장 가깝다.

People didn't know the dangers of **mercury**.

사람들은 수은의 위험성을 알지 못했다.

0971 **Venus** [ví:nəs]

ⓝ **금성**

Venus is the brightest object in the sky except for the sun and the moon.

금성은 태양과 달을 제외하고 하늘에서 가장 밝은 물체이다.

0972 **Mars** [mɑ:rz]

ⓝ **화성**

A year on **Mars** is about twice as long as a year on Earth.

화성에서의 일 년은 지구에서의 일 년보다 약 두 배 길다. 교과서

0973 **Jupiter** [dʒú:pitər]

ⓝ **목성**

Jupiter is the largest planet in our solar system.

목성은 태양계에서 가장 큰 행성이다.

0974 **Saturn** [sǽtərn]

ⓝ **토성**

Galileo Galilei discovered **Saturn**.

갈릴레이 갈릴레오가 토성을 발견했다.

0975 **ring** [riŋ]

ⓝ **고리, 반지**

Saturn is famous for its beautiful **rings**.

토성은 아름다운 고리로 유명하다.

0976 **comet**
[kámit]

ⓝ 혜성

Edmond Halley discovered a new **comet** in 1682.

에드먼드 핼리는 1682년에 새로운 혜성을 발견했다.

0977 **telescope**
[téləskòup]

ⓝ 망원경

They looked at the stars through a **telescope**.

그들은 망원경을 통해 별을 보았다.

Voca tip -scope

'보는 기계'라는 의미를 가지고 있는 접미어입니다. 이와 관련된 다른 단어를 살펴볼까요? telescope는 멀리 있는 것을 보는 '망원경'이고, microscope는 작은 물체를 보도록 도와주는 '현미경'입니다. 그리고 horoscope는 별자리 운세를 보는 '천궁도'입니다.

0978 **Milky Way**
[mílki wei]

ⓝ 은하수

It is difficult to see the **Milky Way** in the city.

도시에서는 은하수를 보기가 어렵다.

0979 **space shuttle**
[speis ʃʌ́tl]

ⓝ 우주 왕복선

Space Shuttle Challenger exploded just after take-off.

우주 왕복선 챌린저호가 이륙 직후에 폭발했다.

⊕ spaceship ⓝ 우주선 ⊜ spacecraft

Advanced

0980 **space station**
[speis stéiʃən]

ⓝ 우주 정거장

The space shuttle is docking with the **space station**.

우주 왕복선이 우주 정거장에 도킹하고 있다.

0981 **eclipse**
[iklíps]

ⓝ 식(蝕)

An **eclipse** happens when the earth and the moon are in line with the sun.

일식이나 월식은 지구와 달이 태양과 일직선을 이룰 때 발생한다.

⊕ solar eclipse 일식 lunar eclipse 월식

0982 **satellite**
[sǽtəlàit]

ⓝ 위성

The moon is the **satellite** of the earth.

달은 지구의 위성이다.

⊕ artificial satellite 인공위성

0983 **orbit** [ɔ́ːrbit]

ⓝ 궤도 ⓥ 궤도를 그리며 돌다

The satellite will go into **orbit** around the earth.

위성이 지구 주변의 궤도에 진입할 것이다.

⊕ in orbit 궤도에 있는

0984 **galaxy** [gǽləksi]

ⓝ 은하

When gas and dust in the **galaxy** are compressed, new stars are formed.

은하의 가스와 먼지가 압축되면, 새로운 별이 형성된다.

0985 **astronomy** [əstrɑ́nəmi]

ⓝ 천문학

Astronomy is the scientific study of the universe.

천문학은 우주에 관한 과학적 학문이다.

0986 **astronomer** [əstrɑ́nəmər]

ⓝ 천문학자

Astronomers search space for new stars and planets.

천문학자들은 새로운 별과 행성들을 위해 우주를 탐색한다.

0987 **Big Bang** [bìg bǽŋ]

ⓝ 빅뱅(우주의 탄생을 가져 온 것으로 여겨지는 대폭발)

Scientists say that after the **Big Bang** the universe expanded very fast.

과학자들은 빅뱅 이후에 우주가 아주 빠르게 팽창했다고 한다.

⊕ Big Bang theory 빅뱅 이론

0988 **light year** [láit jiər]

ⓝ 광년(빛이 1년에 나아가는 거리로 약 9조 4670억 킬로미터)

Andromeda Galaxy is about 2 million **light years** away.

안드로메다 은하는 약 2백만 광년 떨어져 있다.

Idioms

0989 **far from**

1. ~에서 멀리 2. 전혀 ~이 아닌

The stars we see are very **far from** Earth.

우리가 보는 별들은 지구에서 아주 멀리 떨어져 있다.

0990 **by chance**

우연히, 뜻밖에

She became interested in astronomy **by chance**.

그녀는 우연히 천문학에 관심을 갖게 되었다.

Exercise

[1~8] 다음 우리말과 같은 뜻이 되도록 빈칸에 알맞은 단어를 쓰세요.

1	우주 왕복선	a ______________ shuttle
2	태양계	the ______________ system
3	우연히	by ______________
4	월식	a lunar ______________
5	은하수	the ______________
6	지구 과학	an ______________ science
7	인공위성	an artificial ______________
8	외곽 지대	an ______________ zone

[9~12] 다음 영어 풀이에 알맞은 단어를 보기에서 골라 쓰세요.

보기 astronomy crew Jupiter telescope

9 ______________ : the largest planet in the solar system

10 ______________ : the people who work on a ship or a plane

11 ______________ : a device for making distant objects look nearer

12 ______________ : the scientific study of the sun, moon, stars, etc.

[13~15] 다음 괄호 안의 우리말과 같은 뜻이 되도록 주어진 철자로 시작하는 단어를 쓰세요.

13 The space shuttle is now in o______________.
(그 우주 왕복선은 지금 궤도에 있다.)

14 There is a used bookstore not f______________ here.
(여기서 멀지 않은 곳에 중고 서점이 있다.)

15 I'm reading a book about the u______________.
(나는 우주에 대한 책을 읽고 있다.)

Day

34 Energy 에너지

Previous Check

□ power	□ generate	□ transmission tower
□ produce	□ nuclear	□ radioactive
□ wind	□ windmill	□ power line
□ coal	□ tidal	□ conserve
□ mine	□ careless	□ efficiency
□ factory	□ transform	□ crisis
□ dam	□ natural gas	□ authorized
□ heat	□ abundant	□ be made up of
□ battery	□ utility pole	□ turn into
□ consume	□ solar collector	□ and so on

★ Day 34

Energy

01 02 03 04 05 06 07 08 09 10 11 12 13 14 15 16 17 18 19 20

Basic

□ 0991 **power** [páuər]
□

ⓝ **힘, 권력, 에너지**

When you go out, please turn off the **power**.

밖에 나갈 때는 전원을 꺼 주세요.

⊕ **power plant[station]** 발전소 **powerful** ⓐ 힘 있는

Voca tip power와 함께 사용되는 표현

electric power 전력	hydroelectric power 수력	steam power 증기력
nuclear power 원자력	water power 수력	

□ 0992 **produce** [prədjú:s]
□

ⓥ **생산하다, 만들어 내다**

We can **produce** electricity to light up a city from sound.

우리는 소리로 한 도시를 밝힐 전기를 만들어 낼 수 있다. 교과서

⊕ **production** ⓝ 생산

□ 0993 **wind** [wind]
□

ⓝ **바람**

Wind is a great natural energy source.

바람은 훌륭한 천연 에너지원이다.

□ 0994 **coal** [koul]
□

ⓝ **석탄**

She put more **coal** on the fire to warm herself.

그녀는 몸을 따뜻하게 하기 위해서 불에 더 많은 석탄을 넣었다.

□ 0995 **mine** [main]
□

ⓝ **1. 광산 2. 지뢰** ⓥ **채굴하다**

As the use of coal has declined, many **mines** have been closing down.

석탄 사용이 줄면서 많은 광산이 폐쇄되고 있다.

□ 0996 **factory** [fǽktəri]
□

ⓝ **공장**

This **factory** has its own power plant.

이 공장은 자가발전 설비가 있다.

□ 0997 **dam** [dæm]
□

ⓝ **댐**

Where will another hydroelectric **dam** be built?

어디에 또 다른 수력 발전용 댐이 건설될까요?

⊕ **hydroelectric dam** 수력 발전용 댐

□ 0998 **heat** [hi:t]

ⓝ 열 ⓥ 가열하다

Put some oil in the frying pan and **heat** it. 기출

프라이팬에 기름을 두르고 그것을 가열하세요.

⊕ heating system 난방 장치

□ 0999 **battery** [bǽtəri]

ⓝ 배터리

I forgot to charge my mobile phone **battery**.

나는 내 휴대 전화 배터리를 충전하는 것을 깜빡 잊었다.

Intermediate

□ 1000 **consume** [kənsjú:m]

ⓥ (특히 연료 · 에너지 · 시간을) 소모하다

The problem is that this car **consumes** too much fuel.

문제는 이 자동차가 연료를 너무 많이 소모한다는 것이다.

⊕ consumption ⓝ (에너지 · 식품 · 물질의) 소비[소모](량)

□ 1001 **generate** [dʒénərèit]

ⓥ 생성하다, 발생시키다

Solar energy **generates** electricity by using sunlight.

태양 에너지는 햇빛을 이용하여 전기를 발생시킨다.

⊕ generation ⓝ 생성, 발생 electric generator 전기 발전기

□ 1002 **nuclear** [njú:kliər]

ⓐ 원자핵의

About 30 percent of all energy comes from **nuclear** power.

모든 에너지의 약 30%가 원자력으로부터 온다.

□ 1003 **windmill** [wíndmìl]

ⓝ 풍차

People used **windmills** to grind grain long ago.

오래전에 사람들은 곡식을 빻기 위해 풍차를 사용했다.

□ 1004 **tidal** [táidl]

ⓐ 조수의

The **tidal** movements are strongest when the moon is full.

보름달일 때 조수의 움직임이 가장 크다.

⊕ tidal energy 조력 tide ⓝ 조수

□ 1005 **careless** [kέərlis]

ⓐ 부주의한 ↔ careful 주의 깊은

Careless use of natural resources threatens our future.

천연자원의 부주의한 사용은 우리의 미래를 위협한다.

☐ 1006 **transform** [trænsfɔ́ːrm]
☐

ⓥ **바꾸다, 변형시키다**

We need to find what material **transforms** energy to light.

우리는 어떤 물질이 에너지를 빛으로 변환시키는지 알아내야 한다.

⊕ transformation ⓝ 변형 transformer ⓝ 변압기

☐ 1007 **natural gas** [nǽtʃərəl gæs]
☐

ⓝ **천연가스**

Oil, **natural gas**, and coal are fossil fuels.

석유, 천연가스, 석탄은 화석 연료이다.

⊕ natural resources 천연자원

Advanced

☐ 1008 **abundant** [əbʌ́ndənt]
☐

ⓐ **풍부한, 풍족한**

The country has **abundant** natural resources.

그 나라는 천연자원이 풍부하다.

⊕ abundance ⓝ 풍족

☐ 1009 **utility pole** [juːtíləti poul]
☐

ⓝ **전신주**

Utility poles support telephone wires or electric cables.

전신주는 전화선 또는 전기선을 지탱한다.

☐ 1010 **solar collector** [sóulər kəléktər]
☐

ⓝ **태양열 집열기**

Solar collectors are designed to use solar radiation for heating air or water.

태양열 집열기는 공기나 물에 열을 가하는 데 태양 광선을 사용하기 위해 설계된다.

☐ 1011 **transmission tower** [trænsmíʃən táuər]
☐

ⓝ **송전탑**

The signal was coming from the **transmission tower**.

송전탑에서 신호가 오고 있었다.

☐ 1012 **radioactive** [rèidiouǽktiv]
☐

ⓐ **방사능을 가진**

They need to find the solution for **radioactive** waste.

그들은 방사능 폐기물에 대한 해결책을 찾아야 한다.

☐ 1013 **power line** [páuər lain]
☐

ⓝ **송전선**

A powerful windstorm downed the **power lines**.

강한 폭풍이 송전선을 무너뜨렸다.

□ 1014 **conserve** [kənsə́ːrv]
□

ⓥ 1. 보전하다 2. 아끼다, 절약하다 ⊜ save

I take short showers to **conserve** water.

나는 물을 절약하기 위해 샤워를 짧게 한다.

□ 1015 **efficiency** [ifíʃənsi]
□

ⓝ 효율

Many companies will try to improve the energy **efficiency** at their factories.

많은 회사가 자사 공장의 에너지 효율을 향상시키기 위해 노력할 것이다.

⊕ **energy efficiency** 에너지 효율 **efficient** ⓐ 효율적인

□ 1016 **crisis** [kráisis]
□

ⓝ 위기

Experts are worried about the current energy **crisis**.

전문가들이 현재의 에너지 위기에 대해서 염려하고 있다.

Voca tip crisis와 함께 쓰이는 표현

energy crisis 에너지 위기 economic crisis 경제적 위기 food crisis 식량 위기

□ 1017 **authorized** [ɔ́ːθəràizd]
□

ⓐ 권한이 부여된

Only **authorized** workers can access the system.

권한이 부여된 직원들만이 시스템에 접근할 수 있다.

⊕ **authorize** ⓥ 권한을 부여하다 **authority** ⓝ 권한

Idioms

□ 1018 **be made up of**
□

~로 구성되다, 이루어지다

Many scientists have shown that the universe **is made up of** dark energy.

많은 과학자가 우주가 암흑 에너지로 구성되어 있다고 밝혀 왔다.

□ 1019 **turn into**
□

~로 변하다, 바뀌다

The waste can be **turned into** food for the plants by bacteria.

그 쓰레기는 박테리아에 의해 식물들을 위한 먹이로 변할 수 있다. 교과서

□ 1020 **and so on**
□

(기타) 등등

There are many kinds of energy, such as wind power, solar power, **and so on**.

풍력과 태양력 등과 같은 많은 종류의 에너지가 있다.

Exercise

[1~8] 다음 우리말과 같은 뜻이 되도록 빈칸에 알맞은 단어를 쓰세요.

1 조력 ________________ energy

2 수력 발전용 댐 hydroelectric ________________

3 난방 장치 ________________ system

4 천연자원 ________________ resources

5 원자력 ________________ power

6 기타 등등 and ________________

7 발전소 ________________ plant

8 에너지 소비 energy ________________

[9~13] 다음 괄호 안에 주어진 지시에 맞게 빈칸을 채우세요.

9 efficiency → (형용사형) ________________

10 transformation → (동사형) ________________

11 generate → (명사형) ________________

12 abundance → (형용사형) ________________

13 production → (동사형) ________________

[14~15] 다음 괄호 안의 우리말과 같은 뜻이 되도록 빈칸에 알맞은 단어를 쓰세요.

14 The disposal of ________________ waste is one of the biggest problems.
(방사능 폐기물의 처리가 가장 큰 문제들 가운데 하나이다.)

15 ________________ is used to generate electricity as well.
(석탄은 또한 전기를 발생시키는 데 사용된다.)

Day 35

Education 교육

Previous Check

□ exam	□ kindergarten	□ attend
□ college	□ graduate	□ semester
□ university	□ knowledge	□ alternative
□ elementary	□ counsel	□ academic
□ tutor	□ admit	□ pupil
□ discuss	□ evaluate	□ intelligence
□ explain	□ submit	□ scholarship
□ memorize	□ lecture	□ encourage
□ entrance	□ instruct	□ pay attention to
□ educate	□ absent	□ play a role (in)

Day 35 Education

01 02 03 04 05 06 07 08 09 10 11 12 13 14 15 16 17 18 19 20

Basic

□ 1021 **exam** [igzǽm]

ⓝ **시험** ⊜ test, examination

I have a history **exam** this afternoon.

나는 오늘 오후에 역사 시험이 있다.

□ 1022 **college** [kálidʒ]

ⓝ **단과대학**

I wonder if you plan to go to **college**.

나는 네가 대학에 가려는 계획이 있는지 궁금하구나.

⊕ **college student** 대학생

□ 1023 **university** [jùːnəvə́ːrsəti]

ⓝ **종합대학**

She is going to major in law at **university**.

그녀는 대학에서 법을 전공할 것이다.

Culture tip college *vs.* university

college는 일반적으로 말하는 대학, 단과대학, 학부를 일컫는 말입니다. 반면 university는 college보다는 조금 더 큰 개념으로 종합대학교를 뜻합니다. 예를 들어, 한국대학교 Hangook University 안에 사범대학(college of education), 경영대학(college of business administration) 등으로 나뉘어져 있는 것이죠.

□ 1024 **elementary** [èləméntəri]

ⓐ **기초의, 기본이 되는** ⊜ introductory

Alice and Judy have been getting along like sisters since **elementary** school. 기출

Alice와 Judy는 초등학교 이후로 자매처럼 사이좋게 지낸다.

⊕ **elementary school** 초등학교

Intermediate

□ 1025 **tutor** [tjúːtər]

ⓝ **가정교사, 개인 지도 교사**

Angela started as a **tutor** for her cousin.

Angela는 자신의 사촌을 위해 개인교사를 시작했다.

□ 1026 **discuss** [diskʌ́s]

ⓥ **토론하다**

The students are **discussing** the new school rules.

그 학생들은 새로운 학교 규칙에 대해 토론하고 있다.

⊕ **discussion** ⓝ 토론, 논의

□ 1027 **explain** [ikspléin]
□

ⓥ **설명하다**

My sister and I **explained** the need for smartphones to Mom.
누나와 나는 스마트폰의 필요성에 대해 엄마에게 설명했다. 교과서

□ 1028 **memorize** [mémərài z]
□

ⓥ **암기하다**

My teacher told us to **memorize** these expressions for homework.
선생님은 우리에게 숙제로 이 표현들을 암기하라고 말씀하셨다.

⊕ memorization ⓝ 암기

□ 1029 **entrance** [éntrəns]
□

ⓝ **입장, 입학**

There are many applicants for **entrance** to this school.
이 학교에 입학 지원자들이 많다.

⊕ enter ⓥ 들어가다, 입장하다 entrance exam 입학시험

□ 1030 **educate** [édʒukèit]
□

ⓥ **교육하다, 육성하다**

Educating children is such a tough job.
아이들을 교육시키는 것은 정말 어려운 일이다.

⊕ education ⓝ 교육

□ 1031 **kindergarten** [kíndərgɑ̀:rtn]
□

ⓝ **유치원** ⊜ preschool

Diane couldn't go to **kindergarten** because she was too young.
Diane은 너무 어려서 유치원에 다닐 수 없었다.

□ 1032 **graduate** [grǽdʒuèit]
□

ⓥ **졸업하다**

By the time Nick **graduated** from elementary school, most students used the word, frindle. 교과서
Nick이 초등학교를 졸업할 때쯤 대부분의 학생들이 frindle이라는 단어를 사용했다.

⊕ graduation ⓝ 졸업 graduation ceremony 졸업식

□ 1033 **knowledge** [nálidʒ]
□

ⓝ **지식**

He has a wide **knowledge** of painting and music.
그는 그림과 음악에 폭넓은 지식을 지니고 있다.

□ 1034 **counsel** [káunsəl]
□

ⓝ **상담** ⓥ **상담하다, 권고하다**

My teacher **counsels** students on their plans for college.
우리 선생님은 대학 진학 계획에 대해 학생들에게 상담해 주신다.

⊕ counselor ⓝ 상담자

□ 1035 **admit** [ədmít]
□

ⓥ **받아들이다, 인정하다**
We didn't want to **admit** the strict school rules.
우리는 엄격한 학교 규칙을 받아들이고 싶지 않았다.
⊕ **admission** ⓝ 입장, 인정

Advanced

□ 1036 **evaluate** [ivǽljuèit]
□

ⓥ **평가하다**
The teacher used different tools to **evaluate** students' reading skills.
그 교사는 학생들의 읽기 능력을 평가하기 위해 다른 도구들을 사용했다.
⊕ **evaluation** ⓝ 평가

□ 1037 **submit** [səbmít]
□

ⓥ **제출하다** ⊜ hand in
I'm scheduled to **submit** a report by Friday. 기출
나는 금요일까지 보고서를 제출할 예정이다.
⊕ **submission** ⓝ 제출

□ 1038 **lecture** [léktʃər]
□

ⓝ **강의**
The **lecture** will be of special interest to history students.
그 강의는 역사학과 학생들에게 특히 흥미로울 것이다.

□ 1039 **instruct** [instrʌ́kt]
□

ⓥ **교수하다, 가르치다** ⊖ learn 배우다
Professor James **instructs** students to do their best.
James 교수는 학생들에게 최선을 다하라고 가르친다.
⊕ **instruction** ⓝ 교육, 지시 **instructive** ⓐ 교훈적인

□ 1040 **absent** [ǽbsənt]
□

ⓐ **결석한** ⊖ present 출석한
She was **absent** from school yesterday. 기출
그녀는 어제 학교에 결석했다.
⊕ **be absent from** ~에 결석하다 **absence** ⓝ 결석

□ 1041 **attend** [əténd]
□

ⓥ **출석하다, 참석하다**
One day Robby stopped **attending** the piano lessons. 기출
어느 날 Robby는 피아노를 배우러 가는 것을 그만두었다.
⊕ **attendance** ⓝ 출석

□ 1042 **semester** [siméstər]
□

ⓝ **학기**
This **semester**, I will study harder to get good grades.
이번 학기에 나는 좋은 성적을 받기 위해서 더 열심히 공부할 것이다.

□ 1043 **alternative** [ɔ:ltə́:rnətiv]
ⓝ 대안 ⓐ 대안의
The researchers are trying to find an **alternative** solution.
연구원들이 대안책을 찾기 위해 애쓰고 있다.
⊕ alternative school 대안 학교

□ 1044 **academic** [æ̀kədémik]
ⓐ 학술적인, 학문적인
Though art and music are not **academic** subjects, they are still important.
미술과 음악이 학문적인 과목은 아니지만, 그것들은 여전히 중요하다.
⊕ academy ⓝ 학원, 전문 학교

□ 1045 **pupil** [pjú:pl]
ⓝ 학생 ⊜ student
I didn't know that our school has 1,000 **pupils**.
나는 우리 학교에 1,000명의 학생이 있다는 사실을 몰랐다.

□ 1046 **intelligence** [intélədʒəns]
ⓝ 지성, 지능
Albert Einstein is remembered for his high **intelligence**.
알버트 아인슈타인은 높은 지능을 지녔던 것으로 기억된다.
⊕ intelligence quotient (=IQ) 지능 지수

□ 1047 **scholarship** [skálərʃìp]
ⓝ 장학금
He studied very hard and finally got a **scholarship**.
그는 정말 열심히 공부해서 마침내 장학금을 받았다.
⊕ receive[get] a scholarship 장학금을 받다

□ 1048 **encourage** [inkə́:ridʒ]
ⓥ 용기를 북돋우다, 격려하다 ↔ discourage 낙담시키다
My parents **encouraged** me not to give up. 기출
부모님은 포기하지 말라고 나를 격려하셨다.
⊕ encouragement ⓝ 격려

Idioms

□ 1049 **pay attention to**
~에 주의하다, 주목하다
The students **pay attention to** his every body movement.
학생들은 그의 몸짓 하나하나에 주목한다. 교과서

□ 1050 **play a role (in)**
(~에서) 역할을 하다
Smartphones can **play a** valuable **role in** teaching and learning.
스마트폰은 가르치고 배우는 데 있어서 유용한 역할을 할 수 있다.

Exercise

[1~6] 다음 단어들을 연결하여 어구를 완성하고 그 뜻을 쓰세요.

1 college •	• school	→ ________________
2 receive •	• student	→ ________________
3 elementary •	• a scholarship	→ ________________
4 intelligence •	• school	→ ________________
5 graduation •	• quotient	→ ________________
6 alternative •	• ceremony	→ ________________

[7~12] 다음 단어들을 주어진 품사에 알맞게 변형하고 그 뜻을 쓰세요.

7 evaluate →(명사) ________________ 뜻: ________________

8 academy →(형용사) ________________ 뜻: ________________

9 memorize →(명사) ________________ 뜻: ________________

10 admit →(명사) ________________ 뜻: ________________

11 attend →(명사) ________________ 뜻: ________________

12 submit →(명사) ________________ 뜻: ________________

[13~15] 다음 단어의 관계가 보기와 일치하도록 주어진 철자로 시작하여 쓰세요.

보기	legal – illegal

13 instruct – I________________

14 d________________ – encourage

15 absent – p________________

Day 36 School 학교

Previous Check

□ classroom	□ chalk board	□ schoolmate
□ chalk	□ marker	□ homeroom teacher
□ textbook	□ club	□ auditorium
□ partner	□ hall	□ cafeteria
□ homework	□ subject	□ assignment
□ math	□ project	□ laboratory
□ conversation	□ library	□ bulletin board
□ classmate	□ P.E.	□ ask ~ a favor
□ senior	□ hallway	□ get along with
□ locker	□ principal	□ take part in

Day 36

School

01 02 03 04 05 06 07 08 09 10 11 12 13 14 15 16 17 18 19 20

Basic

□ 1051 **classroom** [klǽsrù:m]

ⓝ **교실**

Two girls are cleaning the **classroom**.

두 명의 소녀가 교실을 청소하고 있다.

□ 1052 **chalk** [tʃɔ:k]

ⓝ **분필**

The math teacher drew a triangle with **chalk** on the blackboard.

수학 선생님이 칠판에 분필로 삼각형 하나를 그리셨다.

⊕ **a piece[stick] of chalk** 분필 한 자루

□ 1053 **textbook** [tékstbùk]

ⓝ **교과서**

Do you have your math **textbook** with you? 기출

너는 수학 교과서를 가지고 있니?

□ 1054 **partner** [pá:rtnər]

ⓝ **짝, 동료, 협력자**

First you need to listen to your **partner** well.

우선 동료의 말을 경청해야 합니다.

□ 1055 **homework** [hóumwə̀:rk]

ⓝ **숙제** ⊜ assignment

Our English teacher always gives us too much **homework**.

우리 영어 선생님은 항상 우리에게 숙제를 너무 많이 주신다.

⊕ **do (one's) homework** 숙제를 하다

□ 1056 **math** [mæθ]

ⓝ **수학** ⊜ mathematics

After three weeks, the children were given regular **math** tests. 기출

3주 후에 아이들에게 정기적인 수학 시험이 주어졌다.

Intermediate

□ 1057 **conversation** [kɑ̀nvərséiʃən]

ⓝ **대화, 회화**

We can't have a **conversation** by just listening. 교과서

듣는 것만으로는 대화를 나눌 수 없다.

⊕ **have a conversation** 대화를 나누다

□ 1058 **classmate** [klǽsmèit]

ⓝ **급우, 학급 친구**

I asked my **classmates** about their hobbies. 기출

나는 급우들에게 그들의 취미를 물었다.

1059 **senior** [síːnjər]

ⓝ 선배 ⓐ 손위의, 최고 학년의 ↔ junior 후배, 손아래의

Students made special seats for their **seniors**. 기출

학생들은 그들의 선배들을 위한 특별 좌석들을 마련했다.

⊕ senior citizen 노인

Voca tip 대학생을 학년별로 지칭하는 용어

freshman 1학년 sophomore 2학년 junior 3학년 senior 4학년

1060 **locker** [lákər]

ⓝ (자물쇠가 달린) 사물함, 로커

The students can keep their things in the **lockers**.

학생들은 소지품을 사물함에 보관할 수 있다.

⊕ lock ⓝ 자물쇠 ⓥ 잠그다 locker room 탈의실

1061 **chalk board** [tʃɔ́ːk bɔ̀ːrd]

ⓝ 칠판 ⊜ blackboard

Who wrote the message on the **chalk board**?

누가 칠판에 그 메시지를 썼지?

⊕ whiteboard 흰색 보드판(마커를 이용해서 쓰는 흰색 칠판)

1062 **marker** [máːrkər]

ⓝ 마커펜 ⊜ board marker

Use the **marker** over there to write on the board.

칠판에 쓰려면 저쪽에 있는 마커펜을 사용하세요.

⊕ mark ⓥ 표시하다

1063 **club** [klʌb]

ⓝ 동아리

The students from the photo **club** have searched for information about selfies. 교과서

사진 동아리 학생들이 셀카에 대한 정보를 검색했다.

⊕ club activity 동아리 활동

1064 **hall** [hɔːl]

ⓝ 강당, 부속 회관

In the *Harry Potter* movies, everyone eats dinner at the **Hall** of Christ Church College. 교과서

'해리포터' 영화에서 모든 사람은 크라이스트 처치 칼리지의 강당에서 저녁을 먹는다.

⊕ city hall 시청 students' hall 학생회관

1065 **subject** [sʌ́bdʒikt]

ⓝ 1. 과목 2. 주제 ⊜ topic

How many **subjects** do you study? 기출

너는 몇 과목을 공부하니?

1066 **project** [prάdʒekt]

ⓝ 1. 계획, 기획 2. 프로젝트

They drew up a **project** for the field trip.
그들은 현장 학습에 대한 계획을 세웠다.

1067 **library** [láibrèri]

ⓝ 도서관

How often do you go to the **library**? 기출
너는 도서관에 얼마나 자주 가니?

⊕ librarian ⓝ 도서관원, 사서

1068 **P.E.** [pi: i:]

ⓝ 체육 ⊜ Physical Education

In **P.E.** class, I have to wear gym clothes.
체육 시간에 나는 체육복을 입어야 한다.

Advanced

1069 **hallway** [hɔ́:lwèi]

ⓝ 복도

Some students are running in the **hallway**.
몇몇 학생들이 복도에서 뛰고 있다.

1070 **principal** [prínsəpəl]

ⓝ 교장

Students will have a meeting with the **principal**. 기출
학생들은 교장 선생님과 모임을 가질 것이다.

⊕ vice principal 교감

1071 **schoolmate** [skú:lmèit]

ⓝ 학교 친구, 동창생

Whenever I see students, I miss my **schoolmates**.
나는 학생들을 볼 때마다, 내 동창생들이 그립다.

1072 **homeroom teacher** [hóumrù:m tí:tʃər]

ⓝ 담임 선생님

My **homeroom teacher** is kind and warm-hearted.
나의 담임 선생님은 친절하고 마음이 따뜻하시다.

1073 **auditorium** [ɔ̀:ditɔ́:riəm]

ⓝ 강당

We listened to his songs at the **auditorium**.
우리는 강당에서 그의 노래를 들었다.

1074 **cafeteria** [kæ̀fətíəriə]

ⓝ **식당, 간이식당, 구내식당** ⊜ cafe

We eat lunch at the **cafeteria** every day.

우리는 매일 식당에서 점심을 먹는다.

⊕ **school cafeteria** 학교 구내식당

1075 **assignment** [əsáinmənt]

ⓝ **과제, 숙제** ⊜ homework

I must hand in my **assignment** by tomorrow.

나는 내일까지 숙제를 제출해야 한다.

1076 **laboratory** [lǽbərətɔ̀:ri]

ⓝ **실습실, 연습실** ⊜ lab

Our school does not have a language **laboratory**.

우리 학교는 어학 실습실이 없다.

⊕ **language laboratory** 어학 실습실

1077 **bulletin board** [búlətin bɔ̀:rd]

ⓝ **게시판**

The students put something on the **bulletin board**.

학생들은 게시판에 무언가를 붙였다.

⊕ **put ~ on the bulletin board** 게시판에 ~을 붙이다

Idioms

1078 **ask ~ a favor**

~에게 부탁을 하다

A: Can I **ask** you **a favor**?
B: Sure. What is it?

A: 부탁 하나 해도 될까?
B: 물론이지. 뭔데?

1079 **get along with**

~와 잘 지내다, 어울리다

We're looking for someone who can **get along with** others.

우리는 다른 사람들과 잘 지낼 수 있는 사람을 찾고 있습니다. 교과서

1080 **take part in**

~에 참여[참가]하다

Only the greatest runners can **take part in** the Deserts Race. 교과서

가장 훌륭한 주자들만이 사막 경주에 참가할 수 있다.

Most students **take part in** the after-school programs.

대부분의 학생들이 방과후 프로그램에 참여한다.

Exercise

[1~8] 다음 우리말과 같은 뜻이 되도록 빈칸에 알맞은 단어를 쓰세요.

1 게시판 a ______________ board

2 교감 a vice ______________

3 노인 a ______________ citizen

4 학교 구내식당 a school ______________

5 탈의실 a ______________ room

6 동아리 활동 a ______________ activity

7 어학 실습실 a language ______________

8 대화를 나누다 have a ______________

[9~10] 다음 빈칸에 공통으로 들어갈 알맞은 단어를 쓰세요.

9 ______________ way / students' ______________

10 white ______________ / chalk ______________

[11~15] 다음 빈칸에 알맞은 말을 보기에서 골라 쓰세요.

보기	subject　project　get along with schoolmate　take part in

11 I will ______________ a speech contest tomorrow.

12 She wrote a book on the ______________ of sailing.

13 Peter is very kind and easy to ______________.

14 I accidentally met my ______________ at the party.

15 We have to prepare for our science ______________.

Day

37

Society & Economy 사회와 경제

Previous Check

□ value	□ public	□ consumer
□ local	□ supply	□ responsibility
□ crowd	□ demand	□ influence
□ debt	□ import	□ obstacle
□ salary	□ export	□ property
□ invest	□ account	□ moral
□ duty	□ employ	□ donate
□ status	□ individual	□ predict
□ culture	□ relationship	□ show off
□ citizen	□ tradition	□ look for

Day 37 Society & Economy

01 02 03 04 05 06 07 08 09 10 11 12 13 14 15 16 17 18 19 20

Basic

1081 **value** [vǽlju:]

ⓝ 가치, 값 ⓥ 소중히 여기다

Gold never loses its **value**.

금은 결코 그 가치를 잃지 않는다.

⊕ **be of great value** 대단한 가치가 있다

valuable ⓐ 가치 있는, 귀중한 ↔ **valueless** ⓐ 가치 없는

invaluable ⓐ 값을 헤아릴 수 없이 귀중한

1082 **local** [lóukəl]

ⓐ 지역의, 현지의

The charity teaches **local** people how to make and install the lamps. 교과서

그 자선 단체는 지역 사람들에게 전등을 만들고 설치하는 법을 가르친다.

⊕ **local time** 현지 시간

1083 **crowd** [kraud]

ⓝ 군중

The **crowd** shouted his name together.

군중이 다 함께 그의 이름을 외쳤다.

1084 **debt** [det]

ⓝ 빚, 부채

I spent less and paid off my **debts**.

나는 덜 쓰고 빚을 갚았다.

1085 **salary** [sǽləri]

ⓝ 급여

They agreed to a 5 percent **salary** increase.

그들은 5%의 급여 인상에 동의했다.

1086 **invest** [invést]

ⓥ 투자하다

The company will **invest** $5 million in China.

그 회사는 중국에 5백만 달러를 투자할 것이다.

⊕ **investment** ⓝ 투자

Intermediate

1087 **duty** [djú:ti]

ⓝ 1. 의무, 임무 2. 세금

Every citizen has civil rights and **duties**.

모든 시민은 시민의 권리와 의무를 갖고 있다.

□ 1088 **status** [stéitəs]

ⓝ **지위, 상태**

Social **status** influenced the fashion of footwear. 기출

사회적 지위가 신발의 패션에 영향을 미쳤다.

⊕ **social status** 사회적 지위

□ 1089 **culture** [kʌ́ltʃər]

ⓝ **문화**

People who live in Singapore come from many different **cultures**. 교과서

싱가포르에 사는 사람들은 많은 다양한 문화권 출신이다.

⊕ **cultural** ⓐ 문화적인 **cultural difference** 문화 차이

□ 1090 **citizen** [sítəzən]

ⓝ **시민, 국민**

He became a British **citizen** shortly before his death. 기출

그는 사망하기 얼마 전 영국 시민이 되었다.

□ 1091 **public** [pʌ́blik]

ⓐ **대중의, 공공의, 공개된** ↔ private 개인의, 사적인

We should consider others in **public** places.

우리는 공공장소에서 다른 사람들을 배려해야 한다.

Voca tip public과 함께 쓰이는 표현

public interests 공익 public opinion 여론 public transportation 대중교통

□ 1092 **supply** [səplái]

ⓝ **공급** ⓥ **공급하다**

It has been so hot that air-conditioners are in short **supply**.

날씨가 너무 더워서 에어컨 공급이 부족하다.

⊕ **in short supply** 공급이 부족한

□ 1093 **demand** [dimǽnd]

ⓝ **수요** ⓥ **요구하다**

The **demand** for gold is very high.

금에 대한 수요가 매우 높다.

⊕ **meet the demand** 수요를 충족시키다

□ 1094 **import** ⓝ [ímpɔːrt] ⓥ [impɔ́ːrt]

ⓝ **수입** ⓥ **수입하다** ↔ export ⓝ 수출 ⓥ 수출하다

Korea **imports** natural resources from Russia.

한국은 러시아에서 천연자원을 수입한다.

□ 1095 **export** ⓝ [ékspɔːrt] ⓥ [ikspɔ́ːrt]

ⓝ **수출** ⓥ **수출하다** ↔ import ⓝ 수입 ⓥ 수입하다

We **export** goods to 40 different countries.

우리는 40곳의 다른 국가로 제품을 수출한다.

1096 **account** [əkáunt]
ⓝ **계좌** ⊜ bank account
I'd like to open an **account**. 기출
은행 계좌를 개설하고 싶습니다.

1097 **employ** [implɔ́i]
ⓥ **고용하다**
They are going to **employ** two cashiers.
그들은 두 명의 계산원을 고용할 것이다.

Voca tip employ에서 나온 다양한 단어

employed 고용된 ↔ unemployed 실직한
employment 고용 ↔ unemployment 실업
employer 고용주 ↔ employee 종업원
unemployment rate 실업률

Advanced

1098 **individual** [ìndəvídʒuəl]
ⓝ **개인** ⊖ group 집단 ⓐ **개인의, 개인적인**
I like **individual** sports more than team sports.
나는 단체 운동보다 개인 운동을 좋아한다.

1099 **relationship** [riléiʃənʃìp]
ⓝ **관계, 사이**
I have a good **relationship** with my parents.
나는 부모님과 사이가 좋다.

1100 **tradition** [trədíʃən]
ⓝ **전통**
We have to respect other cultures and **traditions**.
우리는 다른 문화와 전통을 존중해야 한다.
⊕ **traditional** ⓐ 전통적인

1101 **consumer** [kənsú:mər]
ⓝ **소비자**
Consumers want to buy things at a low price.
소비자는 물건을 낮은 가격에 사기를 원한다.

1102 **responsibility** [rispɑ̀nsəbíləti]
ⓝ **책임**
We train students to have a sense of **responsibility**.
우리는 학생들이 책임감을 갖도록 교육시킨다.
⊕ **responsible** ⓐ 책임 있는

1103 **influence** [ínfluəns]
ⓝ **영향** ⓥ **영향을 미치다**
Who has **influenced** your life the most? 기출
누가 당신의 인생에 가장 많은 영향을 미쳤나요?
⊕ **have a good[bad] influence on** ~에 좋은[나쁜] 영향을 미치다

□ 1104 **obstacle** [ábstəkl]
□

ⓝ 장애, 장애물

Poverty is one of the biggest **obstacles** to world peace.
빈곤은 세계 평화를 막는 가장 큰 장애물들 중 하나이다.

□ 1105 **property** [prápərti]
□

ⓝ 재산, 소유물

All her **property** went to her only son.
그녀의 모든 재산은 그녀의 외동아들에게 주어졌다.

⊕ **private property** 사유 재산 **a man of property** 자산가
intellectual property 지적 재산

□ 1106 **moral** [mɔ́:rəl]
□

ⓝ 도덕, 윤리 ⓐ 도덕적인 ↔ immoral 부도덕한

My father is a very **moral** person.
나의 아버지는 굉장히 도덕적인 분이다.

⊕ **moral problem** 윤리 문제 **moral standard** 윤리 기준

□ 1107 **donate** [dóuneit]
□

ⓥ 기부하다

Please **donate** some money for poor children in Africa.
아프리카의 가난한 아이들을 위해 약간의 돈을 기부하세요.

⊕ **donation** ⓝ 기부 **donator** ⓝ 기부자 ⊜ **donor**

□ 1108 **predict** [pridíkt]
□

ⓥ 예측하다, 예언하다

It's not easy to **predict** what jobs will be popular in the future.
미래에 무슨 직업이 인기 있을지 예측하는 것은 쉽지 않다.

⊕ **prediction** ⓝ 예측 **predictable** ⓐ 예측할 수 있는

Idioms

□ 1109 **show off**
□

자랑하다, 내세우다

She likes to **show off** her expensive things.
그녀는 자신의 비싼 물건들을 자랑하는 것을 좋아한다.

□ 1110 **look for**
□

~을 찾다, 구하다

Let's **look for** the movie advertisement. 교과서
그 영화의 광고를 찾아보자.

Exercise

[1~8] 다음 우리말과 같은 뜻이 되도록 빈칸에 알맞은 단어를 쓰세요.

1 현지 시간 ________________ time

2 사회적 지위 social ________________

3 문화 차이 ________________ difference

4 공급이 부족한 in short ________________

5 은행 계좌 a bank ________________

6 자산가 a man of ________________

7 윤리 문제 a ________________ problem

8 직업을 구하다 ________________ a job

[9~12] 다음 영어 풀이에 알맞은 단어를 보기에서 골라 쓰세요.

보기	duty	crowd	citizen	predict

9 ________________ : something that you must do because it is morally right

10 ________________ : to say what is going to happen in the future

11 ________________ : somebody who has the right to live in a country

12 ________________ : a large group of people who have gathered together

[13~15] 다음 괄호 안의 우리말과 같은 뜻이 되도록 빈칸에 알맞은 단어를 쓰세요.

13 The company was heavily in ________________.
(그 회사는 엄청난 빚을 지고 있었다.)

14 People ________________ in the stock market. (사람들은 주식 시장에 투자한다.)

15 I don't want to ________________ his decision.
(나는 그의 결정에 영향을 미치고 싶지 않다.)

Day 38

Politics & Law

정치와 법률

Previous Check

□ vote	□ illegal	□ elect
□ party	□ guilty	□ trial
□ gap	□ innocent	□ sentence
□ justice	□ majority	□ protest
□ crime	□ minority	□ compensate
□ murder	□ suspect	□ diplomat
□ victim	□ witness	□ represent
□ argue	□ arrest	□ democracy
□ punish	□ candidate	□ be supposed to
□ policy	□ government	□ look into

★ Day 38

Politics & Law

01 02 03 04 05 06 07 08 09 10 11 12 13 14 15 16 17 18 19 20

Basic

1111 **vote** [vout]

ⓝ **투표** ⓥ **투표하다**

The **vote** results will be posted on the school website. 기출

그 투표 결과는 학교 웹사이트에 게시될 것이다.

⊕ **voter** ⓝ 투표자

1112 **party** [pɑ́ːrti]

ⓝ **정당**

All **party** members agreed with the opinion.

모든 정당의 당원들이 그 의견에 동의했다.

Voca tip party

party는 춤추고 노는 파티 외에 '정당'이라는 의미를 가지고 있습니다. 여당은 집권당이므로 the ruling party라고 말하고, 야당은 현재의 정권을 잡지 않고 정부에 반대하는 입장의 당이므로 the opposition party라고 한답니다.

1113 **gap** [gæp]

ⓝ **차이, 격차**

There is a big **gap** between the rich and the poor in Korea.

한국에서는 빈부 격차가 크다.

⊕ **generation gap** 세대 차이

1114 **justice** [dʒʌ́stis]

ⓝ **정의**

They want to live in a society where social **justice** wins.

그들은 사회적 정의가 승리하는 사회에서 살고 싶어 한다.

1115 **crime** [kraim]

ⓝ **범죄** ⊜ sin

He committed a serious **crime**.

그는 중죄를 저질렀다.

⊕ **commit a crime** 범죄를 저지르다 **criminal** ⓝ 범죄자

1116 **murder** [mə́ːrdər]

ⓝ **살인** ⊜ killing

The detective arrested her for **murder**.

형사는 그녀를 살인죄로 체포했다.

⊕ **murderer** ⓝ 살인자 ⊜ **killer**

1117 **victim** [víktim]

ⓝ **희생자**

He was the only **victim** of the accident.

그는 그 사고의 유일한 희생자였다.

□ 1118 **argue** [ɑ́:rgju:]

ⓥ **논하다, 주장하다**

Some people **argue** that admission should be free. 기출

어떤 사람들은 입장료가 무료여야 한다고 주장한다.

Intermediate

□ 1119 **punish** [pʌ́niʃ]

ⓥ **처벌하다, 벌주다**

She would **punish** any student for using bad words. 교과서

그녀는 나쁜 말을 사용하는 어떤 학생이라도 벌을 주곤 했다.

⊕ **punishment** ⓝ 처벌, 형벌

□ 1120 **policy** [pɑ́ləsi]

ⓝ **정책**

The name came from Yeongjo's **policy** *tangpyeongchaek*.

그 이름은 영조의 정책인 탕평책에서 왔다. 교과서

□ 1121 **illegal** [ilí:gəl]

ⓐ **불법적인** ↔ legal 합법적인

I wasn't involved in any **illegal** activity.

나는 어떤 불법적인 활동에도 연루되지 않았다.

⊕ **illegal parking** 불법 주차

□ 1122 **guilty** [gílti]

ⓐ **유죄의, 죄책감의** ↔ innocent 무죄의

The homework was done by his sister, so he felt **guilty**.

그 숙제는 그의 누나가 한 것이어서 그는 죄책감을 느꼈다. 기출

⊕ **guilt** ⓝ 죄, 유죄

□ 1123 **innocent** [ínəsənt]

ⓐ **무죄의, 결백한** ↔ guilty 유죄의

I'm sure that Mr. Watson is **innocent**.

나는 Watson 씨가 무죄라고 확신한다.

⊕ **innocence** ⓝ 무죄, 결백

□ 1124 **majority** [mədʒɔ́:rəti]

ⓝ **대다수, 과반수** ⓐ **다수의**

The **majority** of people do not own a gun. 기출

국민 대다수는 총을 소유하고 있지 않다.

⊕ **majority rule** 다수결 원칙 **major** ⓐ 대다수의, 주요한

□ 1125 **minority** [mainɔ́:rəti]

ⓝ **소수** ⓐ **소수의**

A **minority** opinion is also important in this society.

소수의 의견 또한 이 사회에서 중요하다.

⊕ **minority opinion** 소수 의견 **minor** ⓐ 사소한, 작은 쪽의

1126 **suspect**
ⓝ [sʌ́spekt]
ⓥ [səspékt]

ⓝ 용의자 ⓥ 의심하다 ⊜ doubt

I **suspect** that he is not telling the truth.

나는 그가 사실을 말하고 있지 않다고 의심한다.

⊕ prime suspect 주요 용의자 suspicious ⓐ 수상한

1127 **witness**
[wítnis]

ⓝ 목격자, 증인 ⓥ 목격하다

They need to find a **witness** who was at the scene of the crime.

그들은 범죄의 현장에 있었던 목격자를 찾아야 한다.

⊕ question a witness 증인을 심문하다

1128 **arrest**
[ərést]

ⓝ 체포 ⓥ 체포하다 ↔ free 석방하다

A man was **arrested** in connection with the robbery.

그 강도 사건과 관련해서 한 남자가 체포되었다.

⊕ under arrest 구금 중인

1129 **candidate**
[kǽndidèit]

ⓝ 후보자

He is the strongest **candidate** for the next presidential election.

그는 차기 대통령 선거에서 가장 유력한 후보자이다.

1130 **government**
[gʌ́vərnmənt]

ⓝ 1. 정부 2. 통치

He became the most influential person in the **government**.

그는 정부에서 가장 영향력 있는 사람이 되었다. 기출

⊕ govern ⓥ 통치하다 governor ⓝ 통치자, 주지사

Advanced

1131 **elect**
[ilékt]

ⓥ 선출하다

Let's **elect** someone who will work for the people.

국민을 위해 일할 사람을 선출합시다.

⊕ election ⓝ 선거

1132 **trial**
[tráiəl]

ⓝ 1. 재판 2. 시행

The witness didn't show up for the **trial**.

증인은 재판에 나오지 않았다.

⊕ trial and error 시행착오

□ 1133 **sentence** [séntəns]

ⓝ 1. 형벌 2. 문장 ⓥ 선고하다

The judge **sentenced** the murderer to death.
판사가 그 살인자에게 사형을 선고했다.

⊕ life sentence 종신형

□ 1134 **protest** ⓝ [próutest] ⓥ [prətést]

ⓝ 항의 ⓥ 항의하다

Thousands of people **protested** against the policy.
수천 명의 사람들이 그 정책에 항의했다.

□ 1135 **compensate** [kámpənsèit]

ⓥ 보상하다, 변상하다

What should we do to **compensate** for our mistake?
우리의 실수를 보상하기 위해서 우리는 무엇을 해야 할까요?

⊕ compensate for ~을 보상하다, 배상하다
compensation ⓝ 보상, 변상

□ 1136 **diplomat** [dípləmæ̀t]

ⓝ 외교관

I want to be a good **diplomat** when I grow up. 기출
나는 자라서 훌륭한 외교관이 되고 싶다.

⊕ diplomacy ⓝ 외교(술)

□ 1137 **represent** [rèprizént]

ⓥ 대표하다, 나타내다

He **represented** Korea at the conference.
그는 그 회의에서 한국을 대표했다.

⊕ representative ⓝ 대표자 ⓐ 대표적인

□ 1138 **democracy** [dimákrəsi]

ⓝ 민주주의

In a **democracy**, the rights of the individual are respected.
민주주의에서는 개인의 권리가 존중된다.

Idioms

□ 1139 **be supposed to**

1. ~하기로 되어 있다, ~해야 한다 2. ~으로 여겨진다

Everybody **is supposed to** know the law.
누구나 법률을 알고 있을 의무가 있다.

□ 1140 **look into**

~을 조사하다, 살펴보다

The police will **look into** the murder case closely.
경찰이 그 살인 사건을 면밀히 조사할 것이다.

Exercise

[1~8] 다음 우리말과 같은 뜻이 되도록 빈칸에 알맞은 단어를 쓰세요.

1 여당 the ruling ________________

2 정부 정책 a government ________________

3 구금 중인 under ________________

4 소수 의견 a ________________ opinion

5 주요 용의자 a prime ________________

6 종신형 a life ________________

7 불법 주차 ________________ parking

8 다수결 원칙 a ________________ rule

[9~11] 다음 짝지어진 두 단어의 관계가 같도록 빈칸에 알맞은 단어를 쓰세요.

9 vote : voter = ________________ : governor

10 innocent : ________________ = legal : illegal

11 murder : murderer = crime : ________________

[12~15] 다음 괄호 안의 우리말과 같은 뜻이 되도록 빈칸에 알맞은 단어를 쓰세요.

12 They will ________________ him according to the law.
(그들은 그를 법률에 따라 처벌할 것이다.)

13 We need to overcome the generation ________________.
(우리는 세대 차이를 극복해야 한다.)

14 The principal promised to ________________ the matter.
(그 교장은 그 문제를 조사해 보겠다고 약속했다.)

15 The store will ________________ customers for their loss.
(그 상점은 고객들에게 손해 배상을 해 줄 것이다.)

Day 39

History & Religion 역사와 종교

Previous Check

- □ peace
- □ war
- □ century
- □ age
- □ battle
- □ pray
- □ soul
- □ belief
- □ invade
- □ attack
- □ weapon
- □ empire
- □ rule
- □ religious
- □ charity
- □ faithful
- □ independence
- □ revolution
- □ ancient
- □ Buddhism
- □ Christianity
- □ Hinduism
- □ Islam
- □ Judaism
- □ colony
- □ civilization
- □ spiritual
- □ ceremony
- □ date back
- □ be based on

★ Day 39

History & Religion

01 02 03 04 05 06 07 08 09 10 11 12 13 14 15 16 17 18 19 20

Basic

1141 **peace** [piːs]

ⓝ **평화**

Our government is working toward maintaining **peace**.

우리 정부는 평화를 유지하기 위해 노력하고 있다.

⊕ peaceful ⓐ 평화로운

1142 **war** [wɔːr]

ⓝ **전쟁**

The two countries have been at **war** for years.

그 두 나라는 수년째 전쟁 중이다.

1143 **century** [séntʃəri]

ⓝ **세기, 100년**

There was an innovative plane in the early twentieth **century**. 기출

20세기 초반에 혁신적인 비행기가 있었다.

1144 **age** [eidʒ]

ⓝ **1. 나이 2. 시대, 시기**

People used tools made of stone in the Stone **Age**.

석기 시대에 사람들은 돌로 만든 도구들을 사용했다.

Voca tip age를 이용한 다양한 시대 표현

우리가 '시대'를 이야기할 때는 age를 주로 씁니다. the Ice Age는 빙하 시대, the Stone Age는 석기 시대, the Bronze Age는 청동기 시대, the Iron Age는 철기 시대를 말합니다. 그리고 중세는 the Middle Ages, 근대는 the Modern Age 또는 the Modern Period라고 합니다.

1145 **battle** [bǽtl]

ⓝ **싸움, 전투** ⊜ fight

Arrows were used in **battle** during ancient times. 기출

고대 시대에는 전투에서 화살이 사용되었다.

1146 **pray** [prei]

ⓥ **기도하다, 기원하다**

Muslims **pray** five times a day in the direction of Mecca.

이슬람 교도들은 하루에 5번 메카를 향해 기도한다.

⊕ prayer ⓝ 1. 기도, 기원 2. 기도하는 사람

1147 **soul** [soul]

ⓝ **정신, 영혼** ↔ body 신체

In short, having friends is good for body and **soul**. 기출

간단히 말해, 친구를 갖는다는 것은 신체와 영혼에 좋다.

□ 1148 **belief** [bilíːf]
□

ⓝ **믿음, 신념** ⊖disbelief 불신

Most people live according to their **beliefs**.

대다수의 사람들이 자신들의 믿음에 따라 살아간다.

⊕ **believe** ⓥ 믿다 **believe in** ~의 존재를 믿다

Intermediate

□ 1149 **invade** [invéid]
□

ⓥ **침입하다, 침략하다**

Napoleon tried to **invade** the island nation of England.

나폴레옹은 섬나라인 영국을 침략하려고 했다.

⊕ **invasion** ⓝ 침략, 침입 **invader** ⓝ 침략군[국]

□ 1150 **attack** [ətǽk]
□

ⓝ **공격** ⊖defense 방어 ⓥ **공격하다** ⊖defend 방어하다

The Spanish Armada was sent to **attack** England in 1588.

1588년에 스페인 함대가 영국을 공격하기 위해 파견되었다.

⊕ **launch an attack** 공격을 개시하다

□ 1151 **weapon** [wépən]
□

ⓝ **무기**

In war, a song can sometimes be a powerful **weapon**. 기출

전쟁에서는 노래가 때때로 강력한 무기가 될 수 있다.

⊕ **nuclear weapon** 핵무기

□ 1152 **empire** [émpaiər]
□

ⓝ **제국**

In history class, the students discussed Alexander the Great and his **empire**.

역사 시간에 학생들은 알렉산더 대왕과 그의 제국에 대해 토론했다.

□ 1153 **rule** [ruːl]
□

ⓝ **1. 지배, 통치 2. 규칙** ⓥ **지배하다, 통치하다**

Millions of Jews were killed during the **rule** of Hitler.

히틀러의 통치 중에 수백만의 유대인들이 죽임을 당했다.

⊕ **ruler** ⓝ 1. 지배자 2. (길이 측정 · 줄긋기에 쓰는) 자

□ 1154 **religious** [rilídʒəs]
□

ⓐ **종교의**

I respect people who have **religious** beliefs.

나는 종교적인 믿음을 가진 사람들을 존중한다.

⊕ **religion** ⓝ 종교

□ 1155 **charity** [tʃǽrəti]
□

ⓝ **자선, 자애**

I put some money in the **charity** pot.

나는 약간의 돈을 자선냄비에 넣었다.

⊕ **charity pot** 자선냄비

□ 1156 **faithful** [féiθfəl]
□

ⓐ **신실한, 성실한** ↔ faithless 믿을 수 없는, 불성실한

He decided to become a **faithful** Christian.

그는 신실한 기독교인이 되기로 결심했다.

⊕ **faith** ⓝ 믿음, 신앙, 신뢰

□ 1157 **independence** [indipéndəns]
□

ⓝ **독립**

Mahatma Gandhi was the leader of the Indian **independence** movement.

마하트마 간디는 인도 독립 운동의 지도자였다.

⊕ **independence movement** 독립 운동

□ 1158 **revolution** [rèvəljúːʃən]
□

ⓝ **혁명**

The French **Revolution** began in 1789.

프랑스 대혁명은 1789년에 시작되었다.

Advanced

□ 1159 **ancient** [éinʃənt]
□

ⓐ **고대의, 구식의** ↔ modern 현대의

Archeology is the study of **ancient** civilization.

고고학은 고대의 문명에 대한 연구이다.

□ 1160 **Buddhism** [búːdizm]
□

ⓝ **불교**

Buddhism is a religion founded in India.

불교는 인도에서 창시된 종교이다.

⊕ **Buddhist** ⓝ 불교를 믿는 사람 ⓐ 불교의

□ 1161 **Christianity** [kristʃiǽnəti]
□

ⓝ **기독교**

He converted to **Christianity** in 1987.

그는 1987년에 기독교로 개종했다.

⊕ **Christian** ⓝ 기독교를 믿는 사람 ⓐ 기독교의

□ 1162 **Hinduism** [híndu:ìzm]
□

ⓝ **힌두교**

Hinduism is the major religion of India.

힌두교는 인도의 주요 종교이다.

⊕ **Hindu** ⓝ 힌두교를 믿는 사람 ⓐ 힌두교의

□ 1163 **Islam** [ísləm]
□

ⓝ **이슬람교**

Islam is the religion of the Muslims, which was started by Mohammed.

이슬람교는 마호메트에 의해 세워진 이슬람 교도들의 종교이다.

⊕ **Muslim** ⓝ 이슬람교를 믿는 사람 **Islamic** ⓐ 이슬람교의

□ □ 1164 **Judaism** [dʒúːdiìzm]

ⓝ **유대교**

One of the basic tenets of **Judaism** is the belief in the Messiah.

유대교의 기본적인 신조 중 하나는 메시아를 믿는 것이다.

⊕ **Jew** ⓝ 유대교를 믿는 사람 **Jewish** ⓐ 유대인의, 유대교의

□ □ 1165 **colony** [kάləni]

ⓝ **식민지**

Hong Kong was a British **colony** for over 150 years.

홍콩은 150년 넘게 영국의 식민지였다.

⊕ **colonial** ⓐ 식민지의 **colonize** ⓥ 식민지로 만들다

□ □ 1166 **civilization** [sìvəlizéiʃən]

ⓝ **문명**

The Roman **civilization** was introduced into England about 2,000 years ago.

로마 문명은 약 2,000년 전에 영국으로 전해졌다.

□ □ 1167 **spiritual** [spíritʃuəl]

ⓐ **정신적인, 영적인** ↔ unspiritual 비정신적인, 세속적인

She was a great **spiritual** leader.

그녀는 훌륭한 정신적 지주였다.

⊕ **spirit** ⓝ 정신, 영혼

□ □ 1168 **ceremony** [sérəmòuni]

ⓝ **의식, 예식**

The wedding **ceremony** was beautiful and touching.

그 결혼식은 아름답고 감동적이었다.

Idioms

□ □ 1169 **date back**

~까지 거슬러 올라가다

The castle ruins **date back** to the late 7th century.

그 성의 유적은 7세기 말까지 거슬러 올라간다.

□ □ 1170 **be based on**

~에 기초하다, 근거하다

This movie **was based on** real events that took place during the Korean War.

이 영화는 한국 전쟁 동안 일어난 실제 사건들에 근거했다.

Exercise

[1~8] 다음 우리말과 같은 뜻이 되도록 빈칸에 알맞은 단어를 쓰세요.

1 신체와 영혼 body and ________________

2 핵무기 a nuclear ________________

3 종교적인 믿음 a ________________ belief

4 20세기 the twentieth ________________

5 석기 시대 the Stone ________________

6 자선냄비 a ________________ pot

7 공격을 개시하다 launch an ________________

8 독립 운동 an ________________ movement

[9~11] 다음 괄호 안에 주어진 지시에 맞게 빈칸을 채우세요.

9 peace → (형용사형) ________________

10 invade → (명사형) ________________

11 ancient → (반의어) ________________

[12~15] 다음 빈칸에 알맞은 말을 보기에서 골라 쓰세요.

보기	date back	colony	rule	Empire

12 Nigeria was a British ________________ until 1960.

13 The private colleges ________________ to medieval times.

14 A government should be run under the ________________ of law.

15 The Mongol ________________ was founded by Genghis Khan in 1206.

Day

40 The World 세계

Previous Check

□ different	□ decrease	□ rescue
□ global	□ urban	□ immigrate
□ race	□ rural	□ hunger
□ national	□ region	□ ethnic
□ fund	□ border	□ organization
□ foreign	□ aid	□ statistic
□ international	□ suffer	□ agreement
□ community	□ native	□ mutual
□ population	□ orphan	□ break out
□ increase	□ support	□ consist of

Day 40

The World

01 02 03 04 05 06 07 08 09 10 11 12 13 14 15 16 17 18 19 20

Basic

1171 **different** [dífərənt]

ⓐ **다른** ↔ same 같은

Two **different** languages are spoken in Finland.

핀란드에서는 두 개의 다른 언어가 사용된다.

⊕ **difference** ⓝ 차이, 다름

1172 **global** [glóubəl]

ⓐ **세계적인**

Climate change is a **global** problem.

기후 변화는 세계적인 문제이다.

⊕ **globe** ⓝ 지구

Voca tip globe에서 나온 어휘들

globalism 전세계주의 globalization 세계화 globalize 세계화하다

1173 **race** [reis]

ⓝ **1. 인종, 민족 2. 경주**

Each **race** has its own unique characteristics.

각 인종은 고유의 독특한 특성을 가지고 있다.

1174 **national** [nǽʃənl]

ⓐ **국가의**

National security is an important issue in the election.

국가의 안보는 선거에서 중요한 사안이다.

⊕ **nation** ⓝ 국가, 국민

1175 **fund** [fʌnd]

ⓝ **기금**

United Nations International Children's **Fund** (UNICEF) works hard to reduce poverty. 기출

유니세프는 빈곤을 줄이기 위해 열심히 일한다.

1176 **foreign** [fɔ́:rən]

ⓐ **외국의**

We need more and more **foreign** workers in the future.

우리는 미래에 점점 더 많은 외국인 근로자들이 필요하다.

Intermediate

1177 **international** [ìntərnǽʃənəl]

ⓐ **국제적인**

We went to an **international** music festival in Macao. 교과서

우리는 마카오에서 열린 국제 음악 축제에 갔다.

1178 **community** [kəmjúːnəti]
ⓝ **1. 주민, 지역 사회 2. 공동체 (의식)**
As citizens, we need to have a sense of **community**.
시민으로서 우리는 공동체 의식을 가져야 한다.

1179 **population** [pὰpjuléiʃən]
ⓝ **인구**
The government is worried about an aging **population**.
정부는 노령화하는 인구에 대해서 염려한다.
⊕ **population growth** 인구 성장

1180 **increase** ⓝ [ínkriːs] ⓥ [inkríːs]
ⓝ **증가** ⓥ **증가하다** ↔ decrease ⓝ 감소 ⓥ 감소하다
Recently, the number of blood donors has **increased**. 기출
최근에 헌혈자의 수가 증가했다.

1181 **decrease** ⓝ [díːkriːs] ⓥ [diːkríːs]
ⓝ **감소** ⓥ **감소하다** ↔ increase ⓝ 증가 ⓥ 증가하다
The number of elementary school students has steadily **decreased**.
초등학생 수가 계속해서 감소해왔다.

1182 **urban** [ə́ːrbən]
ⓐ **도시의** ↔ rural 시골의
Many people move from rural to **urban** areas. 기출
많은 사람이 시골 지역에서 도시 지역으로 이동한다.

1183 **rural** [rúərəl]
ⓐ **시골의** ↔ urban 도시의
Which one do you prefer, a big city or **rural** area?
대도시와 시골 지역 중 어떤 곳을 더 선호하시나요?

1184 **region** [ríːdʒən]
ⓝ **지역, 지방**
People living in a cold **region** want to move to a warmer **region**.
추운 지방에 사는 사람들은 더 따뜻한 지방으로 이동하기를 원한다.

1185 **border** [bɔ́ːrdər]
ⓝ **1. 국경 2. 경계**
Iran shares its **border** with 10 different countries.
이란은 10개의 다른 국가들과 국경을 공유한다.

1186 **aid** [eid]
ⓝ **원조, 지원, 구조**
Food **aid** is still needed in Africa.
아프리카에는 식량 지원이 여전히 필요하다.
⊕ **first aid kit** 구급 상자

□ 1187 **suffer** [sʌ́fər]
□

ⓥ **(고통 등을) 겪다, 당하다 (from)**

Many countries **suffer** from water shortage.
많은 나라가 물 부족으로 고통을 겪는다.

□ 1188 **native** [néitiv]
□

ⓝ **~ 출신자, 토착민** ⓐ **토착의, 타고난**

She speaks English fluently, but her **native** language is French.
그녀는 영어를 유창하게 구사하지만, 그녀의 모국어는 프랑스어이다.

⊕ **native language** 모국어

□ 1189 **orphan** [ɔ́:rfən]
□

ⓝ **고아**

I am planning to volunteer to help **orphans**. 기출
나는 고아들을 돕기 위해 자원봉사를 할 계획이다.

⊕ **orphanage** ⓝ 고아원

□ 1190 **support** [səpɔ́:rt]
□

ⓝ **원조, 지원** ⓥ **원조하다, 지지하다**

In 1990, she visited Vietnam to **support** clean drinking water programs. 교과서
1990년에 그녀는 깨끗한 물 마시기 프로그램을 지원하기 위해 베트남을 방문했다.

⊕ **supportive** ⓐ 지원하는 **supporter** ⓝ 후원자

Advanced

□ 1191 **rescue** [réskju:]
□

ⓥ **구하다** ⊜ save

We should **rescue** the environment from global warming.
우리는 지구 온난화로부터 환경을 구해야 한다.

□ 1192 **immigrate** [íməgrèit]
□

ⓥ **(타국에서) 이민을 오다** ⊖ emigrate (다른 나라로) 이민을 가다

Many people **immigrate** to the United States each year.
매년 많은 사람이 미국으로 이민을 온다.

⊕ **immigration** ⓝ (다른 나라에 살러 오는) 이민

Voca tip migrate *vs.* immigrate *vs.* emigrate

migrate, immigrate, 그리고 emigrate는 혼동하기 쉬운 단어들입니다. 새나 물고기 등이 '다른 지역으로 이주하다'라고 할 경우 migrate를 씁니다. 그리고 immigrate는 '외국에서 이주해 오다'라는 의미로 쓰이고, emigrate는 '자신의 나라에서 다른 나라로 이주하다'의 의미로 쓰입니다.

□ 1193 **hunger** [hʌ́ŋgər]
□

ⓝ **배고픔, 기아**

The organization works to reduce world **hunger** and disease.

그 단체는 세계의 기아와 질병을 줄이기 위해 일한다.

□ 1194 **ethnic** [éθnik]
□

ⓐ **민족의, 인종의**

Ethnic conflict caused the tension between the two countries.

민족 갈등은 두 나라 간의 긴장을 야기시켰다.

⊕ **ethnic food[music]** 민속 음식[음악]

□ 1195 **organization** [ɔ̀rgənizéiʃən]
□

ⓝ **기구**

She finally established an **organization** that helps people throughout the world. 기출

마침내 그녀는 전세계 사람들을 돕는 기구를 만들었다.

⊕ **organize** ⓥ 구성하다, 조직하다

□ 1196 **statistic** [stətístik]
□

ⓝ **통계치**

There was the **statistic** that teenagers spend less than one hour a day reading.

10대들이 독서하는 데 하루에 한 시간 미만을 보낸다는 통계가 있었다.

□ 1197 **agreement** [əgríːmənt]
□

ⓝ **1. 협정, 계약 2. 동의, 합의** ↔ disagreement 불일치, 위배

The summit talk didn't reach an **agreement**.

그 정상 회담은 합의에 이르지 못했다.

⊕ **agree** ⓥ 동의하다

□ 1198 **mutual** [mjúːtʃuəl]
□

ⓐ **서로의, 상호의**

Mutual trust is needed to solve the problem.

그 문제를 해결하기 위해서는 상호 신뢰가 필요하다.

⊕ **mutual aid[support]** 상호 원조[지원]

Idioms

□ 1199 **break out**
□

발발하다, 발생하다

Some people are worried that a war could **break out**.

어떤 사람들은 전쟁이 발발할 것을 염려한다.

□ 1200 **consist of**
□

~으로 이루어지다, 구성되다

The organization **consists of** medical researchers.

그 조직은 의학 연구원들로 구성되어 있다.

Exercise

[1~8] 다음 우리말과 같은 뜻이 되도록 빈칸에 알맞은 단어를 쓰세요.

1	구급 상자	a first ________________ kit
2	모국어	a ________________ language
3	인구 성장	a ________________ growth
4	민속 음식	an ________________ food
5	상호 지원	________________ support
6	공동체 의식	a sense of ________________
7	국제 사회	an ________________ community
8	수많은 점으로 이루어지다	________________ thousands of dots

[9~10] 다음 짝지어진 단어의 관계가 나머지와 다른 하나를 고르세요.

9 ① organize – organization ② immigrate – immigration
③ agree – agreement ④ orphan – orphanage

10 ① urban – rural ② different – same
③ rescue – save ④ increase – decrease

[11~15] 다음 괄호 안에서 알맞은 말을 고르세요.

11 Violence broke (off / out) inside the prison last night.

12 On a (globe / global) scale, 80% of energy is created from fossil fuels.

13 Most (nation / national) newspapers rallied to his support.

14 Congratulations! I'll give you my full (supportive / support).

15 Shamans often blame illness on a (different / difference) reason.

학습한 단어의
우리말 뜻을 쓰세요.

누적 테스트 1일째

이름 점수

1일째에는 누적 테스트가 없습니다.

누적 테스트 2일째

이름 점수

1 wise
2 foolish
3 cute
4 beautiful
5 rude
6 beard
7 lovely
8 serious
9 neat
10 build
11 mean
12 selfish
13 image
14 curious
15 cheerful
16 friendly
17 charming
18 mustache
19 muscular
20 generous

누적 테스트 3일째

이름 점수

1 young
2 joy
3 honest
4 plain
5 regret
6 lazy
7 bald
8 laugh
9 mad
10 cruel
11 surprised
12 pleased
13 positive
14 appearance
15 upset
16 frightened
17 cautious
18 grow up
19 grateful
20 anxious

누적 테스트 4일째

이름 점수

1 proud
2 disappointed
3 amused
4 scientist
5 lawyer
6 character
7 illustrator
8 be good at
9 pretty
10 delighted
11 depressed
12 ashamed
13 handsome
14 slim
15 president
16 salesperson
17 cry
18 glad
19 soldier
20 professor

누적 테스트 5일째

이름 점수

1	careful	11	overweight
2	pants	12	mechanic
3	sweater	13	architect
4	emotion	14	officer
5	sympathy	15	gardener
6	satisfied	16	bother
7	businessman	17	excited
8	fisherman	18	belt
9	jeans	19	uniform
10	ugly	20	stockings

누적 테스트 6일째

이름 점수

1	security guard	11	pocket
2	astronaut	12	bow tie
3	calm	13	stew
4	gloves	14	feel sorry for
5	boots	15	diet
6	dress	16	snack
7	salt	17	announcer
8	soup	18	hairdresser
9	skinny	19	accountant
10	suit	20	appetizer

누적 테스트 7일째

이름 점수

1	egg	11	put on
2	rice	12	noodle
3	flour	13	pickle
4	worried	14	evil
5	curly	15	jar
6	opener	16	pan
7	cabinet	17	scarf
8	recipe	18	jacket
9	overalls	19	bake
10	athletic shoes	20	fry

누적 테스트 8일째

이름 점수

1	roof	11	dye
2	meal	12	pot
3	drawer	13	bowl
4	handle	14	water
5	pour	15	steak
6	laundry	16	horrible
7	jam	17	take off
8	judge	18	wallet
9	sheet	19	garage
10	stair	20	active

누적 테스트 9일째

이름 점수

1 subway
2 seat
3 turn on
4 in place
5 gas
6 platform
7 transport
8 basket
9 be used for
10 side dish
11 on foot
12 fare
13 bicycle
14 limit
15 rail
16 curve
17 novelist
18 purse
19 vest
20 reporter

누적 테스트 10일째

이름 점수

1 accident
2 eraser
3 desk
4 park
5 punch
6 beef
7 transfer
8 passenger
9 calculator
10 stationery
11 feed
12 bathroom
13 document
14 towel
15 curtain
16 socks
17 folder
18 call
19 dentist
20 make fun of

누적 테스트 11일째

이름 점수

1 avenue
2 block
3 pin
4 message
5 drugstore
6 highlighter
7 mirror
8 lamp
9 wheel
10 intersection
11 interview
12 calendar
13 harbor
14 cereal
15 left
16 trash
17 calm down
18 modest
19 bakery
20 fire station

누적 테스트 12일째

이름 점수

1 middle-aged
2 engineer
3 broom
4 crash
5 secretary
6 hammer
7 boil
8 glass
9 meat
10 garden
11 apartment
12 switch
13 honey
14 fold
15 road
16 drill
17 roll
18 room
19 company
20 set up

누적 테스트 13일째

이름 점수

1 cart
2 seafood
3 housework
4 dig
5 sweep
6 container
7 aisle
8 for free
9 trim
10 polish
11 chop
12 knock
13 cross
14 be known for
15 in the middle of
16 iron
17 bar
18 piece
19 counter
20 annoyed

누적 테스트 14일째

이름 점수

1 fear
2 scissors
3 bundle
4 sugar
5 wrench
6 traffic
7 high
8 sensitive
9 confident
10 square
11 triangle
12 lid
13 wide
14 tight
15 heels
16 frozen food
17 beat
18 shovel
19 gate
20 highway

누적 테스트 15일째

이름 점수

1 screw
2 smooth
3 notice
4 observe
5 glitter
6 firm
7 wooden
8 fresh
9 grain
10 stare
11 whisper
12 signal
13 chair
14 juicy
15 touch
16 deep
17 round
18 printout
19 ceiling
20 knife

누적 테스트 16일째

이름 점수

1 cough
2 fever
3 sore
4 feel
5 hard
6 scream
7 bottle
8 ache
9 dizzy
10 disease
11 watch
12 colorful
13 empty
14 hospital
15 burn
16 symptom
17 lawn
18 pork
19 baker
20 medical

누적 테스트 17일째

이름 점수

1 brave
2 soft
3 sideburns
4 dust
5 ladder
6 set the table
7 village
8 direction
9 journey
10 landscape
11 security
12 forward
13 reach
14 attendant
15 deaf
16 deal with
17 fill out
18 jet lag
19 souvenir
20 bitter

누적 테스트 18일째

이름 점수

1 abroad
2 itinerary
3 listen
4 smell
5 knit
6 leisure
7 involve
8 scenery
9 apply
10 loose
11 jog
12 magic
13 fix
14 corner
15 scoop
16 dance
17 activity
18 bruise
19 examine
20 recover

누적 테스트 19일째

이름 점수

1	baseball	11	full
2	batter	12	tool
3	rough	13	printer
4	competition	14	dive
5	goal	15	skate
6	shoot	16	surf
7	operate	17	hike
8	emergency	18	comic
9	athlete	19	camp
10	defender	20	sink

누적 테스트 20일째

이름 점수

1	tray	11	daily
2	pain	12	stand
3	expensive	13	retail
4	sale	14	city hall
5	eat out	15	police station
6	loud	16	quality
7	gift	17	look around
8	stretch	18	arrive
9	letter	19	picture
10	pile	20	cash

누적 테스트 21일째

이름 점수

1	make sense	11	order
2	tip	12	cook
3	beverage	13	outlet
4	pay	14	up and down
5	business	15	store
6	cheer up	16	carpenter
7	base	17	waiter
8	match	18	dessert
9	claim	19	spend ... on ~ing
10	take	20	go (out) for a walk

누적 테스트 22일째

이름 점수

1	strict	11	raft
2	lifeboat	12	binoculars
3	scuba	13	fit
4	powder	14	cure
5	special	15	throw away
6	rare	16	seal
7	calorie	17	expose
8	negative	18	can
9	optimistic	19	item
10	suntan	20	metal

누적 테스트 23일째

이름 점수

1 wish
2 mask
3 celebrate
4 either A or B
5 sand
6 attractive
7 parasol
8 sell
9 festival
10 Valentine
11 medicine
12 spray
13 set
14 deliver
15 player
16 thin
17 check
18 hide
19 invitation
20 scale

누적 테스트 24일째

이름 점수

1 tap
2 depart
3 drop by
4 steam
5 volunteer
6 event
7 picnic
8 blow
9 Christmas
10 look
11 both A and B
12 wrap
13 bill
14 campfire
15 fishing rod
16 sail
17 see a doctor
18 champion
19 sweat
20 flashlight

누적 테스트 25일째

이름 점수

1 kick
2 outdoor
3 element
4 clean up
5 brand-name
6 visa
7 find out
8 cut
9 hurricane
10 thunder
11 low
12 open
13 coast
14 tide
15 bad
16 pleasure
17 stamp
18 shade
19 shore
20 sunbath

누적 테스트 26일째

이름 점수

1 aquarium
2 thermos
3 select
4 cloudy
5 rainy
6 desert
7 explore
8 stream
9 drought
10 climate
11 trick
12 costume
13 ingredient
14 recommend
15 icy
16 lifeguard
17 float
18 storm
19 rainfall
20 bowling

누적 테스트 27일째

이름 점수

1 prize
2 melt
3 gale
4 meadow
5 barn
6 hay
7 craft
8 collect
9 chicken
10 get together
11 because of
12 windy
13 snowy
14 wound
15 shed
16 sunblock
17 congratulate
18 backpack
19 shepherd
20 farmhouse

누적 테스트 28일째

이름 점수

1 bloom
2 discount
3 humid
4 sticky
5 up to
6 on the way (to)
7 farm
8 field
9 detective
10 Eve
11 decorate
12 coach
13 needle
14 pine tree
15 cherry tree
16 photographer
17 bulb
18 poisonous
19 herb
20 button

누적 테스트 29일째

이름 점수

1 fountain
2 playground
3 bird cage
4 fish tank
5 shorts
6 volcano
7 natural
8 forest
9 tiger
10 whale
11 pepper
12 harvest
13 calf
14 whistle
15 lantern
16 stuff
17 crowded
18 bin
19 turtle
20 kangaroo

누적 테스트 30일째

이름 점수

1 moth
2 cricket
3 caterpillar
4 cowboy
5 horse
6 eagle
7 beak
8 valley
9 polar
10 breeze
11 ride
12 lion
13 clear
14 sunny
15 reasonable
16 branch
17 bough
18 maple
19 spider
20 butterfly

누적 테스트 31일째

이름 점수

1 crow
2 fossil
3 dolphin
4 shark
5 resource
6 destroy
7 total
8 flea
9 smog
10 fuel
11 enjoy
12 bark
13 swimsuit
14 bear
15 deer
16 acid
17 honeymoon
18 pig
19 buffalo
20 concert

누적 테스트 32일째

이름 점수

1 miss
2 transmit
3 charge
4 customer
5 display
6 chemical
7 crocodile
8 sea horse
9 hippo
10 skirt
11 tie
12 wait for
13 livestock
14 puzzle
15 game
16 neighbor
17 formula
18 seesaw
19 inspect
20 imagine

누적 테스트 33일째

이름 점수

1 crack
2 prove
3 inform
4 on one's own
5 insect
6 Milky Way
7 space shuttle
8 react
9 mobile
10 plate
11 earth
12 planet
13 universe
14 solar
15 cactus
16 trunk
17 soap
18 Mars
19 track
20 experiment

누적 테스트 34일째

이름 점수

1 spill
2 crisis
3 authorized
4 pack
5 ice
6 swim
7 tidal
8 careless
9 grill
10 kettle
11 astronomy
12 astronomer
13 material
14 dam
15 heat
16 battery
17 mustard
18 multiply
19 gravity
20 endangered

누적 테스트 35일째

이름 점수

1 data
2 important
3 try on
4 hummingbird
5 such as
6 sandals
7 frog
8 dinosaur
9 and so on
10 exam
11 bush
12 palm
13 educate
14 kindergarten
15 disaster
16 food chain
17 semester
18 alternative
19 lecture
20 encourage

누적 테스트 36일째

이름 점수

1 butter
2 bread
3 rat
4 bat
5 blender
6 comet
7 hall
8 radioactive
9 museum
10 measure
11 turkey
12 anniversary
13 octopus
14 lift
15 wash
16 raw
17 weed
18 waterfall
19 river
20 carry

누적 테스트 37일째

이름 점수

1	export	11	turn into
2	account	12	bud
3	schoolmate	13	rocket
4	tradition	14	outer
5	consumer	15	Thanksgiving
6	bulletin board	16	culture
7	evaluate	17	citizen
8	eclipse	18	damage
9	satellite	19	garbage
10	property	20	fish

누적 테스트 38일째

이름 점수

1	grab	11	by chance
2	stop	12	submit
3	hang	13	academic
4	destination	14	minority
5	sunglasses	15	suspect
6	cliff	16	show off
7	overuse	17	sentence
8	greenhouse	18	protest
9	be worried about	19	duty
10	back and forth	20	explain

누적 테스트 39일째

이름 점수

1 peace
2 war
3 knowledge
4 counsel
5 admit
6 homework
7 hallway
8 principal
9 natural gas
10 salary
11 invest
12 vote
13 party
14 religious
15 charity
16 cell
17 bucket
18 Buddhism
19 Christianity
20 tutor

누적 테스트 40일째

이름 점수

1 statistic
2 locker
3 demand
4 region
5 Judaism
6 colony
7 guilty
8 native
9 soul
10 belief
11 power line
12 decrease
13 Mercury
14 invent
15 cattle
16 support
17 owl
18 walk
19 crime
20 cancel

Answers

Day 01 Exercise

1 evil	2 proud	3 calm	4 optimistic	5 brave
6 character	7 wise	8 strict	9 ⓑ	10 ⓒ
11 ⓓ	12 ⓐ	13 curious	14 confident	15 rude

9 ⓑ 그녀는 항상 진실을 말한다.
10 ⓒ 그는 자신에 대해서만 신경 쓴다.
11 ⓓ 그는 즐겁고 친절한 방식으로 행동한다.
12 ⓐ 나는 열심히 일하고 싶지 않다.

Day 02 Exercise

1 ugly	2 young	3 curly	4 bald	5 mustache
6 beauty	7 neat	8 attractive	9 muscular	10 skinny
11 overweight	12 lovely	13 The pretty doll is mine.		
14 Never judge a person by their appearance.			15 You look very[so] slim today.	

9 그를 봐. 그는 매우 근육질이야!
10 그녀는 매우 호리호리하다. 다시 말해서, 그녀는 깡말랐다.
11 그는 과체중이다. 그는 체중을 줄일 필요가 있다.
12 그녀는 사랑스러운 숙녀로 자랐다.

Day 03 Exercise

1 surprised	2 calm	3 cry	4 laugh	5 worried / anxious
6 ashamed	7 satisfied	8 disappointed	9 joy	10 delight
11 frightened	12 ②	13 ③	14 ④	15 ④

9 기쁨 : 기쁜 = 후회 : 후회하는
10 낙담하게 하다 : 낙담한 = 기쁘게 하다 : 매우 기뻐하는
11 깜짝 놀란 : 놀라게 하다 = 즐거워하는 : 즐겁게 하다

12 worried를 제외한 나머지는 모두 기쁨과 관련된 단어들이다.

13 cry를 제외한 나머지는 모두 즐거움과 관련된 단어들이다.

14 grateful을 제외한 나머지는 모두 두려움과 관련된 단어들이다.

15 sympathy를 제외한 나머지는 모두 화남, 기분이 상함과 관련된 단어들이다.

Day 04 Exercise

1 illustrator	2 salesperson	3 photographer	4 hairdresser	5 reporter
6 novelist	7 accountant	8 announcer	9 detective	10 lawyer
11 officer	12 engineer	13 carpenter	14 dentist	15 mechanic

13 목수는 나무로 만들어진 것들을 만들고 수리하는 사람이다.

14 치과의사는 사람들의 치아를 검진하고 치료하는 사람이다.
examine 진찰하다, 조사하다 treat 치료하다, 다루다

15 정비공은 자동차 엔진과 같은 기계를 수리하는 사람이다.

Day 05 Exercise

1 pocket	2 vest	3 tie	4 sweater	5 uniform
6 heels	7 gloves	8 scarf	9 ④	10 ②
11 ③	12 suit	13 belt	14 button	15 Boots

9 stockings를 제외한 나머지는 모두 여러 가지 종류의 바지와 관련된 단어들이다.

10 tie를 제외한 나머지는 모두 여러 가지 종류의 신발과 관련된 단어들이다.

11 take off를 제외한 나머지는 모두 '입다, 착용하다'의 의미와 관련된 단어들이다.

12 wear 입다

13 fasten one's seat belt 안전벨트를 매다

14 button up one's jacket 재킷의 단추를 채우다

15 puss 고양이(cat)의 애칭

Day 06 Exercise

1 butter	2 pork	3 jam	4 cereal	5 set
6 pickles	7 pepper	8 grab	9 ⓑ	10 ⓒ
11 ⓐ	12 go on a diet	13 eat out	14 light meal	15 sugar cubes

9 ⓑ (특히 밀과 같은) 곡물로 만든 가루
10 ⓒ 식사의 첫 번째 코스
11 ⓐ 벌에 의해 만들어지는 달콤한 액체

12 나는 몸무게가 늘고 있다. 나는 다이어트를 할 필요가 있다.
13 나는 피곤해서 요리를 할 수 없으니까, 외식을 하자.
14 나는 약간 배가 고프다. 가볍게 식사를 하자.
15 그녀는 자신의 커피가 담긴 컵에 각설탕을 좀 넣었다.

Day 07 Exercise

1 chop	2 kettle	3 lid	4 scoop	5 bowl
6 plate	7 frying	8 boil	9 steam	10 fry
11 grill	12 bake	13 blender	14 recipe	15 knife

9 당신이 음식을 찐다면, 물보다는 수증기로 그것을 요리하는 것이다.
10 당신이 음식을 튀긴다면, 기름으로 팬에 그것을 요리하는 것이다.
11 당신이 음식을 굽는다면, 매우 강한 열을 사용하여 그것을 요리하는 것이다.
12 당신이 굽는다면, 빵, 케이크 또는 오븐에서 요리되는 다른 음식을 만드는 것이다.

13 우리는 생과일주스를 만들기 위해 믹서기가 필요하다.
14 나는 치킨 수프를 만들기 위해 요리법이 필요하다.
15 나는 스테이크를 자르는 데 칼과 포크를 사용한다.

Day 08 Exercise

1 garage	2 turn on	3 tap	4 bed	5 mirror
6 soap	7 sheet	8 yard	9 ⓒ	10 ⓑ
11 ⓐ	12 ⓓ	13 apartment	14 stairs	15 lamp

9 ⓒ 식물을 기르는 땅 한 구획
10 ⓑ 한 집의 꼭대기에 있는 덮개
11 ⓐ 사람이나 동물에게 음식을 주다
12 ⓓ 다른 사람 근처에 사는 사람

13 작년에, 그들은 지하철역 근처의 아파트로 이사했다.
14 그 남자는 계단을 뛰어 올라가서 어두운 방으로 들어갔다.
15 네가 책을 읽을 때, 램프를 켜는 것이 좋다.

Day 09 Exercise

1 parking	2 station / stop	3 accident	4 limit	5 fare
6 sign	7 route	8 license	9 ⓑ	10 ⓓ
11 ⓐ	12 ⓒ	13 transfer	14 transport	15 crash

9 ⓑ 지하철
10 ⓓ 움직이는 차량으로 이동하고 있는 사람
11 ⓐ 길의 다른 쪽으로 이동하다
12 ⓒ 앉을 수 있는 물체

13 그곳에 가기 위해서는 2호선으로 갈아타야 한다.
14 그들은 그들의 상품을 기차로 운송한다.
15 열차가 탈선하여 열차 충돌 사고가 있었다.

Day 10 Exercise

1 room	2 letter	3 envelope	4 stationery	5 fill out
6 call	7 message	8 calendar	9 ⓒ	10 ⓐ
11 ⓓ	12 ⓑ	13 glue	14 folder	15 interview

9 ⓒ 물건을 자르는 도구
10 ⓐ 책을 보관하는 가구 한 점
11 ⓓ 더하기, 빼기 등에 사용되는 전자 장치
12 ⓑ 한 장 또는 그 이상의 공무상 서류

13 나는 소포에 라벨을 붙일 것이다.
14 Jones 씨는 그 서류를 폴더에 보관했다.
15 그녀는 내일 구직 면접이 있어서 긴장된다.

Day 11 Exercise

1 trash	2 police	3 hall	4 fire	5 department
6 village	7 pedestrian	8 signal	9 direction	10 intersection
11 sidewalk	12 drugstore	13 hospital	14 crosswalk	15 highway

12 그녀는 감기약을 좀 사기 위해 약국에 들렀다.
13 그는 2주 동안 병원에 입원해 있다. 그는 점점 회복되고 있다.
14 횡단보도에서 길을 건너자.
15 눈이 고속도로를 덮어서 우리는 운전할 수 없었다.

Day 12 Exercise

1 wash	2 hang	3 ladder	4 screw	5 fold
6 rake	7 broom	8 outlet	9 ⓒ	10 ⓓ
11 ⓐ	12 ⓑ	13 iron	14 dust	15 hammer

9 ⓒ 빗자루나 솔을 사용해서 먼지나 흙을 없애다
10 ⓓ 전력을 배터리에서 얻는 작은 전기등
11 ⓐ 땅에 구멍을 만들다
12 ⓑ 나무를 자르는 도구

13 그녀는 그의 셔츠를 다리곤 했다.
14 오래된 책의 먼지를 털 때 마스크를 쓰는 게 좋겠다.
15 그는 나무 조각에 못을 박기 위해서 망치를 사용했다.

Day 13 Exercise

1 bar	2 piece	3 cash	4 dairy	5 container
6 frozen	7 smoked	8 grocery	9 ⓒ	10 ⓓ
11 ⓐ	12 ⓑ	13 ⓔ	14 ①	15 ④

9 ⓒ 길고 좁은 통로
10 ⓓ 조금의 돈도 들지 않는
11 ⓐ 차곡차곡 쌓인 많은 물건들
12 ⓑ 가게에서 돈을 받는 사람
13 ⓔ 함께 포장된 물건들의 꾸러미

14 우리는 냉동식품을 냉동고에 보관한다.
15 그 가게는 모든 품목을 20% 할인하여 판매하고 있다.

Day 14 Exercise

1 heavy	2 sharp	3 plastic	4 shallow	5 round
6 wide	7 oval	8 triangle	9 high	10 deep
11 tight	12 colorful	13 covered with	14 take a deep breath	15 full of

9 이 방의 천장은 높지 않다.
10 그 남자는 호숫가에 앉아 깊은 생각에 잠겼다.
11 이 청바지는 나에게 너무 꽉 껴요. 큰 것을 보여 주시겠어요?
12 내 친구는 화려한 옷을 좋아한다. 그녀는 단순한 것은 좋아하지 않는다.

13 지난 밤 이후로 눈이 내리고 있어서 산이 눈으로 덮여 있다.
14 모든 일이 괜찮아질 거야. 여기 앉아서 숨을 깊게 쉬어보렴.
15 그 식당은 사람들로 가득 차 있어서 우리는 들어가는 데 두 시간 동안 기다려야 했다.

Day 15 Exercise

1 smooth	2 look	3 hard	4 sense	5 ④
6 ③	7 ①	8 ②	9 make any noise	10 keep in touch with
11 feel like	12 Watch out	13 focus on	14 first sight	15 make sense

1 a. 그 아기의 피부는 정말 부드럽다. b. 나는 머리카락을 부드럽게 하는 법을 모른다.
2 a. 이것을 보세요. 대단하지 않나요? b. 나를 그런 식으로 보지 마세요.
3 a. 호두는 단단한 껍질이 있다. b. 그것은 대답하기 어려운 질문이다.
4 a. 나는 모든 방향 감각을 잃었다. b. Jin은 대단한 유머 감각을 가졌다.

5 listen을 제외한 나머지는 모두 시각과 관련된 단어들이다.

6 smell을 제외한 나머지는 모두 촉각과 관련된 단어들이다.

7 loud를 제외한 나머지는 모두 맛과 관련된 단어들이다.

8 whisper를 제외한 나머지는 모두 '알아차리다'의 의미와 관련된 단어들이다.

9 아무 소리도 내지 말아 주세요! 아기가 자고 있어요.

10 나는 그를 매우 잘 안다. 우리는 여전히 서로 연락하고 지낸다.

11 나는 더이상 여기에 있고 싶지 않아. 나는 집에 가고 싶어.

12 조심해요! 당신 바로 뒤에서 차가 오는 것을 못 보셨나요?

13 나는 째깍하는 시계 소리 때문에 시험에 집중할 수가 없었다.

14 그녀는 첫눈에 그와 사랑에 빠졌다.

15 나는 그가 무슨 말을 하는지 알 수가 없었다. 그것은 이해가 가지 않았다.

Day 16 Exercise

1 fever	2 catch	3 sore	4 emergency	5 disease
6 operating	7 doctor	8 bruises	9 examination	10 recovery
11 relaxation	12 prevention	13 have a medical checkup		14 cure for
15 died of cancer				

13 엄마가 편찮으셔서, 나는 엄마가 건강 검진을 받으시길 원한다.

14 감기에는 치료법이 없다. 최고의 약은 쉬는 것이다.

15 나는 굉장히 슬프다. 할머니께서 병원에서 암으로 돌아가셨다.

Day 17 Exercise

1 security	2 sightseeing	3 boarding	4 reservation	5 passport
6 apply	7 insurance	8 attendant	9 arrival	10 book
11 taking off	12 landscape	13 souvenir	14 claim	15 destination

13 A: 내 여동생을 위해 이 기념품을 샀어.
B: 오, 그녀는 그것을 가지게 되어서 신날 거야.

14 A: 수하물 찾는 곳이 어디예요? 제 짐을 찾아야 해서요.
B: 바로 저기에 있어요.

15 A: 도와 드릴까요?
B: 네. 이 편지를 부치고 싶습니다. 도착지는 일본입니다.

Day 18 Exercise

1 (m)odel (a)irplane	2 (m)agic (t)rick	3 (c)omic (b)ook	4 (m)usical (i)nstrument
5 (c)rossword (p)uzzle	6 (p)aper (c)raft	7 (g)o (c)amping	8 (l)eisure (a)ctivity
9 interested	10 mania	11 fix	12 buying
13 puzzle	14 pleasure	15 picture	

9 그녀는 프랑스어를 배우는 것에 흥미가 있다.
10 Jack은 오래된 CD 수집에 열광적이다.
11 이 의자는 부서졌어. 내가 아버지께 그것을 고쳐 달라고 부탁할 거야.
12 그는 옷을 사는 데 너무 많은 돈을 쓴다.

13 그는 그 수수께끼를 푸는 방법을 나에게 보여 주었다.
14 자신의 손주들을 방문하는 것이 Smith 부인의 유일한 즐거움이다.
15 실례합니다만, 저희들 사진을 좀 찍어 주시겠습니까?

Day 19 Exercise

1 타자 – ⓓ	2 서핑하는 사람 – ⓐ	3 라켓 – ⓒ	4 배영 – ⓑ	5 scored
6 coach	7 warm up	8 competition	9 athlete	10 defender
11 sweating	12 award	13 match	14 shot	15 umpire

12 그 상은 갈색 털을 가진 고양이에게로 주어졌다.
13 오늘 밤 축구 게임은 흥미진진했다.
14 그는 한 골을 차 넣었다.
15 그 심판은 호각을 불었다.

Day 20 Exercise

1 medium	2 drop by	3 selection	4 exchange	5 goods
6 quality	7 auction	8 stand	9 gift	10 expensive
11 customer	12 wholesale	13 ④	14 ②	15 ③

13 너는 그 가방에 얼마를 지불했니?
14 그 가격이 합리적이니?
15 이 피아노는 판매용인가요?

Day 21 Exercise

1 order	2 calorie	3 wait for	4 appetite	5 spilt / spilled
6 be ready to	7 service	8 delivery	9 beverage	10 dessert
11 straw	12 set the table	13 have our lunch delivered		14 on me

15 either a hamburger or a sandwich

9 뜨겁거나 차가운 마실 것
10 케이크, 과일 등과 같은 식사의 마지막 코스
11 컵에서부터 액체를 빨아들이는 플라스틱 재질의 가는 튜브

Day 22 Exercise

1 sand castle, 모래성	2 suntan lotion, 선탠로션	3 white water rafting, 급류 래프팅
4 scuba diving, 스쿠버 다이빙	5 (f)lipper	6 (p)arasol
7 (s)unscreen	8 (s)wimsuit	9 blanket
10 lifeguard	11 float	12 whistle

13 My sister looks into the mirror all day long.
14 I look forward to working at this company.
15 Do not[Don't] throw away a good opportunity.

9 여기는 춥네요. 제게 담요를 가져다주시겠어요?
10 당신이 위험에 처했다면 인명 구조원에게 전화하여 도움을 청하세요.
11 신선한 달걀은 (물에) 가라앉고 상한 달걀은 (물에) 뜰 것이다.
12 경기의 시작을 알리는 호각이 울렸다.

Day 23 Exercise

1 anniversary	2 Easter	3 festival	4 wish	5 gather
6 lantern	7 farewell	8 Thanksgiving	9 conceal	10 congratulation
11 celebration	12 Valentine	13 Year	14 Eve	15 honeymoon

12 그녀는 밸런타인데이에 그에게 초콜릿 한 상자를 주었다.
13 새해 복 많이 받으세요!
14 크리스마스 이브에 나는 가족들에게 크리스마스 카드를 준다.
15 그 부부는 마우이섬에서 그들의 신혼여행을 보냈다.

Day 24 Exercise

1 together	2 fountain	3 rod	4 sleeping	5 botanical
6 flea	7 ⓓ	8 ⓐ	9 ⓒ	10 ⓑ
11 ④	12 ②	13 ④		

14 I could not[couldn't] sleep because of the noise.
15 The sink is filled with water.

7 ⓓ 야영객들에 의해 야외에 피워지는 불
8 ⓐ 기쁨, 즐거움
9 ⓒ 둘 혹은 그 이상의 사람들을 위한 딱딱한 앉을 곳
10 ⓑ 배나 보트를 타고 물 위를 이동하다

11 thermos를 제외한 나머지는 모두 놀이기구와 관련된 단어들이다.
12 peak을 제외한 나머지는 모두 놀러 갈 수 있는 장소와 관련된 단어들이다.
13 ride를 제외한 나머지는 모두 '미끄러지다'의 의미와 관련된 단어들이다.

Day 25 Exercise

1 Ocean	2 floods	3 lightning	4 River	5 disaster
6 forest	7 polar	8 earthquake	9 (d)rought, 가뭄	10 (w)ood(s), 숲, 삼림
11 (d)isappear, 사라지다	12 explored	13 volcano	14 cliff	15 right away

Day 26 Exercise

1 강풍 – ⓑ 2 이슬비 – ⓐ 3 강한 눈보라, 블리자드 – ⓓ 4 가뭄 – ⓕ

5 몹시 추운, 얼어붙을 듯한 – ⓒ 6 구름 한 점 없는 – ⓔ 7 moisture

8 still 9 rainy 10 freeze 11 humidity 12 wet

13 melt 14 Climate 15 mild

Day 27 Exercise

1 cultivate	2 shed	3 harvest	4 farm	5 livestock
6 horseback	7 crop	8 lay	9 meadow, 목초지, 초원	
10 orchard, 과수원	11 scarecrow, 허수아비		12 bull	13 cotton
14 take care of	15 run away			

9 풀과 꽃들이 있는 들판

10 과일을 기르기 위해 사용되는 땅

11 새들을 겁주어 쫓기 위한 사람 형상의 물체

Day 28 Exercise

1 needle	2 cut off	3 herbal	4 trunk	5 blossom
6 bamboo	7 poisoning	8 pine	9 seed – 씨앗	10 root – 뿌리
11 cactus – 선인장	12 petal – 꽃잎	13 grass	14 bloomed	15 day by day

13 나는 햇살을 즐기려고 잔디밭에 누웠다.
14 정원에 복숭아꽃들이 피었다.
15 다행스럽게도 나날이 그의 상태가 좋아졌다.

Day 29 Exercise

1 cub	2 lamb	3 calf	4 kitten / kitty	5 cub
6 방울뱀 – reptile, 파충류		7 도마뱀 – reptile, 파충류		
8 두꺼비 – amphibian, 양서류		9 고래 – mammal, 포유류		
10 공룡 – reptile, 파충류		11 Octopus	12 Zebra	13 jellyfish
14 turtle	15 kangaroo			

11 문어는 다리가 8개이다.
12 얼룩말은 멋진 줄무늬가 있다.
13 바다에서는 해파리를 조심해라. 그것들은 쏜다.
14 그 바다거북은 엉금엉금 기어가고 있다.
15 어미 캥거루는 새끼를 위한 주머니가 있다.

Day 30 Exercise

1 bee	2 peacock	3 butterflies	4 spider	5 eagle
6 winged	7 goose	8 moth	9 (h)en	10 (o)strich
11 (g)eese	12 such as	13 thanks to	14 all the time	15 mosquito bite

9 나의 암탉은 하루에 두 개의 알을 낳는다.
10 타조는 매우 빨리 달릴 수 있으나 날 수는 없다.
11 만약 두 마리 이상의 거위가 있으면, 당신은 그것들을 'geese'라고 한다.

Day 31 Exercise

1 pollution	2 raw	3 fossil	4 shortage	5 endangered
6 leak	7 effect	8 protect	9 Acid	10 worried
11 environment	12 damage	13 pure	14 toxic	15 back and forth

7 운동은 너의 신체에 좋은 영향을 미친다.
8 우리는 열대 우림을 보호해야 한다.
9 산성비는 환경에 좋지 않다.
10 나는 그 치료의 안전성에 대해 걱정한다.

Day 32 Exercise

1 device	2 machine	3 electric	4 reaction	5 wireless
6 vacuum	7 technology	8 lead to	9 gravity – 중력	10 invent – 발명하다
11 prove – 증명하다	12 multiply – 곱하다	13 data	14 come up with	15 delete

13 이 작은 장치는 많은 자료를 저장할 수 있다.
14 나는 항상 문제에 대한 새로운 해답을 찾으려고 한다.
15 어떠한 중요한 정보도 삭제하지 않도록 주의해라.

Day 33 Exercise

1 space	2 solar	3 chance	4 eclipse	5 Milky Way
6 earth	7 satellite	8 outer	9 Jupiter	10 crew
11 telescope	12 astronomy	13 (o)rbit	14 (f)ar from	15 (u)niverse

9 태양계에서 가장 큰 행성
10 배나 비행기에서 근무하는 사람들
11 멀리 있는 물체를 더 가깝게 보이게 만들어 주는 장치
12 태양, 달, 별 등에 관한 과학적 학문

Exercise

1 tidal	2 dam	3 heating	4 natural	5 nuclear
6 so on	7 power	8 consumption	9 efficient	10 transform
11 generation	12 abundant	13 produce	14 radioactive	15 Coal

Day 35 Exercise

1 college student, 대학생
2 receive a scholarship, 장학금을 받다
3 elementary school, 초등학교
4 intelligence quotient, 지능 지수
5 graduation ceremony, 졸업식
6 alternative school, 대안 학교
7 evaluation, 평가
8 academic, 학술적인, 학문적인
9 memorization, 암기
10 admission, 입장, 인정
11 attendance, 출석
12 submission, 제출
13 (l)earn
14 (d)iscourage
15 (p)resent

Day 36 Exercise

1 bulletin	2 principal	3 senior	4 cafeteria	5 locker
6 club	7 laboratory	8 conversation	9 hall	10 board
11 take part in	12 subject	13 get along with	14 schoolmate	15 project

9 복도 / 학생회관
10 흰색 보드판 / 칠판

11 나는 내일 웅변대회에 참가할 것이다.
12 그녀는 항해라는 주제로 책을 집필했다.
13 Peter는 무척 친절하고 어울리기가 편하다.
14 나는 파티에서 학교 친구를 우연히 만났다.
15 우리는 우리의 과학 프로젝트를 준비해야 한다.

Day 37 Exercise

1 local	2 status	3 cultural	4 supply	5 account
6 property	7 moral	8 look for	9 duty	10 predict
11 citizen	12 crowd	13 debt	14 invest	15 influence

9 도덕적으로 옳은 것이어서 해야만 하는 것
10 미래에 일어날 일을 말하다
11 한 나라에 살 수 있는 권리를 가진 어떤 사람
12 함께 모여 있는 사람들의 대규모 집단

Day 38 Exercise

1 party	2 policy	3 arrest	4 minority	5 suspect
6 sentence	7 illegal	8 majority	9 govern	10 guilty
11 criminal	12 punish	13 gap	14 look into	15 compensate

9 투표하다 : 투표자 = 통치하다 : 통치자
10 무죄의 : 유죄의 = 합법적인 : 불법적인
11 살인 : 살인자 = 범죄 : 범죄자

Day 39 Exercise

1 soul	2 weapon	3 religious	4 century	5 Age
6 charity	7 attack	8 independence	9 peaceful	10 invasion
11 modern	12 colony	13 date back	14 rule	15 Empire

12 나이지리아는 1960년까지 영국의 식민지였다.
13 그 사립 대학들은 역사가 중세까지 거슬러 올라간다.
14 정부는 법의 통치 하에 운영되어야 한다.
15 몽골 제국은 1206년에 칭기즈칸에 의해 세워졌다.

1 aid	2 native	3 population	4 ethnic	5 mutual
6 community	7 international	8 consist of	9 ④	10 ③
11 out	12 global	13 national	14 support	15 different

9 동사 – 명사의 관계가 아닌 것은 ④이다.

10 반의어 관계가 아닌 것은 ③이다.

11 어젯밤 교도소 내에서 폭력 사태가 발생했다.

12 세계적으로, 에너지의 80%가 화석 연료에서 생성된다.

13 대부분의 전국지가 단결하여 그를 지지했다.

14 축하해! 내가 너에게 전폭적인 지원을 해 줄게.

15 주술사들은 종종 병의 원인을 다른 이유로 돌린다.

누적 테스트 1일째

1일째에는 누적 테스트가 없습니다.

누적 테스트 2일째

1	wise	지혜로운, 슬기로운	11	mean	못된, 심술궂은
2	foolish	바보 같은, 어리석은	12	selfish	이기적인
3	cute	귀여운, 예쁜	13	image	이미지, 상, 형태
4	beautiful	아름다운	14	curious	호기심이 많은, 알고 싶어 하는
5	rude	무례한, 예의 없는	15	cheerful	쾌활한, 명랑한
6	beard	턱수염	16	friendly	1. 친한, 친절한 2. 호의적인
7	lovely	사랑스러운, 아름다운	17	charming	매력적인, 멋진
8	serious	진지한, 진심의	18	mustache	코밑수염
9	neat	단정한, 깔끔한	19	muscular	근육질의, 건장한
10	build	체격; 짓다, 건축하다	20	generous	관대한, (인심이) 후한

누적 테스트 3일째

1	young	어린, 젊은	11	surprised	놀란
2	joy	기쁨, 즐거움	12	pleased	기쁜, 좋아하는
3	honest	정직한, 솔직한	13	positive	긍정적인
4	plain	평범하게 생긴, 꾸밈없는	14	appearance	외모
5	regret	유감, 후회; 후회하다	15	upset	화가 난, 기분이 상한
6	lazy	게으른	16	frightened	깜짝 놀란, 겁이 난
7	bald	대머리의	17	cautious	조심스러운, 신중한
8	laugh	웃다	18	grow up	성장하다, 자라다
9	mad	1. 몹시 화난, 성난 2. 미친	19	grateful	감사하는, 고맙게 여기는
10	cruel	잔인한, 무자비한	20	anxious	걱정되는, 근심이 되는

누적 테스트 4일째

1	proud	자랑스러워하는	11	depressed	의기소침한, 낙담한, 우울한
2	disappointed	실망한, 낙담한	12	ashamed	부끄러워하는
3	amused	즐기는, 즐거워하는	13	handsome	(남자가) 잘생긴
4	scientist	과학자	14	slim	호리호리한, 가냘픈, 날씬한
5	lawyer	변호사	15	president	대통령
6	character	성격, 기질	16	salesperson	판매원
7	illustrator	삽화가	17	cry	울다
8	be good at	~에 능숙하다, ~을 잘하다	18	glad	기쁜
9	pretty	예쁜, 귀여운; 매우, 아주	19	soldier	군인
10	delighted	매우 기뻐하는	20	professor	교수

누적 테스트 5일째

1	careful	조심성 있는	11	overweight	과체중의, 너무 살찐
2	pants	바지	12	mechanic	정비공
3	sweater	스웨터	13	architect	건축가
4	emotion	감정	14	officer	공무원, 관리
5	sympathy	동정	15	gardener	정원사
6	satisfied	만족한	16	bother	괴롭히다, 방해하다
7	businessman	사업가	17	excited	흥분한, 신이 난
8	fisherman	어부	18	belt	벨트, 허리띠
9	jeans	청바지	19	uniform	유니폼, 제복
10	ugly	못생긴, 추한	20	stockings	긴 양말, 스타킹

누적 테스트 6일째

1	security guard	경호원, 경비원	11	pocket	주머니
2	astronaut	우주비행사	12	bow tie	나비넥타이
3	calm	차분한, 침착한	13	stew	스튜, 찌개
4	gloves	장갑	14	feel sorry for	~을 안쓰럽게 여기다
5	boots	장화, 부츠, 목이 긴 구두	15	diet	다이어트, 식이요법
6	dress	옷, 의복; 옷을 입다	16	snack	간식
7	salt	소금	17	announcer	방송 진행자, 아나운서
8	soup	수프	18	hairdresser	미용사
9	skinny	깡마른, 바싹 여윈	19	accountant	회계사
10	suit	정장, 슈트	20	appetizer	애피타이저

누적 테스트 7일째

1	egg	달걀	11	put on	(옷을) 입다, (모자, 안경 등을) 쓰다
2	rice	밥	12	noodle	국수
3	flour	밀가루	13	pickle	(오이 등을) 절인 것, 피클; 절이다
4	worried	걱정스러운	14	evil	나쁜, 사악한; 악
5	curly	곱슬거리는	15	jar	(입구가 넓은) 병, 단지
6	opener	따개	16	pan	(납작한) 냄비, 팬
7	cabinet	진열대	17	scarf	스카프, 목도리
8	recipe	요리법	18	jacket	재킷, 상의, 웃옷
9	overalls	멜빵 바지	19	bake	굽다
10	athletic shoes	운동화	20	fry	튀기다

누적 테스트 8일째

1	roof	지붕	11	dye	염색하다
2	meal	식사	12	pot	(속이 깊은) 냄비
3	drawer	서랍	13	bowl	(우묵한) 그릇, 통
4	handle	손잡이	14	water	물; 물을 주다
5	pour	붓다	15	steak	스테이크
6	laundry	세탁물	16	horrible	무서운, 끔찍한
7	jam	잼	17	take off	1. (옷 등을) 벗다 2. 이륙하다
8	judge	판사, 심사원; 판단하다	18	wallet	지갑
9	sheet	시트, 홑이불	19	garage	차고
10	stair	계단, 층계	20	active	활동적인, 적극적인

누적 테스트 9일째

1	subway	지하철	11	on foot	걸어서, 도보로
2	seat	좌석	12	fare	요금
3	turn on	(라디오, TV, 전기, 가스 등을) 켜다	13	bicycle	자전거
4	in place	제자리에 (있는)	14	limit	한계, 제한; 제한하다
5	gas	휘발유, 가솔린	15	rail	철로
6	platform	(역의) 플랫폼, 승강장	16	curve	굽이, 커브, 굴곡; 구부러지다
7	transport	수송하다, 운송하다	17	novelist	소설가
8	basket	바구니	18	purse	돈주머니, 지갑
9	be used for	~에 사용[이용]되다	19	vest	조끼
10	side dish	반찬, 주된 요리에 곁들이는 요리	20	reporter	기자, 통신원

누적 테스트 10일째

1	accident	사고	11	feed	먹이를 주다
2	eraser	지우개	12	bathroom	욕실
3	desk	책상	13	document	서류, 문서
4	park	주차하다; 공원	14	towel	타월, 수건
5	punch	(표에 구멍을 뚫는) 펀치	15	curtain	커튼
6	beef	소고기	16	socks	양말
7	transfer	1. 옮기다 2. 환승하다	17	folder	폴더, 서류철
8	passenger	승객	18	call	통화; 전화를 걸다
9	calculator	계산기	19	dentist	치과의사
10	stationery	문구류	20	make fun of	~을 놀리다, 비웃다

누적 테스트 11일째

1	avenue	도시의 큰 대로, 넓은 길	11	interview	면접을 보다, 인터뷰를 하다
2	block	(도로의) 블록, 구획	12	calendar	달력
3	pin	핀; 핀으로 고정하다	13	harbor	항구
4	message	메시지	14	cereal	곡물 식품, 시리얼; 곡물의
5	drugstore	약국	15	left	왼쪽
6	highlighter	형광 컬러 펜	16	trash	쓰레기
7	mirror	거울	17	calm down	진정하다, 흥분을 가라앉히다
8	lamp	전기스탠드, 램프	18	modest	겸손한, 신중한
9	wheel	바퀴	19	bakery	제과점
10	intersection	교차로	20	fire station	소방서

누적 테스트 12일째

1	middle-aged	중년의	11	apartment	아파트
2	engineer	기사, 기술자	12	switch	스위치
3	broom	빗자루	13	honey	꿀
4	crash	충돌; 충돌하다	14	fold	개다, 접다
5	secretary	비서	15	road	길, 도로
6	hammer	망치	16	drill	송곳; 구멍을 뚫다
7	boil	끓이다	17	roll	밀다
8	glass	컵, 유리잔, 한 컵(의 양)	18	room	방, 실
9	meat	고기	19	company	회사
10	garden	정원; 정원을 가꾸다	20	set up	세우다, 설치[설립]하다

누적 테스트 13일째

1	cart	손수레, 카트	11	chop	썰다, 다지다
2	seafood	해산물	12	knock	노크를 하다
3	housework	가사, 집안일	13	cross	~을 건너다; 십자가
4	dig	파다, 파헤치다	14	be known for	~로 알려져 있다
5	sweep	청소하다, 쓸다	15	in the middle of	~의 중간에
6	container	용기	16	iron	다리미
7	aisle	통로	17	bar	막대기
8	for free	공짜로, 무료로	18	piece	조각
9	trim	깎아 다듬다	19	counter	계산대
10	polish	닦다, 윤을 내다	20	annoyed	짜증 난, 화가 난

누적 테스트 14일째

1	fear	공포	11	triangle	삼각형
2	scissors	가위	12	lid	뚜껑
3	bundle	(한 묶음의) 다발, 뭉치	13	wide	넓은
4	sugar	설탕	14	tight	꽉 조이는
5	wrench	렌치(너트를 죄는 기구)	15	heels	굽 높은 구두
6	traffic	교통(량); 교통의	16	frozen food	냉동식품
7	high	높은	17	beat	휘저어 섞다
8	sensitive	민감한, 예민한	18	shovel	삽
9	confident	자신만만한	19	gate	문
10	square	1. 정사각형 2. 광장	20	highway	고속도로

누적 테스트 15일째

1	screw	나사; 나사로 죄다, 비틀다	11	whisper	속삭임; 속삭이다
2	smooth	부드러운; 부드럽게 하다	12	signal	신호, 신호기
3	notice	주의, 주목; 주의하다	13	chair	의자
4	observe	관찰하다, 알아차리다	14	juicy	즙이 많은
5	glitter	빛나다	15	touch	1. 촉감 2. 접촉; 만지다
6	firm	단단한, 굳은; 회사	16	deep	깊은
7	wooden	나무로 만든	17	round	1. 둥근 2. 한 바퀴를 도는
8	fresh	신선한	18	printout	출력물
9	grain	곡물, 곡류	19	ceiling	천장
10	stare	빤히 보다, 응시하다	20	knife	칼

누적 테스트 16일째

1	cough	기침; 기침하다	11	watch	지켜보다
2	fever	열, 발열	12	colorful	다채로운, 화려한
3	sore	아픈, 쑤시는	13	empty	텅 빈
4	feel	(기분이) 들다, 느끼다	14	hospital	병원
5	hard	1. 굳은, 단단한 2. 어려운	15	burn	화상; 화상을 입다[입히다]
6	scream	비명을 지르다; 비명	16	symptom	증상
7	bottle	병	17	lawn	잔디
8	ache	통증, 아픔; 통증이 있다	18	pork	돼지고기
9	dizzy	어지러운	19	baker	제빵사
10	disease	병, 질병	20	medical	의학의

누적 테스트 17일째

1	brave	용감한	11	security	보안, 안전
2	soft	부드러운	12	forward	앞으로, 앞을 향하여
3	sideburns	구레나룻	13	reach	도착하다, 도달하다
4	dust	먼지, 티끌; 먼지를 털다	14	attendant	안내원, 종업원
5	ladder	사다리	15	deaf	귀가 먹은, 청각 장애가 있는
6	set the table	식탁[밥상]을 차리다	16	deal with	~을 다루다, 처리하다
7	village	(시골) 마을, 촌락	17	fill out	~을 작성하다, 기입하다
8	direction	방향	18	jet lag	시차증
9	journey	(보통 멀리 가는) 여행, 여정	19	souvenir	기념품
10	landscape	풍경	20	bitter	쓴, 쓴맛의

누적 테스트 18일째

1	abroad	해외로	11	jog	조깅하다
2	itinerary	1. 여행 일정표 2. 여행 일기	12	magic	마법, 주술; 마법의
3	listen	(주의해서) 듣다	13	fix	1. 고치다 2. 고정시키다
4	smell	냄새, 후각; 냄새가 나다	14	corner	모퉁이, 구석
5	knit	뜨개질을 하다	15	scoop	주걱, 국자
6	leisure	여가, 한가한 시간; 한가한	16	dance	춤; 춤을 추다
7	involve	수반하다, 필요로 하다	17	activity	1. 움직임 2. 활동
8	scenery	풍경	18	bruise	멍, 타박상
9	apply	신청하다	19	examine	진찰하다
10	loose	헐렁한	20	recover	회복하다

누적 테스트 19일째

1	baseball	야구	11	full	1. 가득 찬 2. 배부른
2	batter	타자	12	tool	도구, 연장
3	rough	거친	13	printer	인쇄기, 프린터
4	competition	경쟁	14	dive	잠수; 잠수하다
5	goal	(축구의) 골, 득점	15	skate	스케이트 구두
6	shoot	사격; (총 등을) 쏘다	16	surf	파도; 파도를 타다
7	operate	수술하다	17	hike	하이킹하다, 도보여행하다
8	emergency	비상사태, 응급	18	comic	희극의, 만화의
9	athlete	(운동)선수	19	camp	야영, 캠프
10	defender	수비수	20	sink	싱크대, 개수대

누적 테스트 20일째

1	tray	쟁반	11	daily	매일의, 나날의
2	pain	고통	12	stand	노점, 가판대
3	expensive	값비싼	13	retail	소매
4	sale	1. 판매 2. 염가 판매	14	city hall	시청
5	eat out	외식하다	15	police station	경찰서
6	loud	(소리가) 큰, 시끄러운	16	quality	질, 품질
7	gift	선물	17	look around	둘러보다, 구경하다
8	stretch	몸을 쭉 뻗다, 쭉 내밀다	18	arrive	도착하다
9	letter	편지	19	picture	사진, 그림
10	pile	더미	20	cash	현금

누적 테스트 21일째

1	make sense	의미가 통하다	11	order	주문; 주문하다
2	tip	1. 팁 2. 뾰족한 팁	12	cook	요리사; 요리하다
3	beverage	음료	13	outlet	(전기) 콘센트
4	pay	지불하다	14	up and down	위아래로, 이리저리
5	business	사업, 상업, 장사	15	store	가게, 상점
6	cheer up	기운을 내다	16	carpenter	목수
7	base	(야구의) 루	17	waiter	웨이터
8	match	시합, 경기	18	dessert	디저트, 후식
9	claim	1. 요구, 청구 2. 주장	19	spend ... on ~ing	~하는 데 …을 쓰다
10	take	받다	20	go (out) for a walk	산책하러 (나)가다

누적 테스트 22일째

1	strict	엄한, 엄격한	11	raft	고무 보트, 뗏목
2	lifeboat	구명보트	12	binoculars	쌍안경
3	scuba	스쿠버, 잠수용 호흡 장치	13	fit	건강한; 적합하다, 꼭 맞다
4	powder	가루	14	cure	치료법; 치료하다
5	special	특별한 것, 특별 메뉴; 특별한	15	throw away	(쓰레기 등을) 버리다
6	rare	(고기 등이) 덜 익은	16	seal	도장, 인감, 봉인
7	calorie	칼로리, 열량	17	expose	노출하다
8	negative	부정적인	18	can	깡통, 통조림
9	optimistic	낙관적인, 낙천적인	19	item	항목, 품목
10	suntan	선탠, 볕에 그을음	20	metal	금속

누적 테스트 23일째

1	wish	소원; 기원하다	11	medicine	약
2	mask	가면	12	spray	스프레이, 분무기; 뿌리다
3	celebrate	기념하다, 축하하다	13	set	1. 놓다 2. 준비하다
4	either A or B	A와 B 둘 중 하나	14	deliver	배달하다
5	sand	모래	15	player	경기자, 선수
6	attractive	매력적인	16	thin	(몸, 손가락 등이) 가는
7	parasol	파라솔, 양산	17	check	1. 수표 2. 점검
8	sell	팔다	18	hide	숨기다
9	festival	축제	19	invitation	1. 초대 2. 초대장
10	Valentine	밸런타인	20	scale	체중계, 저울

누적 테스트 24일째

1	tap	수도꼭지	11	both A and B	A와 B 둘 다
2	depart	출발하다	12	wrap	싸다, 포장하다; 포장지
3	drop by	잠깐 들르다	13	bill	계산서, 청구서
4	steam	찌다	14	campfire	모닥불
5	volunteer	자원 봉사자, 지원자	15	fishing rod	낚싯대
6	event	사건, 행사	16	sail	요트를 타다
7	picnic	소풍	17	see a doctor	의사의 진찰을 받다
8	blow	불다	18	champion	챔피언, 우승자
9	Christmas	크리스마스	19	sweat	땀
10	look	보다, 바라보다	20	flashlight	손전등

누적 테스트 25일째

1	kick	(걷어) 차기, 발길질	11	low	낮은
2	outdoor	실외의, 집밖의	12	open	열린; 열다
3	element	1. 요소, 성분 2. 원소	13	coast	해안, 연안
4	clean up	치우다, 청소하다	14	tide	조수, 간만
5	brand-name	(유명) 상표가 붙은	15	bad	불쾌한, 나쁜
6	visa	비자, 사증	16	pleasure	기쁨
7	find out	~을 찾아내다, 알아내다	17	stamp	1. 우표 2. 도장
8	cut	베인 상처; 상처를 내다	18	shade	그늘
9	hurricane	폭풍, 허리케인	19	shore	물가, 기슭
10	thunder	천둥, 천둥같이 큰 소리	20	sunbath	일광욕

누적 테스트 26일째

1	aquarium	수족관	11	trick	속이다; 속임수
2	thermos	보온병	12	costume	복장, 의상
3	select	선발하다, 선택하다	13	ingredient	재료
4	cloudy	구름 낀	14	recommend	추천하다
5	rainy	비가 오는	15	icy	얼음의, 싸늘한
6	desert	사막	16	lifeguard	인명 구조원
7	explore	탐험하다	17	float	물 위에 뜨다
8	stream	1. 시내, 개울 2. 흐름, 동향	18	storm	폭풍(우)
9	drought	가뭄	19	rainfall	강우, 강우량
10	climate	기후	20	bowling	볼링

누적 테스트 27일째

1	prize	상, 상품	11	because of	~ 때문에
2	melt	녹다, 녹이다	12	windy	바람이 부는
3	gale	강풍	13	snowy	눈이 내리는
4	meadow	목초지, 초원	14	wound	상처; 상처를 내다
5	barn	헛간	15	shed	(작은) 헛간, 오두막
6	hay	건초	16	sunblock	자외선 차단제
7	craft	(수)공예; 공예품을 만들다	17	congratulate	축하하다
8	collect	모으다	18	backpack	배낭; 배낭을 지고 걷다
9	chicken	닭	19	shepherd	양치기
10	get together	모이다, 모으다	20	farmhouse	농가, 농가에 딸린 집

누적 테스트 28일째

1	bloom	꽃, 개화	11	decorate	장식하다
2	discount	할인; 할인하다	12	coach	코치, 지도자
3	humid	습한, 눅눅한	13	needle	바늘처럼 뾰족한 잎
4	sticky	끈적끈적한	14	pine tree	소나무
5	up to	~까지	15	cherry tree	벚나무
6	on the way (to)	~로 가는 길에	16	photographer	사진사, 사진작가
7	farm	농장	17	bulb	1. 구근, 알뿌리 2. 전구
8	field	밭	18	poisonous	독이 있는
9	detective	탐정	19	herb	약초, 허브
10	Eve	전날 밤, 이브	20	button	단추; ~에 단추를 채우다

누적 테스트 29일째

1	fountain	분수	11	pepper	1. 후추 2. 고추
2	playground	놀이터, 운동장	12	harvest	수확하다
3	bird cage	새장	13	calf	송아지
4	fish tank	어항	14	whistle	호각; 호각을 불다
5	shorts	반바지, 운동 팬츠	15	lantern	랜턴
6	volcano	화산	16	stuff	(속을) 채우다; 것, 물건
7	natural	자연의, 자연스러운	17	crowded	붐비는, 혼잡한
8	forest	숲, 삼림	18	bin	(뚜껑 달린) 큰 상자
9	tiger	호랑이	19	turtle	거북
10	whale	고래	20	kangaroo	캥거루

누적 테스트 30일째

1	moth	나방, 좀벌레	11	ride	탈것; 타다
2	cricket	귀뚜라미	12	lion	사자
3	caterpillar	애벌레, 유충	13	clear	1. 청명한 2. 깨끗한
4	cowboy	카우보이, 목동	14	sunny	햇빛이 밝은, 화창한
5	horse	말	15	reasonable	(가격이) 합리적인, 저렴한
6	eagle	독수리	16	branch	1. 나뭇가지 2. 분점, 지점
7	beak	부리	17	bough	(나무의) 큰 가지
8	valley	계곡, 골짜기	18	maple	단풍나무
9	polar	북극[남극]의, 극지의	19	spider	거미
10	breeze	산들바람	20	butterfly	나비

누적 테스트 31일째

1	crow	까마귀	11	enjoy	즐기다
2	fossil	화석	12	bark	나무껍질; (개가) 짖다
3	dolphin	돌고래	13	swimsuit	수영복
4	shark	상어	14	bear	곰
5	resource	자원	15	deer	사슴
6	destroy	파괴하다, 부수다	16	acid	산; 산성의
7	total	합계, 총액; 전체의, 총계의	17	honeymoon	신혼여행
8	flea	벼룩	18	pig	돼지
9	smog	스모그, 연무	19	buffalo	버팔로, 물소, 들소
10	fuel	연료	20	concert	콘서트, 공연

누적 테스트 32일째

1	miss	1. 그리워하다 2. 놓치다	11	tie	넥타이; ~을 묶다, 매다
2	transmit	보내다, 전송하다	12	wait for	~을 기다리다
3	charge	충전하다	13	livestock	가축류
4	customer	고객	14	puzzle	수수께끼, 퍼즐
5	display	전시, 진열; 전시하다	15	game	게임, 시합
6	chemical	화학의; 화학 약품	16	neighbor	이웃(사람)
7	crocodile	악어	17	formula	공식
8	sea horse	해마	18	seesaw	시소; 시소를 타다
9	hippo	하마	19	inspect	조사하다
10	skirt	치마	20	imagine	상상하다

누적 테스트 33일째

1	crack	(갈라진) 틈, 틈새	11	earth	지구
2	prove	증명하다	12	planet	행성
3	inform	알리다, 통지하다	13	universe	우주
4	on one's own	혼자, 혼자 힘으로	14	solar	태양의
5	insect	곤충	15	cactus	선인장
6	Milky Way	은하수	16	trunk	나무의 몸통 부분
7	space shuttle	우주 왕복선	17	soap	비누
8	react	반응하다	18	Mars	화성
9	mobile	이동성의; 휴대 전화	19	track	철도 선로, 궤도
10	plate	접시	20	experiment	실험; 실험하다

누적 테스트 34일째

1	spill	흘리다, 엎지르다	11	astronomy	천문학
2	crisis	위기	12	astronomer	천문학자
3	authorized	권한이 부여된	13	material	1. 직물, 천 2. 재료
4	pack	꾸러미, 한 상자	14	dam	댐
5	ice	얼음	15	heat	열; 가열하다
6	swim	수영하다	16	battery	배터리
7	tidal	조수의	17	mustard	겨자
8	careless	부주의한	18	multiply	1. 곱하다 2. 증가시키다
9	grill	(열로) 굽다, 익히다	19	gravity	중력
10	kettle	주전자	20	endangered	멸종 위기의, 위험에 처한

누적 테스트 35일째

1	data	자료, 정보	11	bush	관목
2	important	중요한	12	palm	1. 야자수 2. 손바닥
3	try on	~을 입어[신어] 보다	13	educate	교육하다, 육성하다
4	hummingbird	벌새	14	kindergarten	유치원
5	such as	~와 같은	15	disaster	재난, 재해
6	sandals	샌들	16	food chain	먹이 사슬
7	frog	개구리	17	semester	학기
8	dinosaur	공룡	18	alternative	대안; 대안의
9	and so on	(기타) 등등	19	lecture	강의
10	exam	시험	20	encourage	용기를 북돋우다

누적 테스트 36일째

1	butter	버터	11	turkey	칠면조, 칠면조 고기
2	bread	빵	12	anniversary	기념일
3	rat	쥐	13	octopus	문어, 낙지
4	bat	박쥐	14	lift	올리다, 들어올리다
5	blender	부엌용 믹서기	15	wash	세탁물; 씻다
6	comet	혜성	16	raw	날것의, 가공하지 않은
7	hall	강당, 부속 회관	17	weed	잡초; ~의 잡초를 뽑다
8	radioactive	방사능을 가진	18	waterfall	폭포
9	museum	박물관	19	river	강
10	measure	측정하다	20	carry	나르다

누적 테스트 37일째

1	export	수출; 수출하다	11	turn into	~로 변하다, 바뀌다
2	account	계좌	12	bud	(식물의) 눈, 봉오리
3	schoolmate	학교 친구, 동창생	13	rocket	로켓
4	tradition	전통	14	outer	외부의, 외곽의
5	consumer	소비자	15	Thanksgiving	추수 감사절
6	bulletin board	게시판	16	culture	문화
7	evaluate	평가하다	17	citizen	시민, 국민
8	eclipse	식(蝕)	18	damage	손상, 피해
9	satellite	위성	19	garbage	쓰레기
10	property	재산, 소유물	20	fish	생선

누적 테스트 38일째

1	grab	간단히 먹다	11	by chance	우연히, 뜻밖에
2	stop	정류장; 정차하다	12	submit	제출하다
3	hang	걸다, 매달리다	13	academic	학술적인, 학문적인
4	destination	(여행 등의) 목적지	14	minority	소수; 소수의
5	sunglasses	선글라스	15	suspect	용의자; 의심하다
6	cliff	벼랑, 절벽	16	show off	자랑하다, 내세우다
7	overuse	남용; 남용하다	17	sentence	1. 형벌 2. 문장; 선고하다
8	greenhouse	온실	18	protest	항의; 항의하다
9	be worried about	~에 대해 걱정하다	19	duty	1. 의무, 임무 2. 세금
10	back and forth	앞뒤로	20	explain	설명하다

누적 테스트 39일째

1	peace	평화	11	invest	투자하다
2	war	전쟁	12	vote	투표; 투표하다
3	knowledge	지식	13	party	정당
4	counsel	상담; 상담하다, 권고하다	14	religious	종교의
5	admit	받아들이다, 인정하다	15	charity	자선, 자애
6	homework	숙제	16	cell	세포
7	hallway	복도	17	bucket	물통, 양동이
8	principal	교장	18	Buddhism	불교
9	natural gas	천연가스	19	Christianity	기독교
10	salary	급여	20	tutor	가정교사, 개인 지도 교사

누적 테스트 40일째

1	statistic	통계치	11	power line	송전선
2	locker	(자물쇠가 달린) 사물함	12	decrease	감소; 감소하다
3	demand	수요; 요구하다	13	Mercury	1. 수성 2. 수은
4	region	지역, 지방	14	invent	발명하다
5	Judaism	유대교	15	cattle	소
6	colony	식민지	16	support	원조, 지원; 원조하다
7	guilty	유죄의, 죄책감의	17	owl	올빼미
8	native	~ 출신자, 토착민	18	walk	걷다, 산책하다
9	soul	정신, 영혼	19	crime	범죄
10	belief	믿음, 신념	20	cancel	취소하다; 취소

Index

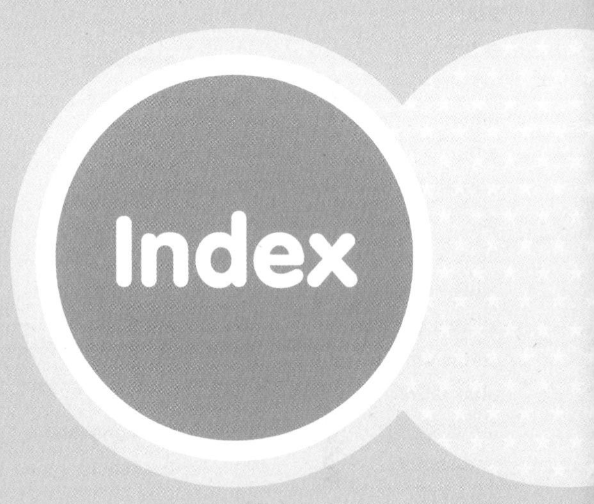

C

D

E

F

G

H

I

N

O

P

Q

R

S

MEMO

MEMO

이 책을 검토해 주신 선생님

강원

권대황 팀스영어학원
권미현 리드영어
기은진 전문과외
김광희 한샘학원
김나은 나은영어
김세정 브릿지영어학원
김양수 스파르타코치미
김정은 김정은영어학원
김준성 구쌤학원
남상근 브릿지영어학원
노홍석 Red Stone Academy
박슬기 최상위수학마루슬기로운영어생활
박은진 삼육어학원
박정선 잉글리쉬클럽
백희영 이상학원
안서아 숲어학원
오은아 레이첼잉글리시학원
윤아영 전문과외
이금석 케이유이에스비
이성규 브릿지영어학원
이정혜 전문과외
전수지 에리카영어학원
정정화 구쌤학원
정정환 푸른입시학원
조연희 전문과외
천슬기 브릿지영어학원
최가영 전문과외
최수남 강릉영수배움교실
최현주 최샘영어
표유현 쉼표영어

경기

Simon뱅 에이플교육
갈현주 GTC영어
강나리 필업단과전문학원
강동수 일신학원
강석종 씨드학원 2관
강소윤 다른영어학원
강신혜 에이블중고등영어학원
강연수 안양외국어고등학교
강예진 YJ영어의정원
강유림 이지영어학원
강유정 참좋은 보습학원
강준수 미래인재학원
강춘화 양주 최고다학원
강태경 연세나로학원
고승환 11월의 로렐
고승희 미래연학원
고윤재 연세학원
고현정 에이블영어
고혜경 Go쌤's 에듀
고혜리 최강영수학원
공윤진 한광중학교
곽억훈 최강영어
구대만 대입명문 트리비움 구쌤 합격영어
구혜령 젤라쿠 잉글리쉬
구혜영 구스영어보습학원
권수현 나홀로영어학원
권인혜 전문과외
권정현 수잔잉글리쉬학원
권종혁 고등바른공부학원
권지영 트레져스영어학원
권해나 입시에날개
권향숙 에이블플러스영어교습소
기종훈 마하수능영어전문학원
길대현 길쌤 입시영어
김경영 청람학원
김광수 더배움 잉글리쉬
김규은 분당소피아영어학원
김기선 위너스일등급학원
김기영 서강학원
김남건 연세나로학원 수원본점
김문희 수만휘기숙학원
김미영 시너지영어수학학원
김미원 한진연 입시전략연구소 수원센터
김미희 J&W 학원
김민기 빨리강해지는학원
김민선 HC영수전문학원
김민영 남동탄 레이크에듀영어
김민정 이화영어
김민정 분당영덕여자고등학교
김병희 B&J 과외
김보람 JM학원
김상겸 물푸레스쿨
김설 한올입시학원
김성민 전문과외
김성한 양명고등학교
김세종 데이비드영어교습소
김숙영 더오름학원
김승민 룩스영어학원
김승호 명품M수학영어 학원
김승훈 장선생영어학원
김신태 원탑영어
김연남 Trooper English
김영아 김영아개인과외
김영희 파주운정 제니스학원
김완혁 단칼영어학원
김우성 남양 아토즈영어학원
김원동 미래인학원
김유진 하이노크 영어학원
김윤식 낙생고등학교
김윤아 코리안파인
김은지 양서고등학교
김은희 이든영어
김의식 에스엔티입시전문학원
김인호 맵학원
김정은 조이럭 영어학원
김정택 솔터고등학교
김지원 대치탑영어학원
김지현 이지프레임 영어학원
김진희 우솔학원
김창훈 영품영어
김태무 전문과외
김태준 이지고등영어
김하늘 훈선생영어학원
김한나 스카이 영수학원
김한빛 지니리영어학원
김현정 배곧 탑클래스 영수학원
김형원 전문과외
김혜진 모산센터 공터영어 공부방
김효진 옥정동 샤인학원
김후중 더플랜영어학원
나병찬 에스라이팅 영어학원
나애경 잉글리쉬
나영은 강남청솔기숙학원
나태연 웰컴투잉글리쉬 WE 영어교습소
남인철 배움의숲학원
남지원 용인필탑학원
남현경 정상어학원
남현제 강남글로벌입시학원
노연웅 알찬교육학원
노영임 하이영어
노영현 정상어학원 광주경안분원
류동현 G EDU
류지은 SLB입시학원
마지영 전문과외
마현정 인스쿨어학원
맹대운 삼성영어 광교1교실
문슬기 문쌤전문과외
문은영 삼성영어쎈수학 은계학원
문징균 스카이학원
민수진 위드민 영어
박경란 영통강남학원
박경태 IMI영어학원
박계리 글로리영어교습소
박상근 DK영수학원
박상유 콕수학오드리영어보습학원
박서현 박서현영어
박선이 썬영어
박성식 경화여자English Business고등학교
박세영 쎄이학원
박세윤 이화인학원
박소연 부천 청명학원
박소영 이엘아이에스어학원
박수인 용인필탑학원
박수정 잉글리시아이 케이트학원
박숙현 에이사이드 입시학원
박연주 전문과외
박연희 브릿지영어
박영심 전문과외
박영철 이즈원 영어수학 전문학원
박영훈 권선대성종합학원
박윤성 제일학원
박은경 서영영어
박은빈 오산 교일학원
박재은 서윤희영어학원
박정은 하늘English
박정현 JH 스파르타 영어학원
박정훈 안양외국어고등학교
박주연 전문과외
박준근 연세나로학원
박준호 필탑학원
박지연 시작
박지원 전문과외
박찬일 양명고등학교
박천형 한빛에듀
박치옥 Park's Room English
박현선 안양외국어고등학교
박혜리 조은샘 학원
박혜원 이투스247 수원시청점
박효정 용인필탑학원
반인애 리딩유영어
방난효 명문필학원
방선아 가온영어
배가람 수만휘기숙학원
배이슬 에이블 학원
배종서 광명북고등학교
백승민 윈영어학원
백유안 전문과외
백은진 영어의 품격
백재원 앤써학원
백지연 다산미래학원
서기동 베리타스 영어 학원
서다혜 Cloe English
서상원 안양외국어고등학교
서정원 이챕터스영어학원
서효진 동탄 지한샘영어
설동우 더에듀영어수학학원
성언형 대치AOP
소재현 연세에듀학원
손민지 씨앤씨학원
손사라 전문과외
손선화 더웨이영어교습소
손영은 팁탑잉글리쉬
손영준 파주열린학원
손유리 하비투스 영어
송상종 에듀플러스 학원
송의식 교일학원
송재용 대치명인학원
송주영 위상학원
송희승 전문과외
신승철 일탄영어학원
신원희 지니어스 영어
신윤주 전문과외
신혜원 해밀영어
신희진 스터디올킬학원
심소미 쎈수학영어학원 봉담
심종원 윤선생영어 이천한내해원
안명은 아우룸영어
안상현 프라미스자이영어학원
안수예 전문과외
안지민 이엔영어학원
안지원 프렌잉글리시 은여울캠퍼스
양선화 성문고
양시내 알지영수학원
양창현 조셉입시학원
양효은 더키(TheKEY)영어학원
엄한수 양명고
여호수아 한샘학원 덕정캠퍼스
오국화 이랩스영어학원
오민희 미니오영어
오영철 광주비상에듀
오주향 대치힐영어학원
오준우 유투엠X로제타스톤
오현숙 천천메카학원
왕형규 이룸영어
우경숙 스마트해법영어당수교습소

유경민 송현학원
유민재 백영고
유복순 전문과외
유연이 큐이엠
유예지 삼성영어 한내학원
유옥경 덕소 만점영어
유지아 CINDY'S ENGLISH
유지현 ERC 유쌤영어 교습소
유효선 앨리스영어학원
윤경미 윙스영어
윤석호 야탑고등학교
윤숙현 광덕고등학교
윤연정 Tr.Annie's Library
윤정원 플랜어학원
윤정희 수어람학원
윤지후 오산 락수학 앤 윤영어
윤창희 이룸교육
윤형태 HAAS(하스)영어학원
윤혜선 아이비스 영어학원
윤혜영 이루다영어수학학원
이가림 전문과외
이강훈 이수학원
이경희 고려대아카데미
이권우 수원 레볼리쉬 어학원
이기문 엔터스카이학원
이기쁨 전문과외
이나원 철산에스라이팅영어학원
이다솜 김수영보습학원
이대형 열린학원
이명선 꿈의 발걸음 학원
이민재 제리킹영어학원
이보라 디오영어
이보라 김쌤보습 이쌤영어 학원
이상록 PRM
이상윤 진짜공부입시학원
이상윤 한샘학원
이서윤 계몽학원
이선미 정현영어학원
이세미 유타스학원
이수정 이그잼포유
이수정 믿음영어전문과외
이슬희 입시코드학원
이승은 공터영어동탄호수센터
이에녹 워너비투비학원
이연경 비욘드 영어학원
이연경 제니학원
이영민 상승공감학원
이용우 한소망비전학원
이은영 가람학원
이은영 서윤희입시영어학원
이은주 지에듀
이은주 귀인중학교
이은혜 리체움영어학원
이인철 루틴입시학원
이재협 사차원학원
이주연 Rachel's English
이준 맨투맨학원
이지우 이지우영어학원
이지원 에듀플러스 학원
이지은 DYB 최선고등관
이지혜 공부방
이지혜 리케이온 어학원
이지효 스탠스영어교습소
이진선 전문과외
이진성 용인필탑학원
이진주 아이원해법영어
이창석 넛지영어학원
이충기 영어나무
이태균 권선로제타스톤영어학원
이하원 전문과외
이한솔 위너스영어
이해진 파란영어학원
이현우 부천 신사고 영어학원
이효진 확인영어수학
임광영 러셀기숙학원
임수경 전문과외
임수정 로고스아카데미
임승훈 다니엘학교
임연주 하이디드림팀
임은지 전문과외
임은희 Eunice English
임지현 현쌤영어
임창민 김포 우리학원
임창완 백영고등학교
임효정 폭스영어입시전문학원
장미래 안성종로엠
장민석 일킴훈련소입시학원
장소정 전문과외
장슬기 폭스영어학원
장아련 목동J영어학원
장유리 더바른영어학원
장준성 링구아어학원
장현정 헤리티지영수학원
장혜진 용인필탑학원
장호진 홍수학영어입시학원
장효선 영어의품격
전성준 이든학원
전성훈 훈선생영어학원
전수빈 전문과외
전우정 안T영어학원
전주원 필업단과전문학원
전지애 고양국제고등학교
전지혜 위슬런학원
전호준 채움영어
정규빈 대치다다학원
정다움 카인드학원
정다은 전문과외
정미란 티앤씨학원
정병채 탁클래스영어수학학원
정선영 전문과외
정선영 코어플러스영어학원
정성은 JK영어수학전문학원
정성태 에이든영어학원
정연우 최강학원
정연욱 인크쌤영어학원
정영선 시퀀트학원
정영훈 BS반석학원
정유진 전문과외
정윤하 전문과외
정지연 공부의정석 학원
정지영 이지학원
정하경 에듀플렉스
정희찬 파란영어학원
제정미 제이영어
조병희 이철영어학원
조승규 제이앤와이 어학원
조용원 이티엘영어교습소
조원웅 클라비스 영어전문학원
조윤나 오세용어학원
조은쌤 조은쌤장쌤영어전문학원
조재만 가평한샘기숙학원
조정휘 유하이에듀 학원
조준모 에스라이팅
조춘화 뮤엠영어발곡학원
조현지 전문과외
조혜원 The 131
주지은 JIEUN ENGLISH CLASS
진남원 영어종결센터신봉학원
차안나 아이비스 영어학원
채희수 전문과외
채희연 전문과외
최광현 포인트학원
최명지 이천 청솔기숙
최민석 탑클래스기숙학원
최상이 엄마영어아빠수학학원
최성원 패스파인더
최세열 JS수학영어학원
최영임 국립중앙청소년디딤센터
최유나 전문과외
최은진 고래영어학원
최은희 공부에 강한 아이들
최인선 캐써린쌤의슈가영어교습소
최창식 조나단영어보습학원
최희연 채움영어학원
최희정 SJ클쌤영어
편광범 야탑고등학교
표호진 아너스영어전문학원
하사랑 덕계한샘학원
하수용 시흥 대성학원
한순현 동탄 SKY 비상학원
한예진 필탑학원
함수향 진심팩토리인재양성소
현윤아 중동그린타운해법영어교습소
홍승완 전문과외
홍은화 라라영어수학 학원
홍정우 정현영어학원
홍호영 닉고등입시학원
홍희섭 조이 영어공부방
홍희진 청평 한샘 학원
황다연 The study 꿈자람
황명덕 옥정 엠베스트
황서윤 공부방
황은진 더에듀영어수학학원
황일선 M&E

경남

강진원 T.O.P 에듀학원
고성관 T.O.P 에듀학원
권승구 더케이영어학원
권승미 전문과외
권장미 인서울영어학원
권지현 우리모두의 영수학원
김계영 성신학원
김국희 새라영어학원
김루 상승영수전문학원
김민경 창선고등학교
김민기 민쌤영어
김선우 진성학원
김신영 김가영어학원
김신현 세종학원
김용진 다락방 남양지점 학원
김주은 동상교일학원
김준 가우스 sme 전문학원
김지윤 에듀퍼스트
김지은 HNC영어전문학원
김진영 연세어학원
김현우 창녕 대성고등학교
김형돌 통영여자고등학교
김화선 마산중앙고등학교
남유림 이루다영어교습소
노경지 전문과외
노수진 인피니티영수전문학원
박민정 더클래스수학영어학원
박선영 전문과외
박성용 박성용입시전문학원
박신영 GH영수전문학원
박영하 네오시스템영어학원
박재형 인투잉글리쉬어학원
박정아 전문과외
박제선 주식회사김은정교육그룹
박준권 박준권 개인과외
배승빈 에스영어전문학원
배종원 마산무학여고
배찬희 라하잉글리시신진주역점
신형섭 크림슨어학원
심동현 The오름 영수학원
안혜경 T.O.P 에듀학원
양경화 봄영어
양기영 다니엘어학원
원임미 링구아어학원
유인희 보듬영어과외교실
이경하 비타민 영수학원
이문식 리더스 아카데미학원
이수길 명성영수학원
이연홍 리즈(Rhee's) 영어연구소
이윤섭 창원경일여고
이인아 인잉글리쉬학원
임진희 어썸영어학원
장경출 야꼼영수학원
장은정 케이트어학원
장재훈 메르센학원
정상락 비상잉글리시아이 영어교습소
정수연 Got Them
정수정 지탑영어
정희성 원스텝영수학원
최승관 창선고등학교
최지영 시퀀스영수학원
최현정 토킹스타영어학원
최환준 Jun English
최효정 인에이블영수학원

하동권 네오시스템영어학원
하수미 진동삼성영수학원
한지용 성민국영수학원
허민정 허달영어

경북
Kailey Pak KAILEY ENGLISH
강민표 현일고등학교
강선우 EiE 고려대국제어학원
강유진 지니쌤영어
강은석 은석학원
강혜성 EiE 고려대국제어학원
고일영 영어의비법학원
김광현 전문과외
김귀숙 퀸영어교습소
김규남 경상북도 영양교육지원청
김도랑 다이너마이트잉글리쉬
김도영 김도영영어
김민정 잇올초이스
김상호 전문과외
김윤채 포카학원
김으뜸 EIE어학원 옥계캠퍼스
김정선 바투하이영어
김주훈 공터 영어학원
김지현 토피아 영어 교습소
김지훈 전문과외
김형표 표쌤영어학원
문상헌 에이원영어
문홍민 메디컬영어학원
박경애 포항대성초이스학원
박계민 영광중학교
박규정 베네치아 영어 교습소
박령이 한뜻입시학원
박보성 문화고등학교
박예진 선주고등학교
박지수 포스코교육재단
배세왕 BK영수전문학원
성룡 미르어학원
손누리 이든샘영수학원
손희경 성균관아카데미 과학영어학원
유영선 아이비티주니어
유진욱 공부의힘 영수학원
윤재호 이상렬단과학원
이강정 이룸단과학원
이리나 제일영어놀이터
이민정 레이먼원어민어학원
이보라 전문과외
이상열 이상렬입시단과학원
이소연 전문과외
이지연 전문과외
이지은 Izzy English
장미 잉글리시아이 원리학원
전영아 문일학원
정소연 YBM퍼펙트잉글리쉬
정현갑 구미여자고등학교
정현수 엠베스트se위닝학원
정호정 인지니어스
조효근 수학만영어도학원
최경주 전문과외
최미선 3030영어망청포은러닝센터

허우열 탑세븐입시

광주
강나겸 스위치영어수학
곽해림 AMG 영어학원
김도엽 스카이영어학원
김도영 KOUM ENGLISH
김동익 전문과외
김명재 범지연영어학원
김병남 일등급수학위즈덤영어학원
김상연 우리어학원
김서현 전문과외
김수인 모조잉글리쉬(MOJO English)
김유경 프라임 아카데미
김유진 위트니영어유타학원
김인화 김인화영어학원
김재곤 김재곤 중고등영어학원
김한결 상무외대어학원
김효은 청담아카데미학원
김효정 광주 메이드영어학원
문장엽 엠제이영어수학전문학원
박동훈 유캔영어
박정준 동아여고
박주형 본선동 한수위 국어 영어
박혜지 YBM잉글루 최강학원
배연주 본영수학원
봉병주 철수와영수
손아미 공감스터디학원
신지수 온에어영어학원
양신애 오름국어영어학원
오승리 이지스터디
오평안 지산한길어학원
우진일 블루페스 영어학원
유현주 U's유즈영어교습소
윤은주 아이비영어교실
이민정 롱맨어학원
이소민 더클래스영어전문학원
이진희 이마스터
이현창 진월유앤아이어학원
전솔 서강고등학교
정세윤 아름드리학원
정지선 이지스터디
최연숙 엠베스트SE공부학원
최현욱 최현욱 영어학원
최혜란 토킹클럽영어학원
한기석 이(E)영어교습소
한방엽 신통학원
현동욱 박철영어학원
황선미 함께가는영어

대구
구교찬 새롬영어
구범모 굿샘영어학원
구수진 전문과외
구현정 헬렌영어학원
권보현 씨즈더데이어학원
권익재 제이슨영어교습소
권하련 아너스이엠에스학원
김근아 블루힐영어학원
김기목 목샘영어교습소

김나래 더베스트영어학원
김미나 전문과외
김민재 열공열강 영어수학학원
김병훈 LU영어
김상완 YEP영어학원
김수미 스펙마스터
김연정 유니티영어
김유환 대구 유신학원
김윤정 독쫑영어
김은혜 고등어학원 중등관
김정혜 제니퍼영어 교습소
김종석 에이블영수학원
김준석 크누KNU입시학원
김지영 김지영영어
김진호 강성영어
김철우 메라키 영어 교습소
김하나 전문과외
김현정 도우영수학원
김호연 KK 수학 영어
김희정 이선생영어학원
나기원 문깡월성점
노태경 윙스잉글리쉬
문창숙 지앤비스페셜입시학원
민승규 민승규영어학원
박고은 스테듀입시학원
박라율 열공열강영어수학학원
박민지 소나무학원
박소현 공터영어
박연희 좀다른영어
박예지 전문과외
박지환 전문과외
박희숙 열공열강영어수학학원
방성모 방성모영어학원
백소양 태학영어학원
백재민 에소테리카 영어학원
서상진 대진고등학교
서정인 서울입시학원
신경순 전문과외
신정식 넛지영어교습소
신혜경 외대어학원
심경아 Shim's English
안다영 일라영어학원
엄재경 하이엔드영어학원
오선연 전문과외
원현지 원샘영어교습소
위은령 대구 브릿지영어
유소영 YH영어교습소
윤원채 원잉글리쉬영어교습소
윤이강 카르페디엠 영어수학학원
이근성 헬렌영어학원
이동현 쌤마스터입시학원
이샛별 데카어학원
이소민 프라임영어학원
이수연 하이어영어
이수희 이온영어
이승민 전문과외
이승재 파머스어학원(침산캠퍼스)
이승현 대구 학문당입시학원
이승희 독쫑영어학원
이애진 한솔영어수학이쌤파워학원

이정인 계성고등학교
이진영 전문과외
이헌욱 이헌욱 영어학원
임형주 사범대단과학원
장정원 옥스포드영어학원
장현진 고려대EIE어학원현풍캠퍼스
전윤애 전문과외
정대웅 유신학원
정용희 에스피영어학원
조성애 조성애세움영어수학학원
조혜연 연쌤영수학원
주현지 E.T Betty
채유란 전문과외
최효진 너를 위한 영어
하해준 일라영어학원
한정아 능인고등학교
홍지수 홍글리시영어
황윤슬 사적인영어

대전
Tony Park Tony Park English
강태현 끊어읽기영어
고우리 브릭스 영어학원
곽연우 유성고등학교
권현이 디디샘영어
길민주 전문과외
김경이 영어서당학원
김근범 딱쌤영어
김기형 관저진학학원
김수연 둔산 엠폴리어학원
김영철 전문과외
김재원 중촌브레인학원
김하나 위드유학원
나규성 비전21입시학원
남영종 엠베스트SE 대전 전민점
민지원 민쌤영어교습소
박난정 제일학원
박성희 청담프라임학원
박신지 청명대입학원
박주형 전문과외
박진선 전문과외
박진주 아이린인스티튜트 대전
박현진 전문과외
박효진 박효진 영어 교습소
백지수 플랫폼학원
서윤주 전문과외
송신근 일취월장학원
심효령 삼부가람
안수정 궁극의 사고
양지현 청출어람
오봉주 새미래영수학원
오지현 영어의 꿈 & 영재의 꿈
우희진 전문과외
유정인 제니영어
윤영숙 스칼렛영어
이고은 고은영어
이길형 빌드업영어
이대희 청명대입학원
이성구 청명대입학원
이수미 둔산0505

이원성 파스칼베스티안학원
이유나 전문과외
이재근 이재근영어수학학원
이진경 이룸학원
이홍원 모티브에듀학원
장혜진 피어오름영어
정동녘 에스오에스학원
정동현 대성외국어
정라라 영어문화원 정라라 영어교습소
정윤희 Alex's English
정혜수 쌜리영어
조현 시나브로학원
진정원 코너스톤엘 상대학원
채송은 위캔영어학원
최성호 에이스영어 교습소
최현우 엠베스트SE엘리트학원
한형식 서대전여자고등학교

부산

고경원 남구감만한맥학원
김달용 Able(에이블)영어교습소
김대영 나무와숲영어교습소
김도담 도담한영어교실
김도윤 코어영어교습소
김동혁 코어국영수전문학원
김동휘 장정호 영어전문학원
김미혜 더멘토영어
김병택 탑으로가는영어
김성미 다올영어
김소연 전문과외
김재경 탑클래스영어학원
김정화 센텀영어교습소
김지애 전문과외
김진규 의문을열다
김현지 이헌 영수 학원 초량분원
나유진 채움영어교습소
남경화 전문과외
남재호 제니스학원
류미향 류미향입시영어
박문기 시너지학원
박미진 MJ영어학원
박수진 제이엔씨 영어전문학원
박아름 빡스잉글리쉬
박아림 티움영어교습소
박정희 학림학원
박지우 영어를 ON하다
박지은 박지은영어전문과외방
배거용 배거용영어전문학원
배찬원 에이플러스영어
서대광 서진단과학원
성장우 전문과외
손복건 대신종로학원
손소희 안창모 특목수능영어
손지안 정관 아슬란학원
안영실 개금국제어학원
안정희 GnB영어전문학원양성캠퍼스
오세창 범천반석단과학원
오정안 장산역 우영어학원
유수진 전문과외
윤지영 잉글리쉬 무무 영어 교습소

윤혜은 링구아어학원 동래본원
이상석 상석영어
이선영 매리쌤잉글리쉬
이순실 CDK국제어학당
이유림 유림영어교습소
이윤호 메트로 영어
이은정 영어를on하다
이재우 무한꿈터 동래캠퍼스
이정윤 아벨영어
이지현 Serena영어
이혜정 로엠어학원
이희정 로뎀영어 E&F English
장민지 탑클래스영어학원
전정은 전문과외
정승덕 JSD English
정영훈 J&C 영어전문학원
조은상 드림엔영어
조정훈 고려화 고등영어전문
채지영 리드앤톡영어도서관학원
최우성 초이English&Pass
최이내 일광IGSE 어학원
탁아진 에이블영어
하현진 브릿츠영어
한구상 전문과외
한영희 미래탐구 해운대
홍지안 에이블어학원

서울

Diana 위례광장 해법영어
가혜림 목동종로학원
강민정 네오 과학학원
강성호 대원고등학교
강예린 TG 영어전문학원
강인환 스터디코치영어전문학원
강정훈 더(the)상승학원
강현숙 토피아어학원 중계 본원
공진 리더스
구민모 키움학원
구지윤 전문과외
권보현 대치 다원교육
권순상 사과나무학원
권영진 경동고등학교
권원주 권쌤영어
권재현 icu학원
권혜령 전문과외
길수련 전문과외
김경수 목동탑킴입시연구소
김나결 레이쌤영어교습소
김다은 진인영어학원
김라영 목동퀸즈영어학원
김명열 대치명인학원
김미경 정이조 영어학원
김미선 낸시영어교습소
김미은 오늘도맑음 영어교습소
김미정 아발론랭콘신내캠퍼스
김민지 클라라영어교습소
김보영 대치 다원교육
김상희 스카이플러스
김새온 온클래스영어교습소
김석주 올림포스학원

김선경 마크영어
김선영 압구정 플래티넘 아카데미
김세현 필오름학원
김수진 리더스영어보습학원
김승환 Arnold English Class
김아름 ABC학습방향연구소
김여진 전문과외
김연희 전문과외
김영미 WIN영어
김영삼 중계YS영어
김윤선 쎌영어
김은영 루시아잉글리시
김은진 ACE영어 교습소
김종윤 가온에듀
김종현 김종현영어
김주혜 라온학원
김지영 강서고등학교
김진돈 중계세일학원
김채원 정이조 영어학원
김하나 전문과외
김현지 목동 하이스트 본원
김형준 미래탐구 오목관
김혜림 대치 청담어학원
김혜영 스터디원
나선아 전문과외
노은경 이은재어학원
노재순 씨투엠학원
노종주 전문과외
도선혜 중계동 영어 공부방
류기동 기동찬 영어학원
맹혜선 휘경여자고등학교
명가은 명가은 영어학원
문명기 문명기영어학원
문민아 탄탄대로 입시컨실팅
문영선 키맨학원
문지현 목동CNC
문진완 대원고
박광운 전문과외
박귀남 Stina+ English
박기철 한진연 입시전략연구소
박남규 알짜영어교습소
박미애 명문지혜학원
박민주 석선생 영어학원 중관
박병석 주영학원
박선경 씨투엠학원
박소영 JOY
박소하 전문과외
박소현 전문과외
박숭규 SK 영어연구소
박예나 강북예일학원
박윤주 에이원 아카데미 보습학원
박은경 오늘영어 교습소
박정호 전문과외
박정효 성북메가스터디학원
박준용 은평 G1230
박지연 영어공부연구소
박지영 전문과외
박진경 JAYz ENGLISH
박진아 사과나무학원
박찬경 펜타곤영어학원

박효원 링크영어교습소
박희삼 대치쿰인학원
방요한 대치에스학원
배수경 강일연세학원
배수현 남다른 이해 학원
백주희 레인메이커학원
변지예 북두칠성학원
서승희 대치동 함영원학원
서은조 용강중학교
선지혜 최선메이트 본사
성수빈 전문과외
성수하 전문과외
송정근 기정학원
송정은 이은재어학원
송현우 양서중학교
송혜민 전문과외
신경훈 제프영어
신동주 공감학원
신정애 와와학습코칭학원
신호현 아로새김
신희경 신쌤영어
심건희 전문과외
심나현 성북메가스터디
심민철 수능영어플러스+
심민혜 신일류수학학원
심은지 연세YT어학원
안나연 전문과외
안미영 스카이플러스학원
안성연 안스잉글리시학원
안수민 전문과외
안웅희 이엔엠 영수전문학
안일훈 안일훈영어교습소
안현우 지니영어학원
양세희 양세희수능영어학원
양하나 목동 씨앤씨
어홍주 이-베스트 영어학원
엄태열 대치 차오름학원
염석민 은평지1230
오은경 전문과외
용혜영 SWEET ENGLISH 영어전문 공부방
우승희 우승희영어학원
위정훈 앤트스터디 명품 대입관 학원
유수연 인헌중학교
유현승 심슨어학원
윤나예 미래영재
윤명원 이지수능교육원
윤상혁 전문과외
윤성 대치동 새움학원
윤은미 CnT영어학원
윤정아 윤정아영어
이강희 시은영어학원
이계훈 이지영어학원
이광희 가온에듀 2관
이국재 이은재영어학원
이남규 신정송현학원
이동근 이지스아카데미학원
이명순 Top Class English
이미영 티엠하버드영어학원
이석원 숭실중학교
이석호 교원더퍼스트캠퍼스 학원

이성택 엠아이씨영어학원
이소민 임팩트영어
이소윤 늘품영수전문학원
이승미 금천정상어학원
이시현 YBM학원
이아진 에이제이 인스티튜트
이영건 감탄교육
이영조 전문과외
이운정 전문과외
이유빈 채움학원
이은정 전문과외
이재연 대원여자고등학교
이정경 더스터디 영수학원
이정혜 서초고려학원
이종현 대원고등학교
이지연 석률학원
이지연 중계케이트영어학원
이지향 전문과외
이철웅 비상하는 또또학원
이태희 진학학원 고등관
이현승 스탠다드학원
이현민 대원고등학교
이혜숙 사당대성보습학원
이혜정 이루리학원
이희진 씨앤씨학원
임서은 H&J 형설학원
임지효 전문과외
장근아 씨티에이정도학원
장민정 전문과외
장서영 전문과외
장서희 전문과외
장재원 전문과외
장혜민 에스클래스 영어전문학원
전다은 동화세상에듀코 와와센터
전보람 상명대학교사범대학부속여자고등학교
전성연 대성학원고척캠퍼스
전여진 진중고등영어
정가람 촘촘영어
정경록 미즈원어학원
정경아 정쌤영어교습소
정민혜 정민혜밀착영어학원
정성준 팁탑영어
정소연 이투스 전홍철 연구실
정원경 대원고등학교
정유진 탑잉글리쉬매쓰학원
정은미 류헌규영어학원
정은아 헨리영어학원
정재욱 씨알학원
정해림 전문과외
정해림 전문과외
조대웅 전문과외
조미영 튼튼영어마스터클럽구로학원
조민석 더원영수학원
조민재 정성학원
조봉현 조셉영어국어학원
조봉희 자이온엘연구소
조아라 강북청솔학원
조연아 전문과외
조용현 바른스터디학원
조윤신 조이스 영어 교습소

조정현 동원중학교
조현미 조현미 영어 클래스
주정연 DYB최선어학원 마포캠퍼스
지현진 목동JSB영어학원
진수범 이상숙어학원
진영민 브로든영어학원
진주현 EMC
차주훈 트라인 영어 수학 학원
채민지 전문과외
채상우 클레영어
채에스더 문래중학교
최민주 전문과외
최유리 아이디어스 아카데미
최윤정 잉글리쉬앤 매쓰매니저 학원
최정문 한성학원
최진 금천정상어학원
최현선 수재학원
최형미 전문과외
최혜선 DYB최선어학원 마포캠퍼스
최희재 이주화어학원
하슬기 세종학원
한문진 이룸영어
한안미 한스잉글리시영어교습소
한인혜 레나잉글리쉬
함규민 클레어영어
허동녕 학림학원
허유정 YJ최강영어
홍대균 선덕고등학교 특강강사
홍영민 성북상상학원
홍제기 정상어학원
황규진 잉글리쉬잇업
황상희 어나더레벨 영어전문학원
황혜정 석선생영어학원
황혜진 이루다 영어

세종

강봉식 맥스터디학원
곽영우 연세국제영어
권은경 전문과외
김지원 도램14영어
박혜진 전문과외
방종영 세움학원
백승희 백승희 영어
손대령 강한영어학원
송지원 베이 영어 & 입시컨설팅
안성주 더타임학원
안초롱 21세기학원
윤정근 만점영어학원
이다솜 세종장영실고등학교
이민지 공부방 마스터잉글리쉬
이지영 세종중학교
장소영 상위권학원
조영재 카이젠교육
지영주 제나쌤의 영어교실

울산

강상배 1%단과전문학원
김경수 핀포인트영어학원
김내경 박정민영어
김성희 1%단과전문학원

김윤정 전문과외
김한중 스마트영어전문학원
김해섭 에임하이학원
양혜정 양혜정영어
이서경 이서경 영어
이수현 제이엘영어교습소
정은선 한국ESL어학원
조충일 YBM 울산언양제1학원
최나비 더오름 high-end 학원
한건수 한스영어
한아련 블루밍영어교습소
허부배 비즈단과학원

인천

강미현 로렌영어
곽소희 인명여고
구하라 동인천 종로 엠
김남주 전문과외
김미경 김선생 영어/수학교실
김서애 제이+영어
김선나 태풍영어학원
김성률 좋은나무학원
김영재 강화펜타스학원
김영태 에듀터학원
김영호 조주석 수학&영어 클리닉학원
김윤경 엠베스트SE학원
김재혁 토피아 어학원
김정형 연평도고등학교
김정훈 TNL 영어 교습소
김종만 문일여자고등학교
김지연 인천 송도탑영어학원
김지우 청담 에이프릴 어학원
김진용 학산학원
김택수 부개제일학원
나일지 두드림 HIGH학원
문지현 전문과외
박나혜 TOP과외
박세웅 서인천고등학교
박소희 북인천SLP
박재형 들결영어교습소
박종근 유빅학원
박주현 Ashley's English Corner
박진영 인천외국어고등학교
신나리 이루다교육학원
신영진 엉끌쌤과외
신은주 명문학원
신현경 청라 미라클 어학원
안진용 Tiptop학원
안현정 진심이교육하는학원
양현진 지니어스영어
양희진 지니어스영어
오성택 소수정예 중고등영어
오희정 전문과외
원준 전문과외
윤희영 세실영어
이가희 S&U영어
이금선 전문과외
이미선 고품격EM EDU
이슬 청라어썸영어학원
이윤주 Triple One

이은정 인천논현고등학교
이응제 숭덕여자고등학교
임현주 원소운과외
장승혁 지엘학원
전혜원 제일고등학교
정도영 대신학원
정수진 11월의 비상
정유리 인천아라고
정은혜 즐거운 정샘 영어학원
정지웅 정지웅 영어교실
정춘기 올어바웃잉글리쉬
조윤정 원당중학교
최민지 빅뱅영어
최윤정 BK영어전문학원
최지유 J(제이)영수전문학원
최지혜 유베스타 어학원
최창영 학산학원
한보륜 더뉴에버
한승완 청라하이츠영수학원
허대성 방과후1교시
홍덕창 송현학원 계양분원
홍승표 보스턴영어학원
홍정희 지성의 숲
황성현 인천외국어고등학교

전남

강용문 JK영어입시전문
강유미 목포남악정상어학원
고경희 에이블잉글리쉬
김미선 여수영어교습
김수희 Irin영어
김아름 지앤비 어학원
김은정 BestnBest 영어전문
김지현 이써밋영수학원
김채연 전문과외
라희선 재스민영어 전문과외
류성준 타임영어학원
박동규 정상학원
박은유 함평월광기독학교
박팔주 하이탑학원
손성호 아름다운 11월 학원
심명희 SP에듀학원
양명승 엠에스 어학원
오은주 순천금당고
이상호 스카이입시학원
이영주 재키리 영어학원
조소을 수잉글리쉬
차형진 상아탑학원
황상윤 K&H 영어 전문학원

전북

강지훈 고려학원
길지만 비상잉글리시아이영어학원
김나은 애플영어학원
김나현 전문과외
김대환 엠베스트SE아중점
김설아 에듀캠프학원
김수정 베이스탑스터디
김숙 매딘원영어
김영해 피렌체 어학원

김종찬 부안최강학원
김태연 전문과외
김현영 하이어잉글리쉬 영어교습소
나종훈 와이엠에스입시전문학원
박욱현 군산외대어학원
박준근 이투스247 전주완산점
박차희 연세입시
배영섭 YMS 입시학원
서명원 군산 한림학원
신원섭 리좀영어학원
심미연 호남고등학교
안지은 안지은영어학원
유영목 유영목영어전문
이경훈 리더스영수전문학원
이예진 고려대EIE어학원
이윤경 코드영수전문학원
이지원 탄탄영어수학전문학원
이한결 DNA영어학원
이현준 전문과외
이효상 에임하이영수학원
장동욱 의치약한수학원
정방현 익산투탑영수학원
조형진 대니아빠앤디영어교습소
최석원 전주에듀캠프학원
최유화 순창 탑학원
허욱 YMS입시전문학원
홍진영 지니영어교습소

제주

강수빈 전문과외
고보경 제주여자고등학교
고승용 RNK 영어수학학원
김민정 제주낭만고등어학원
김태형 Top Class Academy
김희 전문과외
박시연 에임하이학원
배동환 뿌리와샘
송미현 세렌디피티 영어과외 공부방
신연우 전문과외
이지은 제주낭만고등어학원
임정열 엑셀영어 전문과외
정승현 J's English
한동수 위드유 학원

충남

고유미 고유미영어
권선교 합덕토킹스타학원
김선영 어플라이드 영어학원
김인영 더오름영어
김일환 김일환어학원
김창식 서산 꿈의학교
김창현 타임영어학원
김현우 프렌잉글리시로엘입시전문학원
남궁선 공부의맵 학원
박아영 닥터윤 영어학원
박재영 로제타스톤 영어교실
박제희 대안학교 레드스쿨
박태혁 인디고학원
박회진 박쌤 과외
백일선 명사특강
설재윤 마스터입시학원
송수아 송수아 영어 교습소
심현정 홀리영어
오근혜 셀렌쌤영어
유정선 메가수학메가영어학원
이규현 글로벌학원
이사랑 오성GnB영어학원
이정찬 두빛나래영수학원
이종화 오름에듀
이지숙 마이티영어학원
이호영 이플러스학원
이황 천안강대학원
임한수 탑클래스학원
임혜지 전문과외
장성은 상승기류
장완기 장완기학원
장진아 종로엠스쿨 부여점
주희 천안 탑씨크리트영어학원
채은주 위너스학원
최용원 서일고등학교
허길 에듀플러스학원
허지수 전문과외

충북

강홍구 청주오창비상아이비츠학원
김도현 에스라이팅어학원
마종수 새움다옴학원
박광수 필립영어전문
박상하 상하영어
박수열 팍스잉글리쉬학원
신유정 비타민 영어클리닉 학원
연수지 탑클랜영어수학학원
우선규 우선규영어교습소
윤홍석 대학가는 길 학원
이경수 더에스에이티영수단과학원
이재욱 대학가는 길 학원
이재은 파머스영어와이즈톡학원
임원용 KGI의대학원
최철우 최쌤영어
최하나 라이트에듀영어교습소
최하나 전문과외
하선빈 어썸영어전문학원

Word ∞ master

중등 실력

Workbook

Daily Check-up

Day 01

Daily Check-up

[01~30] 영어 단어를 보고 알맞은 뜻을, 뜻을 보고 알맞은 영어 단어를 쓰시오.

01 foolish	______	16 지혜로운	______
02 proud	______	17 정직한, 솔직한	______
03 rude	______	18 게으른	______
04 active	______	19 엄한, 엄격한	______
05 serious	______	20 차분한, 침착한	______
06 cruel	______	21 기운을 내다	______
07 mean	______	22 긍정적인	______
08 evil	______	23 이기적인	______
09 curious	______	24 성격, 기질	______
10 friendly	______	25 쾌활한, 명랑한	______
11 generous	______	26 민감한, 예민한	______
12 confident	______	27 조심성 있는	______
13 negative	______	28 용감한	______
14 cautious	______	29 겸손한, 신중한	______
15 make fun of	______	30 낙관적인	______

맞은 개수 /40

[31~40] 다음 문장의 빈칸에 알맞은 단어를 쓰시오.

31 I was very ____________ during my summer vacation.
나는 여름방학 동안 굉장히 게을렀다.

32 My father is ____________, but my mother is very friendly.
나의 아버지는 엄하시지만, 나의 어머니는 무척 다정하시다.

33 He has a ____________ point of view.
그는 부정적인 견해를 가지고 있다.

34 She is ____________ not to tell secrets.
그녀는 비밀을 말하지 않도록 조심한다.

35 Artists have used cartoons to ____________ well-known people.
예술가들은 유명한 사람들을 웃음거리로 만들기 위해 만화를 사용해 왔다.

36 The story is about an ____________ king.
그 이야기는 한 사악한 왕에 관한 것이다.

37 She must be ____________ of her appearance.
그녀는 자신의 외모를 자랑스럽게 여기는 것이 틀림없다.

38 She has a strong ____________.
그녀는 성격이 강하다.

39 Don't you think it's ____________ to kick the dog?
개를 발로 차는 것은 잔인하다고 생각하지 않니?

40 This song makes me feel ____________.
이 노래는 나를 차분하게 만든다.

Day 02

Daily Check-up

[01~30] 영어 단어를 보고 알맞은 뜻을, 뜻을 보고 알맞은 영어 단어를 쓰시오.

01 cute	______	16 못생긴, 추한	______
02 pretty	______	17 과체중의	______
03 beautiful	______	18 턱수염	______
04 young	______	19 단정한, 깔끔한	______
05 handsome	______	20 평범하게 생긴	______
06 slim	______	21 깡마른	______
07 lovely	______	22 적합하다, 꼭 맞다	______
08 good-looking	______	23 가는, 가느다란	______
09 charming	______	24 염색하다	______
10 image	______	25 외모	______
11 grow up	______	26 매력적인	______
12 both A and B	______	27 근육질의	______
13 sideburns	______	28 코밑수염	______
14 bald	______	29 중년의	______
15 curly	______	30 체격	______

맞은 개수 /40

[31~40] 다음 문장의 빈칸에 알맞은 단어를 쓰시오.

31 This novel is ____________ interesting.
이 소설은 매우 재미있다.

32 Can you imagine the monster's big mouth and ____________, long tail?
그 괴물의 큰 입과 추하고 긴 꼬리를 상상할 수 있니?

33 Many ____________ students have their own cell phones.
많은 어린 학생이 자신의 휴대 전화를 갖고 있다.

34 The interior of the building was ____________ and simple.
그 건물의 내부는 꾸밈없고 소박했다.

35 Brad is almost ____________, but he is still handsome.
Brad는 거의 대머리지만 그래도 잘생겼다.

36 She was a ninth grade student with short ____________ hair.
그녀는 짧은 곱슬머리의 9학년 학생이었다.

37 She has an ____________ smile.
그녀는 매력적인 미소를 지니고 있다.

38 The actor grew long ____________ for the movie.
그 배우는 영화를 위해서 긴 구레나룻을 길렀다.

39 She is a ____________ woman about fifty years old.
그녀는 50세 가량의 중년 여성이다.

40 When she ____________, she became a symbol of beauty.
그녀는 자라서 아름다움의 상징이 되었다.

Day 03

Daily Check-up

[01~30] 영어 단어를 보고 알맞은 뜻을, 뜻을 보고 알맞은 영어 단어를 쓰시오.

01 fear ______

02 cry ______

03 calm down ______

04 feel sorry for ______

05 grateful ______

06 delighted ______

07 anxious ______

08 ashamed ______

09 emotion ______

10 mad ______

11 surprised ______

12 pleased ______

13 miss ______

14 regret ______

15 frightened ______

16 웃다 ______

17 의기소침한 ______

18 만족한 ______

19 즐기는 ______

20 걱정스러운 ______

21 흥분한, 신이 난 ______

22 즐기다 ______

23 짜증 난, 화가 난 ______

24 기쁜 ______

25 무서운, 끔찍한 ______

26 기분이 상한 ______

27 기쁨, 즐거움 ______

28 괴롭히다 ______

29 동정 ______

30 실망한, 낙담한 ______

맞은 개수 /40

[31~40] 다음 문장의 빈칸에 알맞은 단어를 쓰시오.

31 I'm ____________ that they will not be friends anymore.
나는 그들이 더이상 친구가 되지 않을까봐 걱정스럽다.

32 He was ____________ that he was still young.
그는 자신이 여전히 젊다는 것에 기뻤다.

33 I will ____________ you! Please come back soon.
당신이 그리울 거예요! 곧 돌아오세요.

34 My dad was ____________ to hear the news.
나의 아버지는 그 소식을 듣고 놀라셨다.

35 He was ____________ at the decision.
그는 그 결정에 실망했다.

36 I didn't want to ____________ myself.
나는 나 자신을 안쓰럽게 여기고 싶지 않았다.

37 She woke up in the middle of the night because of a ____________ nightmare.
그녀는 무서운 악몽 때문에 한밤중에 잠에서 깼다.

38 I have a ____________ of heights.
나는 고소 공포증이 있다.

39 Aren't you ____________ of what you've done to me?
네가 나에게 한 짓에 대해 부끄럽지 않니?

40 Taking selfies in public restrooms may ____________ other people.
공중화장실에서 셀카를 찍는 것은 다른 사람들에게 방해가 될지도 모른다.

Day 04

Daily Check-up

[01~30] 영어 단어를 보고 알맞은 뜻을, 뜻을 보고 알맞은 영어 단어를 쓰시오.

01 officer ____________

02 gardener ____________

03 photographer ____________

04 announcer ____________

05 astronaut ____________

06 detective ____________

07 be[become] interested in ____________

08 scientist ____________

09 mechanic ____________

10 baker ____________

11 soldier ____________

12 professor ____________

13 judge ____________

14 novelist ____________

15 businessman ____________

16 기자, 통신원 ____________

17 기사, 기술자 ____________

18 변호사 ____________

19 치과의사 ____________

20 건축가 ____________

21 대통령 ____________

22 판매원 ____________

23 목수 ____________

24 어부 ____________

25 미용사 ____________

26 비서 ____________

27 삽화가 ____________

28 ~에 능숙하다 ____________

29 경호원, 경비원 ____________

30 회계사 ____________

[31~40] 다음 문장의 빈칸에 알맞은 단어를 쓰시오.

31 ____________ use an oven to bake bread.

제빵사들은 빵을 굽기 위해 오븐을 사용한다.

32 I've worked as an ____________ for two years.

나는 2년 동안 기술자로 일해 왔다.

33 I will study hard to be an international ____________.

나는 국제 변호사가 되기 위해서 열심히 공부할 것이다.

34 A car ____________ has repaired his car as good as new.

자동차 정비공이 그의 차를 새것처럼 수리했다.

35 I hired a ____________ to repair an old house.

나는 오래된 집을 수리하기 위해서 목수를 고용했다.

36 The ____________ cast a net into the water.

그 어부는 물속으로 그물을 던졌다.

37 The ____________ finally decided to set Joseph free.

판사는 마침내 Joseph을 석방하기로 결정했다.

38 An ____________ is an artist who draws pictures for books.

삽화가는 책에 들어가는 그림을 그리는 예술가이다.

39 You can be a 3D modeler if you ____________ computer programming and art.

당신이 컴퓨터 프로그래밍과 미술을 잘한다면 3D 모델러가 될 수 있다.

40 In 2008, South Korea had its first ____________.

2008년에 한국은 첫 우주비행사를 탄생시켰다.

Day 05

Daily Check-up

[01~30] 영어 단어를 보고 알맞은 뜻을, 뜻을 보고 알맞은 영어 단어를 쓰시오.

01 pants	________	16 나비넥타이	________
02 sweater	________	17 굽 높은 구두	________
03 skirt	________	18 긴 양말, 스타킹	________
04 tie	________	19 샌들	________
05 socks	________	20 돈주머니, 지갑	________
06 material	________	21 조끼	________
07 gloves	________	22 멜빵 바지	________
08 dress	________	23 운동화	________
09 button	________	24 ~을 입어 보다	________
10 jeans	________	25 스카프, 목도리	________
11 suit	________	26 재킷, 상의, 웃옷	________
12 pocket	________	27 반바지, 운동 팬츠	________
13 put on	________	28 벨트, 허리띠	________
14 take off	________	29 유니폼, 제복	________
15 wallet	________	30 장화, 부츠	________

맞은 개수 /40

[31~40] 다음 문장의 빈칸에 알맞은 단어를 쓰시오.

31 You'd better wear a light ____________ at night.
밤에는 가벼운 스웨터를 입는 게 좋겠다.

32 This leather ____________ is really cool.
이 가죽 허리띠는 정말 멋있다.

33 The black ____________ which she wore in a movie is famous even today.
그녀가 영화에서 입었던 검정 옷은 오늘날까지도 유명하다.

34 People wear ____________ during the hot summer.
사람들은 더운 여름에 반바지를 입는다.

35 It's cold. You'd better ____________ up your coat.
날씨가 춥네. 코트의 단추를 채우는 게 좋겠구나.

36 It has a ____________ on the outside, so it is very useful.
그것은 바깥쪽에 주머니가 있어서 매우 유용해.

37 Do you usually wear ____________?
당신은 보통 하이힐을 신나요?

38 There are various kinds of ____________ in the store.
그 가게에는 다양한 종류의 운동화들이 있다.

39 Would you like to ____________ the next bigger size?
한 치수 큰 걸로 입어 보시겠어요?

40 My little brother is wearing a pair of blue ____________.
내 남동생은 파란색 멜빵 바지를 입고 있다.

Day 06

Daily Check-up

[01~30] 영어 단어를 보고 알맞은 뜻을, 뜻을 보고 알맞은 영어 단어를 쓰시오.

01 sugar	____________	16 국수	____________
02 salt	____________	17 절인 것; 절이다	____________
03 soup	____________	18 스튜, 찌개	____________
04 fish	____________	19 다이어트, 식이요법	____________
05 grab	____________	20 간식	____________
06 pepper	____________	21 달걀	____________
07 rice	____________	22 소고기	____________
08 flour	____________	23 스테이크	____________
09 honey	____________	24 돼지고기	____________
10 mustard	____________	25 버터	____________
11 set the table	____________	26 빵	____________
12 eat out	____________	27 잼	____________
13 cereal	____________	28 고기	____________
14 appetizer	____________	29 식사	____________
15 side dish	____________	30 가루	____________

맞은 개수 /40

[31~40] **다음 문장의 빈칸에 알맞은 단어를 쓰시오.**

31 I am allergic to ____________, so I can't eat it.
나는 돼지고기에 알레르기가 있어서 그것을 먹을 수가 없다.

32 Would you pass me the ____________, please?
제게 후추를 건네주시겠어요?

33 We decided to have seafood fried ____________ for lunch.
우리는 점심으로 해산물 볶음밥을 먹기로 결정했다.

34 I work with dough made of ____________, sugar, and cream.
나는 밀가루, 설탕, 크림으로 만든 반죽을 가지고 일한다.

35 They can choose daily from many dishes, such as curry, ____________, or pasta. 그들은 매일 카레, 국수나 파스타와 같은 많은 음식 중에서 선택할 수 있다.

36 She put some cocoa ____________ into a mug of hot milk.
그녀는 뜨거운 우유가 담긴 머그잔에 코코아 가루를 좀 넣었다.

37 I will ____________ while my mom makes dinner.
나는 엄마가 저녁 식사를 만드실 동안 식탁을 차릴 것이다.

38 She put some ____________ on the baked potato.
그녀는 구운 감자에 소금을 좀 쳤다.

39 Would you like to have a slice of this ____________?
이 빵 한 조각 드시겠어요?

40 I had a hard boiled ____________ for breakfast.
나는 아침으로 단단하게 삶은 달걀 한 개를 먹었다.

Day 07

Daily Check-up

[01~30] 영어 단어를 보고 알맞은 뜻을, 뜻을 보고 알맞은 영어 단어를 쓰시오.

01 basket ____________

02 handle ____________

03 roll ____________

04 slice ____________

05 refrigerator ____________

06 plate ____________

07 tray ____________

08 scoop ____________

09 grill ____________

10 kettle ____________

11 be used for ____________

12 keep on ~ing ____________

13 cabinet ____________

14 recipe ____________

15 blender ____________

16 굽다 ____________

17 튀기다 ____________

18 끓이다 ____________

19 컵, 유리잔 ____________

20 칼 ____________

21 썰다, 다지다 ____________

22 뚜껑 ____________

23 붓다 ____________

24 (속이 깊은) 냄비 ____________

25 (우묵한) 그릇 ____________

26 (입구가 넓은) 병 ____________

27 (납작한) 냄비 ____________

28 휘저어 섞다 ____________

29 찌다 ____________

30 따개 ____________

맞은 개수 /40

[31~40] 다음 문장의 빈칸에 알맞은 단어를 쓰시오.

31 ____________ the fish until it's brown on both sides.
양쪽 면이 갈색이 될 때까지 생선을 튀기세요.

32 ____________ two cups of water for about 10 minutes.
물 2컵을 약 10분간 끓이세요.

33 Put vegetables and fruit into the ____________.
채소와 과일을 바구니에 담으세요.

34 Put the ____________ on the pot and boil the water.
냄비 뚜껑을 덮고 물을 끓이세요.

35 ____________ out the pizza dough and spread the sauce over it.
피자 반죽을 밀어서 펴고 그 위에 소스를 펴 바르세요.

36 Put vegetables into a ____________ to keep them fresh.
채소를 신선하게 보관하려면 냉장고에 넣어 두세요.

37 ____________ an egg until you make white bubbles.
흰 거품을 만들 때까지 달걀을 휘저어 섞으세요.

38 Shape the dough into balls and ____________ them.
반죽을 공 모양으로 만들어 그것들을 찌세요.

39 The yellow ____________ is hanging on the wall.
노란 주걱이 벽에 걸려 있다.

40 The water in the ____________ has begun to boil.
주전자에 있는 물이 끓기 시작했다.

Day 08

Daily Check-up

[01~30] 영어 단어를 보고 알맞은 뜻을, 뜻을 보고 알맞은 영어 단어를 쓰시오.

01 knock ____________

02 soap ____________

03 towel ____________

04 curtain ____________

05 mirror ____________

06 garage ____________

07 laundry ____________

08 water ____________

09 lawn ____________

10 drawer ____________

11 lamp ____________

12 sheet ____________

13 stair ____________

14 scale ____________

15 turn on ____________

16 정원을 가꾸다 ____________

17 아파트 ____________

18 마당 ____________

19 이웃(사람) ____________

20 문 ____________

21 침실 ____________

22 지붕 ____________

23 마루, 바닥 ____________

24 먹이를 주다 ____________

25 욕실 ____________

26 천장 ____________

27 선반 ____________

28 싱크대, 개수대 ____________

29 수도꼭지 ____________

30 제자리에 (있는) ____________

[31~40] 다음 문장의 빈칸에 알맞은 단어를 쓰시오.

31 We used to play hide-and-seek in the ____________.
우리는 마당에서 숨바꼭질을 하곤 했다.

32 Wash your hands with ____________ and warm water.
비누와 따뜻한 물로 손을 씻어라.

33 The ____________ were closed.
커튼은 닫혀 있었다.

34 There is a hole in the ____________. We need to fix it right now.
지붕에 구멍이 있다. 지금 당장 그것을 고쳐야 한다.

35 My mom is hanging ____________ on the clothesline.
엄마는 빨랫줄에 세탁물을 널고 계신다.

36 The ____________ in my backyard is getting thick.
내 뒷마당 잔디가 무성하게 자라고 있다.

37 Did you weigh the box on the ____________?
그 상자를 저울에 달아 보았니?

38 He fixed the pot ____________ with clay.
그는 찰흙으로 항아리를 제자리에 고정시켰다.

39 Yesterday I arranged my books on the ____________.
나는 어제 선반에 있는 내 책들을 정리했다.

40 Something's wrong with this ____________. I can't turn it on.
이 전기스탠드는 뭔가 잘못되었다. 나는 그것을 켤 수가 없다.

Day 09

Daily Check-up

[01~30] 영어 단어를 보고 알맞은 뜻을, 뜻을 보고 알맞은 영어 단어를 쓰시오.

01 drive	________	16 주차하다; 공원	________
02 fare	________	17 정류장; 정차하다	________
03 curve	________	18 지하철	________
04 license	________	19 좌석	________
05 transfer	________	20 길, 도로	________
06 platform	________	21 자전거	________
07 transport	________	22 철도 선로, 궤도	________
08 crash	________	23 철로	________
09 get on	________	24 표지(판); 서명하다	________
10 station	________	25 승객	________
11 wheel	________	26 항구	________
12 limit	________	27 휘발유, 가솔린	________
13 route	________	28 사고	________
14 cross	________	29 앞으로	________
15 traffic	________	30 걸어서, 도보로	________

[31~40] 다음 문장의 빈칸에 알맞은 단어를 쓰시오.

31 People ____________ on the left-hand side of the road in England.
영국에서는 사람들이 도로 왼편으로 운전한다.

32 There were no ____________ in the bus.
버스 안에 좌석이 없었다.

33 Riding a ____________ is good for your health.
자전거를 타는 것은 너의 건강에 좋다.

34 When they were ____________ a frozen river, the dog stopped.
그들이 언 강을 건너고 있을 때, 그 개가 멈춰 섰다.

35 The road ____________ toward the deep forest.
그 도로는 깊은 숲을 향해 구부러져 있다.

36 Would you show me your driver's ____________?
운전면허증을 보여 주시겠습니까?

37 Do you mind moving ____________ a little bit?
앞으로 조금만 움직여 주시겠어요?

38 Because we are out of ____________, we can't go any farther.
기름이 떨어져서, 우리는 더이상 갈 수 없다.

39 Most companies ____________ machines by ship.
대부분의 회사들이 배로 기계를 수송한다.

40 She had to climb stairs in subway stations and ____________ crowded buses.
그녀는 지하철역의 계단을 올라가서 혼잡한 버스를 타야 했다.

Day 10

Daily Check-up

[01~30] 영어 단어를 보고 알맞은 뜻을, 뜻을 보고 알맞은 영어 단어를 쓰시오.

01 desk	________	16 ~을 작성하다	________
02 chair	________	17 책장, 책꽂이	________
03 room	________	18 관리자	________
04 company	________	19 계산기	________
05 interview	________	20 문구류	________
06 staple	________	21 서류철	________
07 call	________	22 달력	________
08 letter	________	23 인쇄기, 프린터	________
09 seal	________	24 봉투	________
10 punch	________	25 풀; 접착하다	________
11 highlighter	________	26 가위	________
12 document	________	27 지우개	________
13 printout	________	28 클립; 자르다	________
14 photocopy	________	29 핀으로 고정하다	________
15 deal with	________	30 메시지	________

맞은 개수 /40

[31~40] 다음 문장의 빈칸에 알맞은 단어를 쓰시오.

31 Put the broken pieces back together with the ____________.
풀로 깨진 조각들을 다시 붙이세요.

32 These ____________ aren't sharp enough.
이 가위는 잘 들지 않는다.

33 During the 1970's, she worked for a design ____________.
1970년대 동안 그녀는 디자인 회사에서 일했다.

34 Please mark the date of the next meeting on your ____________.
달력에 다음 회의 날짜를 표시해 놓으세요.

35 He addressed the ____________ and mailed it.
그는 봉투에 주소를 쓴 후 우편으로 그것을 보냈다.

36 I'm afraid he is not at home now. Can I take a ____________?
지금 그가 집에 없는 것 같네요. 메시지를 전해 드릴까요?

37 I think we need a bigger ____________.
나는 우리가 더 큰 책장이 필요하다고 생각한다.

38 Can I borrow your ____________, please?
계산기를 빌릴 수 있을까요?

39 She ordered some more office ____________.
그녀는 사무용품을 좀 더 주문했다.

40 Could you get me a ____________ of last year's sales figures?
지난해 판매 수치에 대한 출력물을 제게 가져다주시겠어요?

Day 11

Daily Check-up

[01~30] 영어 단어를 보고 알맞은 뜻을, 뜻을 보고 알맞은 영어 단어를 쓰시오.

01 hospital	____________	16 건물	____________
02 museum	____________	17 제과점	____________
03 city hall	____________	18 소방서	____________
04 police station	____________	19 왼쪽	____________
05 village	____________	20 쓰레기	____________
06 direction	____________	21 똑바른, 직선의	____________
07 street	____________	22 모퉁이, 구석	____________
08 avenue	____________	23 방향 전환; 돌다	____________
09 block	____________	24 약국	____________
10 sewer	____________	25 보행자	____________
11 give ~ a ride	____________	26 백화점	____________
12 be known for	____________	27 인도, 보도	____________
13 in the middle of	____________	28 순찰대, 순찰 경관	____________
14 crosswalk	____________	29 신호, 신호기	____________
15 intersection	____________	30 고속도로	____________

맞은 개수 /40

[31~40] 다음 문장의 빈칸에 알맞은 단어를 쓰시오.

31 I'll stop off at a ____________ on the way home.
나는 집에 가는 길에 제과점에 잠깐 들를 것이다.

32 She took her cat to the animal ____________.
그녀는 자신의 고양이를 동물 병원에 데려갔다.

33 ABC Hotel is on your ____________ at the end of this street.
ABC 호텔은 이 길 끝 왼쪽에 있다.

34 The ____________ to his castle was beautiful with trees and flowers.
그의 성으로 가는 큰 길은 나무와 꽃들로 아름다웠다.

35 Will you go ____________ home after school?
너는 방과 후에 곧장 집으로 갈 거니?

36 ____________ left on the second block.
두 번째 블록에서 좌회전하세요.

37 It's not a ____________. Don't cross the street here.
여기는 횡단보도가 아니야. 여기서 길을 건너지 마.

38 This is the Hana Youth Center, and it is ____________ our town.
여기는 하나 청소년 센터이고, 이곳은 우리 마을 중앙에 있다.

39 The city ____________ its beautiful beaches.
그 도시는 아름다운 해변으로 유명하다.

40 A bad smell was coming from the ____________.
하수구에서 악취가 올라오고 있었다.

Day 12

Daily Check-up

[01~30] 영어 단어를 보고 알맞은 뜻을, 뜻을 보고 알맞은 영어 단어를 쓰시오.

01 hang	________	16 다리미	________
02 dust	________	17 올리다, 들어올리다	________
03 tool	________	18 세탁물; 씻다	________
04 drill	________	19 망치	________
05 saw	________	20 스위치	________
06 set up	________	21 사다리	________
07 clean up	________	22 나르다	________
08 trim	________	23 손전등	________
09 polish	________	24 물통, 양동이	________
10 screw	________	25 가사, 집안일	________
11 broom	________	26 파다, 파헤치다	________
12 shovel	________	27 청소하다, 쓸다	________
13 wrench	________	28 개다, 접다	________
14 mop	________	29 갈퀴; 긁어모으다	________
15 daily	________	30 콘센트; 출구	________

[31~40] 다음 문장의 빈칸에 알맞은 단어를 쓰시오.

31 My shirt is so wrinkled, so I need an ___________.
내 셔츠가 너무 구겨져서 다리미가 필요하다.

32 ___________ the kitchen floor and be sure to clean the table.
부엌 바닥을 대걸레로 닦고 반드시 식탁을 청소하세요.

33 The women were ___________ food on their heads.
그 여자들은 음식을 머리에 이고 나르고 있었다.

34 My father used a ___________ to make a hole in the board.
아버지는 판자에 구멍을 뚫기 위해 송곳을 사용하셨다.

35 They ___________ the dead branches off the tree.
그들은 그 나무에서 죽은 가지들을 톱으로 잘라 냈다.

36 Workers are ___________ holes in the garden.
인부들이 정원에서 구덩이를 파고 있다.

37 She ___________ the garden clean.
그녀는 정원을 깨끗이 청소했다.

38 She ___________ the clothes neatly and put them in the closet.
그녀는 옷을 깔끔하게 개서 그것들을 옷장에 넣었다.

39 He ___________ a fence around the garden.
그는 정원 주변에 울타리를 세웠다.

40 The ___________ is hanging on the wall.
삽이 벽에 걸려 있다.

Day 13

Daily Check-up

[01~30] 영어 단어를 보고 알맞은 뜻을, 뜻을 보고 알맞은 영어 단어를 쓰시오.

01 ice ____________

02 bar ____________

03 piece ____________

04 counter ____________

05 smoked ____________

06 fresh ____________

07 grain ____________

08 vegetable ____________

09 on sale ____________

10 for free ____________

11 line up ____________

12 grocery ____________

13 container ____________

14 aisle ____________

15 package ____________

16 병 ____________

17 깡통, 통조림 ____________

18 항목, 품목 ____________

19 꾸러미, 한 상자 ____________

20 손수레, 카트 ____________

21 해산물 ____________

22 계산원 ____________

23 냉동고 ____________

24 냉동식품 ____________

25 분무기; 뿌리다 ____________

26 (뚜껑 달린) 큰 상자 ____________

27 우유의, 유제품의 ____________

28 (한 묶음의) 다발 ____________

29 더미 ____________

30 금전 등록기 ____________

맞은 개수 /40

[31~40] 다음 문장의 빈칸에 알맞은 단어를 쓰시오.

31 Could you put your groceries up on the ____________?
식료품을 계산대 위에 올려 주시겠어요?

32 She made salad with some ____________ lettuce and tomatoes.
그녀는 약간의 신선한 양상추와 토마토로 샐러드를 만들었다.

33 Paul always puts ____________ in his water or juice.
Paul은 항상 자신의 물이나 주스에 얼음을 넣는다.

34 They sell that ____________ at a discount of 40 percent.
그들은 그 품목을 40% 할인하여 판매한다.

35 She was pushing a shopping ____________ in the supermarket.
그녀는 슈퍼마켓에서 쇼핑 카트를 밀고 있었다.

36 ____________ is a way to preserve food for a long time.
냉동식품은 음식을 오랫동안 보관하기 위한 하나의 방법이다.

37 He was thirsty, so he opened a milk ____________ and shook it.
그는 목이 말라서 우유 용기를 열고 그것을 흔들었다.

38 The cereal is at the end of ____________ 15.
시리얼은 15번 통로 끝에 있다.

39 If you buy this toothbrush, we'll give you toothpaste ____________.
이 칫솔을 구입하시면, 치약 하나를 공짜로 드립니다.

40 Please give me two ____________ of these bananas.
이 바나나 두 다발 주세요.

Day 14

Daily Check-up

[01~30] 영어 단어를 보고 알맞은 뜻을, 뜻을 보고 알맞은 영어 단어를 쓰시오.

01 low ______________

02 open ______________

03 heavy ______________

04 full ______________

05 deep ______________

06 wide ______________

07 tight ______________

08 loose ______________

09 sharp ______________

10 be covered with ______________

11 prefer A to B ______________

12 oval ______________

13 square ______________

14 round ______________

15 light ______________

16 깨끗한; 청소하다 ______________

17 높은 ______________

18 평평한, 편평한 ______________

19 어두운 ______________

20 유명한 ______________

21 다채로운, 화려한 ______________

22 텅 빈 ______________

23 금속 ______________

24 플라스틱의, 비닐의 ______________

25 얇은 ______________

26 삼각형 ______________

27 (갈라진) 틈 ______________

28 빛나다 ______________

29 단단한, 굳은 ______________

30 나무로 만든 ______________

[31~40] 다음 문장의 빈칸에 알맞은 단어를 쓰시오.

31 This river is not too ____________, so we can swim here.
이 강은 그리 깊지 않아서 우리는 여기서 수영을 할 수 있어.

32 They served us drinks and a ____________ snack.
그들은 우리에게 음료와 가벼운 간식을 제공했다.

33 The actor looked at the ____________ seats in the theater.
그 배우는 극장의 텅 빈 객석을 바라보았다.

34 An ____________ mirror is hung on the wall.
타원형의 거울이 벽에 걸려 있다.

35 All that ____________ is not gold.
빛나는 것이 다 금은 아니다.

36 I'm looking for a big ____________ wall clock.
나는 나무로 만든 커다란 벽시계를 찾고 있다.

37 The hills ____________ soft green grass.
그 언덕은 부드러운 푸른 잔디로 뒤덮여 있다.

38 He cut the chicken with a ____________ knife.
그는 날카로운 칼로 닭고기를 잘랐다.

39 The skirt that I bought yesterday was a little ____________.
내가 어제 산 그 치마는 조금 몸에 끼었다.

40 That tree shaped like a ____________ is very unique.
삼각형 모양의 저 나무는 매우 독특하다.

Day 15

Daily Check-up

[01~30] 영어 단어를 보고 알맞은 뜻을, 뜻을 보고 알맞은 영어 단어를 쓰시오.

01 look	______	16 부드러운	______
02 listen	______	17 감각; 감지하다	______
03 smell	______	18 객관적인	______
04 loud	______	19 시각, 시력	______
05 hard	______	20 빤히 보다, 응시하다	______
06 noise	______	21 속삭임; 속삭이다	______
07 sour	______	22 즙이 많은	______
08 touch	______	23 쓴, 쓴맛의	______
09 rough	______	24 달콤한	______
10 smooth	______	25 비명을 지르다	______
11 notice	______	26 불쾌한, 나쁜	______
12 observe	______	27 (기분이) 들다	______
13 discover	______	28 지켜보다	______
14 make sense	______	29 맛, 풍미	______
15 audio	______	30 ~에 집중하다	______

[31~40] 다음 문장의 빈칸에 알맞은 단어를 쓰시오.

31 You don't blink often when you ____________ at your smartphone.
당신이 스마트폰을 볼 때는 눈을 자주 깜박이지 않는다.

32 All of a sudden, there was a ____________ sound of thunder.
갑자기 시끄러운 천둥소리가 났다.

33 Get some rest if you ____________ tired.
피곤하다고 느껴진다면 휴식을 취해라.

34 I like ____________ pears.
나는 즙이 많은 배를 좋아한다.

35 Don't ____________ the toys. The kid will get angry.
그 장난감을 만지지 마세요. 그 아이가 화낼 거예요.

36 You should choose a ____________ toothbrush.
당신은 부드러운 칫솔을 선택해야 합니다.

37 He ____________ at blank space.
그는 빈 공간을 응시했다.

38 She ____________ his facial expressions.
그녀는 그의 얼굴 표정을 관찰했다.

39 This sentence doesn't ____________ at all.
이 문장은 전혀 의미가 통하지 않는다.

40 My favorite ice cream ____________ is vanilla.
내가 가장 좋아하는 아이스크림 맛은 바닐라 맛이다.

Day 16

Daily Check-up

[01~30] 영어 단어를 보고 알맞은 뜻을, 뜻을 보고 알맞은 영어 단어를 쓰시오.

01 cough ____________

02 fever ____________

03 sore ____________

04 cut ____________

05 ache ____________

06 dizzy ____________

07 blind ____________

08 deaf ____________

09 patient ____________

10 relax ____________

11 burn ____________

12 symptom ____________

13 wound ____________

14 emergency ____________

15 catch a cold ____________

16 예방하다, 막다 ____________

17 의학의 ____________

18 수술하다 ____________

19 의사의 진찰을 받다 ____________

20 병, 질병 ____________

21 암 ____________

22 고통 ____________

23 약 ____________

24 바이러스 ____________

25 치료법; 치료하다 ____________

26 토하다 ____________

27 재채기하다 ____________

28 멍, 타박상 ____________

29 진찰하다 ____________

30 회복하다 ____________

[31~40] 다음 문장의 빈칸에 알맞은 단어를 쓰시오.

31 The car accident made him go ___________.
차 사고로 그는 시각 장애인이 되었다.

32 Sign language is very important for ___________ people.
수화는 청각 장애인을 위해 매우 중요하다.

33 She ___________ herself on the stove.
그녀는 스토브에 화상을 입었다.

34 Taking a rest can help you ___________ strength.
휴식은 당신이 원기를 회복하는 것을 도울 수 있다.

35 You should have a ___________ checkup regularly.
당신은 정기적으로 건강 검진을 받아야 한다.

36 Take him to the ___________ room right now.
지금 당장 그를 응급실로 데려가세요.

37 You had better ___________ about that cough.
너는 그 기침에 대해 의사의 진찰을 받아 보는 게 좋겠어.

38 A doctor ___________ me and discovered that I had a cold.
의사가 나를 진찰하여 감기에 걸렸다는 것을 알았다.

39 This ointment will treat your ___________.
이 연고가 당신의 상처를 치료해 줄 거예요.

40 I ran a ___________ when I had the flu.
독감에 걸렸을 때 나는 열이 났다.

Day 17

Daily Check-up

[01~30] 영어 단어를 보고 알맞은 뜻을, 뜻을 보고 알맞은 영어 단어를 쓰시오.

01 claim	______	16 신청하다	______
02 check	______	17 여권	______
03 destination	______	18 보험	______
04 security	______	19 도착하다, 도달하다	______
05 all over the world	______	20 출발하다	______
06 have a good time	______	21 도착하다	______
07 delay	______	22 땅; 착륙하다	______
08 jet lag	______	23 해외로	______
09 souvenir	______	24 짐, 수하물	______
10 attendant	______	25 관광	______
11 board	______	26 비자, 사증	______
12 itinerary	______	27 비행	______
13 journey	______	28 풍경	______
14 cancel	______	29 예약하다	______
15 scenery	______	30 여행	______

맞은 개수 /40

[31~40] 다음 문장의 빈칸에 알맞은 단어를 쓰시오.

31 Our journey has almost ____________ its end.
우리의 여행은 거의 막바지에 이르렀다.

32 I want to be a flight ____________.
나는 비행기 승무원이 되고 싶다.

33 My dream is to travel ____________ after retirement.
내 꿈은 은퇴 후에 해외 여행을 하는 것이다.

34 Please check your ____________ before departure.
출발 전에 미리 일정표를 확인하시기 바랍니다.

35 Spain is one of the most popular holiday ____________.
스페인은 가장 인기 있는 휴가 목적지 중 하나이다.

36 I've ____________ a room under the name of Mariam.
Mariam이라는 이름으로 객실을 예약했어요.

37 I ____________ for a visa for the U.S.
나는 미국 비자를 신청했다.

38 The departure was ____________ due to the storm.
폭풍 때문에 출발이 지연되었다.

39 This is a ____________ I got from my trip to China last year.
이것은 내가 작년 중국 여행에서 산 기념품이다.

40 Where is the baggage ____________?
수하물 찾는 곳이 어디죠?

Day 18

Daily Check-up

[01~30] 영어 단어를 보고 알맞은 뜻을, 뜻을 보고 알맞은 영어 단어를 쓰시오.

01 hike ________	16 음악의; 뮤지컬 ________
02 comic ________	17 춤; 춤을 추다 ________
03 camp ________	18 영화 ________
04 volunteer ________	19 수수께끼, 퍼즐 ________
05 chat ________	20 모으다 ________
06 model ________	21 체스, 서양 장기 ________
07 knit ________	22 기쁨 ________
08 spend ... on ~ing ________	23 우표; 도장 ________
09 go (out) for a walk ________	24 조깅하다 ________
10 from time to time ________	25 마법, 주술 ________
11 game ________	26 고치다 ________
12 interest ________	27 가장 좋아하는 ________
13 picture ________	28 열광 ________
14 activity ________	29 여가; 한가한 ________
15 craft ________	30 수반하다 ________

[31~40] 다음 문장의 빈칸에 알맞은 단어를 쓰시오.

31 My sister likes to ___________ post cards.
내 여동생은 엽서 모으기를 좋아한다.

32 People really liked my ___________ books and cartoons.
사람들이 내 만화책과 만화 영화를 정말로 좋아했다.

33 Reading is her ___________. I think she is a bookworm.
독서는 그녀의 기쁨이다. 내 생각에 그녀는 책벌레이다.

34 How many old ___________ do you have?
너는 옛날 우표가 몇 장이 있니?

35 It's important to have ___________ time for our health.
우리의 건강을 위해서 여가 시간을 갖는 것은 중요하다.

36 Collecting coins doesn't ___________ lots of energy.
동전을 수집하는 것은 많은 에너지를 필요로 하지 않는다.

37 To be an active listener, nod your head ___________.
능동적인 청자가 되기 위해 가끔 머리를 끄덕여라.

38 My ___________ time of the day is the running practice time.
하루 중 내가 가장 좋아하는 시간은 달리기 연습 시간이다.

39 She has a ___________ for traveling.
그녀는 여행에 열광적이다.

40 Which ___________ instrument can you play?
너는 어떤 악기를 연주할 수 있니?

Day 19

Daily Check-up

[01~30] 영어 단어를 보고 알맞은 뜻을, 뜻을 보고 알맞은 영어 단어를 쓰시오.

01 kick ____________

02 outdoor ____________

03 player ____________

04 bowling ____________

05 prize ____________

06 baseball ____________

07 base ____________

08 match ____________

09 batter ____________

10 throw ____________

11 referee ____________

12 champion ____________

13 warm up ____________

14 up and down ____________

15 coach ____________

16 몸을 쭉 뻗다 ____________

17 수영하다 ____________

18 경쟁; 대회, 시합 ____________

19 (축구의) 골, 득점 ____________

20 사격; (총 등을) 쏘다 ____________

21 농구 ____________

22 잡다; 공을 받다 ____________

23 라켓; 라켓으로 치다 ____________

24 (운동)선수 ____________

25 수비수 ____________

26 (경기) 득점, 점수 ____________

27 땀; 힘든 일 ____________

28 잠수; 잠수하다 ____________

29 스케이트를 타다 ____________

30 파도; 파도를 타다 ____________

[31~40] 다음 문장의 빈칸에 알맞은 단어를 쓰시오.

31 Our ____________ wear a red uniform.
우리 선수들은 빨간색 유니폼을 입는다.

32 The man ____________ an arrow from his bow.
그 남자는 자신의 활로 화살을 한 대 쏘았다.

33 I went to see a ____________ game last night.
나는 어젯밤에 야구 경기를 보러 갔었다.

34 He is the world wrestling ____________.
그는 레슬링 세계 챔피언이다.

35 After the game, she was ____________ heavily.
시합 후 그녀는 심하게 땀을 흘리고 있었다.

36 He ____________ into the pool.
그는 수영장 안으로 뛰어들었다.

37 You should take the time to ____________ before working out!
운동하기 전에 준비 운동을 할 시간을 가져야 해!

38 The ____________ at half-time was 2-2.
전반전이 끝났을 때의 점수는 2대 2였다.

39 He struck out three ____________.
그는 타자 세 명을 삼진으로 잡았다.

40 My favorite ____________ sport is tennis.
내가 가장 좋아하는 실외 스포츠는 테니스다.

Day 20

Daily Check-up

[01~30] 영어 단어를 보고 알맞은 뜻을, 뜻을 보고 알맞은 영어 단어를 쓰시오.

01 store ____________

02 gift ____________

03 cheap ____________

04 expensive ____________

05 pay ____________

06 business ____________

07 tax ____________

08 exchange ____________

09 select ____________

10 reasonable ____________

11 catalog ____________

12 quality ____________

13 look around ____________

14 drop by ____________

15 medium ____________

16 판매; 세일 ____________

17 팔다 ____________

18 선택하다 ____________

19 상품, 물품 ____________

20 꼬리표; 정가표 ____________

21 현금 ____________

22 거스름돈 ____________

23 고객 ____________

24 전시, 진열 ____________

25 노점, 가판대 ____________

26 소매 ____________

27 할인; 할인하다 ____________

28 영수증 ____________

29 (유명) 상표가 붙은 ____________

30 경매 ____________

[31~40] 다음 문장의 빈칸에 알맞은 단어를 쓰시오.

31 I bought this dress ____________ at a sale.
나는 이 원피스를 세일 때 싸게 샀다.

32 They were ____________ five T-shirts for only 10 dollars.
그들은 티셔츠 5장을 겨우 10달러에 팔고 있었다.

33 Please ____________ only one of these goods.
이 상품들 중 하나만 선택해 주세요.

34 The price is written on the ____________.
가격은 정가표에 쓰여 있습니다.

35 There's a special bargain on ____________ skirts on the third floor.
3층에서 메이커 치마를 특가로 판매합니다.

36 I bought some magazines from the newspaper ____________.
나는 신문 가판대에서 잡지를 좀 샀다.

37 There are many ____________ shops in the town.
그 마을에 많은 소매점이 있다.

38 The store has products of high ____________ from all over the world.
그 가게는 전 세계에서 온 고품질의 상품들을 갖고 있다.

39 You can ____________ various stores at this mall.
이 쇼핑몰에서 다양한 상점들을 둘러볼 수 있다.

40 ____________ the convenience store and buy some milk.
편의점에 들러서 우유를 좀 사오렴.

Day 21

Daily Check-up

[01~30] 영어 단어를 보고 알맞은 뜻을, 뜻을 보고 알맞은 영어 단어를 쓰시오.

01 take ____________

02 order ____________

03 cook ____________

04 dessert ____________

05 napkin ____________

06 bite ____________

07 spill ____________

08 special ____________

09 rare ____________

10 beverage ____________

11 refill ____________

12 wrap ____________

13 bill ____________

14 be ready to ____________

15 wait for ____________

16 요리사, 주방장 ____________

17 뷔페 식당 ____________

18 웨이터 ____________

19 놓다; 준비하다 ____________

20 배달하다 ____________

21 닦다 ____________

22 빨대; 지푸라기 ____________

23 칼로리, 열량 ____________

24 시중들다 ____________

25 뾰족한 끝 ____________

26 합계; 전체의 ____________

27 재료 ____________

28 추천하다 ____________

29 식욕 ____________

30 A와 B 둘 중 하나 ____________

맞은 개수 /40

[31~40] 다음 문장의 빈칸에 알맞은 단어를 쓰시오.

31 I ____________ a steak 30 minutes ago, but it hasn't come yet.
제가 30분 전에 스테이크를 주문했는데 아직 나오지 않았어요.

32 The ____________ created this tasty new dish.
그 요리사가 이 맛있는 새 음식을 개발했다.

33 We have a ____________ like churros at lunch.
우리는 점심에 추로스와 같은 디저트를 먹는다.

34 Could you ____________ down the table again?
테이블을 다시 닦아 주시겠어요?

35 How many ____________ do you need?
빨대가 몇 개 필요하신가요?

36 I'd like my steak ____________, please.
제 스테이크는 덜 익혀 주세요.

37 Here's the ____________ menu.
여기 음료 메뉴판이 있습니다.

38 Mix the ____________ together in the bowl.
그릇에 담긴 재료들을 함께 섞으세요.

39 Actually I don't have much of an ____________ now.
사실 지금은 식욕이 별로 없어.

40 The food is very hot, so ____________ it to cool down.
음식이 무척 뜨거우니 그것이 식기를 기다리세요.

Day 22 Daily Check-up

[01~30] 영어 단어를 보고 알맞은 뜻을, 뜻을 보고 알맞은 영어 단어를 쓰시오.

01 wave ____________
02 all day long ____________
03 vacation ____________
04 cooler ____________
05 blanket ____________
06 snorkel ____________
07 suntan ____________
08 raft ____________
09 expose ____________
10 parasol ____________
11 sunbath ____________
12 lifeguard ____________
13 lifeboat ____________
14 flipper ____________
15 binoculars ____________

16 모래 ____________
17 조개 ____________
18 돗자리, 매트 ____________
19 호각; 호각을 불다 ____________
20 자외선 차단제 ____________
21 물 위에 뜨다 ____________
22 ~을 고대하다 ____________
23 요트 ____________
24 선글라스 ____________
25 그늘 ____________
26 물가, 기슭 ____________
27 수영복 ____________
28 조약돌, 자갈 ____________
29 (쓰레기 등을) 버리다 ____________
30 잠수용 호흡 장치 ____________

[31~40] 다음 문장의 빈칸에 알맞은 단어를 쓰시오.

31 A banana boat is a long ____________.
바나나 보트는 긴 고무 보트이다.

32 He traveled around the world on a ____________.
그는 요트를 타고 세계 곳곳을 여행했다.

33 They blew a ____________ to warn the swimmers of possible danger.
그들은 수영하는 사람들에게 발생할 수 있는 위험을 경고하고자 호각을 불었다.

34 We wore a one-piece ____________ and dived into the pool.
우리는 원피스 수영복을 입고 수영장으로 뛰어들었다.

35 They were watching other swimmers with the ____________.
그들은 쌍안경으로 다른 수영선수들을 지켜보고 있었다.

36 There are many ____________ on this beach.
이 해변에는 조약돌이 많다.

37 You should not ____________ your skin to the sun.
햇볕에 피부를 노출해서는 안 된다.

38 A ____________ is an expert swimmer who rescues people in danger.
인명 구조원은 위험에 처한 사람들을 구조하는 수영 전문가이다.

39 Can you ____________ on your back?
너는 누워서 물에 떠 있을 수 있니?

40 They were standing on the ____________ looking at the sunset.
그들은 일몰을 바라보며 물가에 서 있었다.

Day 23

Daily Check-up

[01~30] 영어 단어를 보고 알맞은 뜻을, 뜻을 보고 알맞은 영어 단어를 쓰시오.

01 festival ______________

02 blow ______________

03 candy ______________

04 year ______________

05 mask ______________

06 celebrate ______________

07 hide ______________

08 invitation ______________

09 decorate ______________

10 witch ______________

11 anniversary ______________

12 reindeer ______________

13 lantern ______________

14 stuff ______________

15 crowded ______________

16 밸런타인 ______________

17 크리스마스 ______________

18 (사람들이) 모이다 ______________

19 신혼여행 ______________

20 부활절 ______________

21 축하하다 ______________

22 추수 감사절 ______________

23 핼러윈 ______________

24 (회의, 행사 등이) 열리다 ______________

25 ~와 비슷하다 ______________

26 전날 밤, 이브 ______________

27 속이다; 속임수 ______________

28 복장; 변장 ______________

29 칠면조 ______________

30 소원; 기원하다 ______________

[31~40] 다음 문장의 빈칸에 알맞은 단어를 쓰시오.

31 *Holi* is the most popular ____________ in India.
'홀리'는 인도에서 가장 인기 있는 축제이다.

32 Children go from house to house collecting ____________ on Halloween.
핼러윈에 어린이들은 집집마다 다니면서 사탕을 모은다.

33 One of her ____________ is to see an aurora.
그녀의 소원들 중 하나는 오로라를 보는 것이다.

34 People ____________ around a big fire at night and sing and dance.
사람들은 밤에 큰 불 주위에 모여서 노래하고 춤을 춘다.

35 Where did you ____________ the Easter eggs?
너는 어디에 부활절 달걀들을 숨겼니?

36 She disguised herself as a ____________.
그녀는 마녀로 변장했다.

37 Today is my parents' wedding ____________.
오늘은 우리 부모님의 결혼기념일이다.

38 ____________ Day is the fourth Thursday in November.
추수 감사절은 11월의 네 번째 목요일이다.

39 His father ____________ a sock with toys by the fireplace.
그의 아버지는 벽난로 옆에서 양말을 장난감들로 채웠다.

40 The film festival ____________ in October.
그 영화제는 10월에 개최된다.

Day 24

Daily Check-up

[01~30] 영어 단어를 보고 알맞은 뜻을, 뜻을 보고 알맞은 영어 단어를 쓰시오.

01 seesaw ____________

02 walk ____________

03 ride ____________

04 bench ____________

05 concert ____________

06 visit ____________

07 rope ____________

08 fountain ____________

09 playground ____________

10 swing ____________

11 sleeping bag ____________

12 merry-go-round ____________

13 flea market ____________

14 botanical garden ____________

15 aquarium ____________

16 모닥불 ____________

17 낚싯대 ____________

18 요트를 타다 ____________

19 놀이, 즐거움 ____________

20 보온병 ____________

21 꼭대기 ____________

22 급류, 여울 ____________

23 모이다, 모으다 ____________

24 ~ 때문에 ____________

25 ~으로 가득 차다 ____________

26 배낭을 지고 걷다 ____________

27 미끄럼틀 ____________

28 사건, 행사 ____________

29 소풍 ____________

30 동물원 ____________

맞은 개수 /40

[31~40] 다음 문장의 빈칸에 알맞은 단어를 쓰시오.

31 You can see pandas at the ___________.
너는 동물원에서 판다를 볼 수 있다.

32 I'm very tired because I ___________ all day.
나는 온종일 걸어서 무척 피곤하다.

33 She ___________ more than 115 cities and ended her trip in 1982.
그녀는 115개 이상의 도시를 방문했고 그녀의 여정은 1982년에 끝이 났다.

34 We moved to the ___________ to play soccer.
우리는 축구 경기를 하기 위해 운동장으로 이동했다.

35 We need a ___________ to keep water warm.
우리는 물을 따뜻하게 유지할 보온병이 필요하다.

36 It is very thrilling to shoot the ___________ by boat.
보트로 급류를 타는 것은 정말 박진감이 있다.

37 On most days, my family ___________ and has a big lunch.
대부분 날에 우리 가족은 모여서 성대한 점심을 먹는다.

38 The campsite ___________ tents of various shapes and sizes.
야영지는 다양한 모양과 크기의 텐트들로 가득 차 있었다.

39 This ___________ is famous for its shark exhibit.
이 수족관은 상어를 전시하는 것으로 유명하다.

40 He was very happy with his new ___________.
그는 자신의 새 낚싯대에 매우 행복해했다.

Day 25

Daily Check-up

[01~30] 영어 단어를 보고 알맞은 뜻을, 뜻을 보고 알맞은 영어 단어를 쓰시오.

01 thunder ____________

02 lightning ____________

03 creature ____________

04 cliff ____________

05 stream ____________

06 element ____________

07 appear ____________

08 source ____________

09 river ____________

10 ocean ____________

11 coast ____________

12 tide ____________

13 polar ____________

14 volcano ____________

15 find out ____________

16 계곡, 골짜기 ____________

17 홍수 ____________

18 폭풍, 허리케인 ____________

19 산들바람 ____________

20 자연의, 자연스러운 ____________

21 숲, 삼림 ____________

22 사막 ____________

23 탐험하다 ____________

24 호수 ____________

25 폭포 ____________

26 산사태 ____________

27 지진 ____________

28 재난, 재해 ____________

29 먹이 사슬 ____________

30 곧바로, 즉시 ____________

[31~40] 다음 문장의 빈칸에 알맞은 단어를 쓰시오.

31 Some Indians built their houses on a narrow ____________.
몇몇 인디언들은 좁은 절벽 위에 그들의 집을 지었다.

32 There are many active ____________ in Hawaii.
하와이에 많은 활화산이 있다.

33 They stopped at an oasis in the ____________.
그들은 사막의 오아시스에서 발걸음을 멈췄다.

34 The four ____________ are earth, water, air, and fire.
4대 요소는 흙, 물, 공기, 그리고 불이다.

35 What can we do to protect people from natural ____________?
사람들을 자연 재해로부터 보호하기 위해 우리는 무엇을 할 수 있나요?

36 They needed medicine ____________, but the town did not have any.
그들은 즉시 약이 필요했지만, 그 마을에는 전혀 없었다.

37 All of a sudden, there was a loud sound of ____________.
갑자기 시끄러운 천둥소리가 났다.

38 There are some houses here and there around the ____________.
계곡 주변에 몇몇 집들이 드문드문 있다.

39 Jimmie Angel first flew over the ____________ in 1933.
Jimmie Angel이 1933년에 그 폭포 위를 처음 비행했다.

40 A ____________ blocked the railway traffic.
산사태로 철도 교통이 차단이 되었다.

Day 26

Daily Check-up

[01~30] 영어 단어를 보고 알맞은 뜻을, 뜻을 보고 알맞은 영어 단어를 쓰시오.

01 foggy	________	16 녹다, 녹이다	________
02 freezing	________	17 강풍	________
03 icy	________	18 청명한; 깨끗한	________
04 dry	________	19 햇빛이 밝은	________
05 moist	________	20 바람이 부는	________
06 forecast	________	21 눈이 내리는	________
07 condition	________	22 온화한, 포근한	________
08 sticky	________	23 폭풍(우)	________
09 up to	________	24 강우, 강우량	________
10 hail	________	25 눈보라	________
11 cloudy	________	26 온도	________
12 rainy	________	27 습한, 눅눅한	________
13 blizzard	________	28 가뭄	________
14 drizzle	________	29 기후	________
15 degree	________	30 ~로 가는 길에	________

맞은 개수 /40

[31~40] 다음 문장의 빈칸에 알맞은 단어를 쓰시오.

31 It's a little ____________ today in Busan.
오늘 부산은 구름이 조금 낀 날씨이다.

32 Most children love ____________ days.
대부분의 아이들은 눈 오는 날을 무척 좋아한다.

33 The ____________ wind was blowing.
얼음같이 찬 바람이 불고 있었다.

34 Store away from heat, and keep it ____________.
열을 피해 그것을 촉촉하게 보관하세요.

35 The ____________ for both seasons continuously increased.
두 계절의 강우량은 지속적으로 증가했다.

36 A severe ____________ has dried up the soil completely.
극심한 가뭄이 땅을 완전히 말라붙게 만들었다.

37 The nurse measured the patient's body ____________.
간호사가 환자의 체온을 쟀다.

38 My body is ____________ with sweat after jogging.
조깅 후에 내 몸은 땀으로 끈적거린다.

39 Temperatures can reach ____________ 50°C in the Sahara Desert.
사하라 사막에서 기온이 섭씨 50도까지 올라갈 수 있다.

40 Our departure depends on the weather ____________.
우리의 출발은 날씨 상황에 달려 있다.

Day 27 Daily Check-up

[01~30] 영어 단어를 보고 알맞은 뜻을, 뜻을 보고 알맞은 영어 단어를 쓰시오.

01 field	______	16 물소, 들소	______
02 horse	______	17 (농)작물; 수확량	______
03 bull	______	18 목초지, 초원	______
04 barn	______	19 건초	______
05 pig	______	20 농가	______
06 harvest	______	21 허수아비	______
07 cattle	______	22 가축류	______
08 lay	______	23 포도밭, 포도원	______
09 cotton	______	24 카우보이, 목동	______
10 shepherd	______	25 닭	______
11 cultivate	______	26 송아지	______
12 orchard	______	27 (작은) 헛간, 오두막	______
13 take care of	______	28 도망치다, 달아나다	______
14 ranch	______	29 농장	______
15 pasture	______	30 염소	______

맞은 개수 /40

[31~40] 다음 문장의 빈칸에 알맞은 단어를 쓰시오.

31 In Mongolia, almost everyone can ride a ___________.
몽골에서는 거의 모든 사람이 말을 탈 수 있다.

32 The angry ___________ broke the fence.
화가 난 황소가 그 울타리를 부쉈다.

33 Some ___________ are eating grass on the hill.
염소 몇 마리가 언덕에서 풀을 먹고 있다.

34 Make ___________ while the sun shines.
해가 날 때 건초를 말려라. (기회를 놓치지 마라.)

35 The farmers ___________ the carrots in the fall.
농부들은 가을에 당근을 수확한다.

36 They are ___________ beans on their farm.
그들은 자신들의 농장에서 콩을 경작하고 있다.

37 People are picking apples at an ___________.
사람들이 과수원에서 사과를 따고 있다.

38 My grandfather worked in a ___________ all his life.
나의 할아버지는 평생을 포도밭에서 일하셨다.

39 A man stole a chicken from the farm and ___________.
한 남자가 농장에서 닭 한 마리를 훔쳐 달아났다.

40 He put some ___________ in the cornfield.
그는 옥수수밭에 허수아비 몇 개를 세웠다.

Day 28

Daily Check-up

[01~30] 영어 단어를 보고 알맞은 뜻을, 뜻을 보고 알맞은 영어 단어를 쓰시오.

01 bloom	______	16 잡초	______
02 fruit	______	17 씨앗, 종자	______
03 grass	______	18 뿌리; 뿌리 뽑다	______
04 cut off	______	19 단풍나무	______
05 little by little	______	20 대나무	______
06 palm	______	21 나날이, 서서히	______
07 sprout	______	22 나무껍질	______
08 bud	______	23 비료	______
09 petal	______	24 관목	______
10 needle	______	25 구근, 알뿌리	______
11 pine tree	______	26 독이 있는	______
12 stem	______	27 약초, 허브	______
13 thorn	______	28 벚나무	______
14 branch	______	29 선인장	______
15 bough	______	30 나무의 몸통 부분	______

[31~40] 다음 문장의 빈칸에 알맞은 단어를 쓰시오.

31 Apple blossoms have ____________ in my backyard.
우리집 뒷마당에 사과꽃들이 피었다.

32 I have to ____________ my garden.
나는 내 정원의 잡초를 뽑아야 한다.

33 The ____________ came up out of the soil.
흙 속에서 새싹들이 나왔다.

34 A rose is beautiful, but its ____________ is deadly.
장미는 아름답지만, 그 가시는 치명적이다.

35 A monkey is hanging from the ____________ of a tree.
원숭이 한 마리가 나무의 큰 가지에 매달려 있다.

36 The bird is enjoying the spring day on a ____________.
그 새는 벚나무에서 봄날을 만끽하고 있다.

37 I spent hours pulling out ____________ thorns.
나는 선인장 가시들을 뽑아내느라 몇 시간을 보냈다.

38 The farmer doesn't use any ____________ to grow his crops.
그 농부는 작물을 기르는 데 어떤 비료도 사용하지 않는다.

39 ____________ the flowers and dry them just after they bloom.
꽃이 활짝 핀 직후에 꽃을 자르고 말려라.

40 The wild mushroom might be ____________.
그 야생 버섯은 독이 있을 수 있다.

Day 29

Daily Check-up

[01~30] 영어 단어를 보고 알맞은 뜻을, 뜻을 보고 알맞은 영어 단어를 쓰시오.

01 kangaroo ______________

02 giraffe ______________

03 zebra ______________

04 camel ______________

05 make friends (with) ______________

06 on one's own ______________

07 snake ______________

08 fox ______________

09 deer ______________

10 sea horse ______________

11 frog ______________

12 dinosaur ______________

13 bird cage ______________

14 whale ______________

15 rhino ______________

16 돌고래 ______________

17 상어 ______________

18 표범 ______________

19 사자 ______________

20 쥐 ______________

21 박쥐 ______________

22 호랑이 ______________

23 곰 ______________

24 거북 ______________

25 하마 ______________

26 악어 ______________

27 문어, 낙지 ______________

28 해파리 ______________

29 어항 ______________

30 도마뱀 ______________

[31~40] 다음 문장의 빈칸에 알맞은 단어를 쓰시오.

31 A female ____________ may have five or six litters yearly.
암컷 쥐는 해마다 대여섯 마리의 새끼를 낳는다.

32 A ____________ was running away from hunters.
여우 한 마리가 사냥꾼들로부터 달아나고 있었다.

33 ____________ eat a lot during the spring and summer.
곰은 봄과 여름 동안 많이 먹는다.

34 How long do baby ____________ stay in their mom's pouch?
새끼 캥거루는 얼마나 오래 어미 캥거루의 주머니 속에 머무나요?

35 Bactrian ____________ have two humps.
쌍봉낙타는 두 개의 혹을 지니고 있다.

36 ____________ usually stay in the water during the day.
하마는 대개 낮 동안 물속에서 지낸다.

37 ____________ have big horns on their heads.
코뿔소는 머리 위에 큰 뿔을 지니고 있다.

38 I want to explore the ocean and ____________ sea animals.
나는 바다를 탐험하면서 바다 동물들과 친구가 되고 싶다.

39 Dad decided to clean the ____________.
아빠는 어항을 청소하기로 했다.

40 Are ____________ cold-blooded or warm-blooded?
상어는 변온동물(냉혈동물)인가요, 항온동물(온혈동물)인가요?

Day 30

Daily Check-up

[01~30] 영어 단어를 보고 알맞은 뜻을, 뜻을 보고 알맞은 영어 단어를 쓰시오.

01 spider ____________

02 butterfly ____________

03 swan ____________

04 owl ____________

05 peacock ____________

06 hummingbird ____________

07 such as ____________

08 all the time ____________

09 moth ____________

10 crow ____________

11 ladybug ____________

12 bee ____________

13 eagle ____________

14 goose ____________

15 cuckoo ____________

16 곤충 ____________

17 날개 ____________

18 암탉 ____________

19 딱정벌레 ____________

20 벼룩 ____________

21 모기 ____________

22 펭귄 ____________

23 부리 ____________

24 비둘기 ____________

25 앵무새 ____________

26 타조 ____________

27 제비; 삼키다 ____________

28 귀뚜라미 ____________

29 애벌레, 유충 ____________

30 ~ 덕분에 ____________

[31~40] 다음 문장의 빈칸에 알맞은 단어를 쓰시오.

31 ____________ usually have six legs.
곤충들은 대개 6개의 다리를 가지고 있다.

32 He took a fresh, warm egg from under a ____________.
그는 암탉 아래에서 신선하고 따뜻한 달걀 하나를 가져왔다.

33 ____________ jump on to animals or humans and hide in their hair.
벼룩은 동물이나 사람한테 튀어 올라 그들의 털에 몸을 숨긴다.

34 He saw some ____________ hunting birds.
그는 몇 마리의 독수리들이 새를 사냥하는 것을 보았다.

35 The gull held the fish in its ____________.
그 갈매기는 자신의 부리로 그 물고기를 물었다.

36 An old woman is feeding the ____________ in the park.
한 노부인이 공원에서 비둘기들에게 먹이를 주고 있다.

37 Most ____________ are active at night.
대부분의 올빼미는 밤에 활동한다.

38 Penguins and ____________ are the birds that cannot fly.
펭귄과 타조는 날 수 없는 새들이다.

39 Only male ____________ sing; females don't.
오직 수컷 귀뚜라미들만이 울고, 암컷은 울지 않는다.

40 Some insects ____________ the mayfly only live one day.
하루살이와 같은 몇몇 곤충들은 겨우 하루를 산다.

Day 31

Daily Check-up

[01~30] 영어 단어를 보고 알맞은 뜻을, 뜻을 보고 알맞은 영어 단어를 쓰시오.

01 environment ____________

02 effect ____________

03 shortage ____________

04 reduce ____________

05 global warming ____________

06 overuse ____________

07 greenhouse ____________

08 be worried about ____________

09 fossil ____________

10 share ____________

11 cause ____________

12 ruin ____________

13 raw ____________

14 pure ____________

15 pollution ____________

16 전기 ____________

17 스모그, 연무 ____________

18 연료 ____________

19 산; 산성의 ____________

20 유독한 ____________

21 배기가스 ____________

22 자원 ____________

23 파괴하다, 부수다 ____________

24 앞뒤로 ____________

25 보호하다 ____________

26 분리하다 ____________

27 멸종 위기의 ____________

28 누출; 새다 ____________

29 손상, 피해 ____________

30 쓰레기 ____________

[31~40] 다음 문장의 빈칸에 알맞은 단어를 쓰시오.

31 They're working to ____________ the rain forest in the Amazon.
그들은 아마존의 열대 우림을 보호하기 위해 노력하고 있다.

32 They ____________ and recycle garbage.
그들은 쓰레기를 분리하고 재활용한다.

33 Hurricanes have ____________ many villages.
허리케인이 많은 마을을 파괴했다.

34 Too much development ____________ the forest.
너무 많은 개발이 숲을 파괴했다.

35 The nations ____________ an interest in environmental issues.
그 나라들은 환경 문제들에 대한 관심을 공유했다.

36 ____________ material prices are rising.
원자재 가격이 상승하고 있다.

37 Many scientists ____________ the effect of global warming.
많은 과학자가 지구 온난화의 영향에 대해 걱정하고 있다.

38 The ____________ effect is the rise of temperature on the Earth.
온실 효과는 지구의 온도가 상승하는 것이다.

39 The building was filled with ____________ gases.
건물이 유독 가스로 가득 찼었다.

40 It's harmful to ____________ antibiotics.
항생제를 남용하는 것은 해롭다.

Day 32

Daily Check-up

[01~30] 영어 단어를 보고 알맞은 뜻을, 뜻을 보고 알맞은 영어 단어를 쓰시오.

01 inform ________

02 experiment ________

03 method ________

04 device ________

05 formula ________

06 lead to ________

07 multiply ________

08 technology ________

09 machine ________

10 visible ________

11 vacuum ________

12 react ________

13 important ________

14 cell ________

15 delete ________

16 중력 ________

17 검색하다 ________

18 무선의 ________

19 보내다, 전송하다 ________

20 이동성의; 휴대 전화 ________

21 충전하다 ________

22 ~을 찾아내다 ________

23 조사하다 ________

24 상상하다 ________

25 화학의 ________

26 측정하다 ________

27 증명하다 ________

28 전기의 ________

29 발명하다 ________

30 자료, 정보 ________

[31~40] 다음 문장의 빈칸에 알맞은 단어를 쓰시오.

31 Who ____________ the telephone?
누가 전화기를 발명했나요?

32 I wrote down ____________ information in my notebook.
나는 중요한 정보를 내 수첩에 적어 두었다.

33 The scientist found a way to ____________ his theory.
그 과학자는 자신의 이론을 증명할 방법을 찾았다.

34 The police ____________ Jim of the accident.
경찰이 Jim에게 그 사고를 알렸다.

35 Tom studied ____________ engineering in university.
Tom은 대학교에서 화학 공학을 공부했다.

36 Can you ____________ living without your cell phone?
휴대 전화 없이 사는 것을 상상할 수 있나요?

37 Sound waves cannot travel through a ____________.
음파는 진공을 통과할 수 없다.

38 If you ____________ 8 by 7, you get 56.
8에 7을 곱하면 56이다.

39 This device can ____________ sound and pictures very fast.
이 장치는 음성과 그림을 매우 빠르게 전송할 수 있다.

40 Different writing brushes ____________ different styles of calligraphy.
다른 붓이 다른 스타일의 글씨로 이어졌다.

Day 33

Daily Check-up

[01~30] 영어 단어를 보고 알맞은 뜻을, 뜻을 보고 알맞은 영어 단어를 쓰시오.

01 earth ____________

02 planet ____________

03 universe ____________

04 crew ____________

05 rocket ____________

06 outer ____________

07 Mercury ____________

08 Venus ____________

09 Mars ____________

10 Jupiter ____________

11 Saturn ____________

12 Milky Way ____________

13 space shuttle ____________

14 space station ____________

15 Big Bang ____________

16 광년 ____________

17 ~에서 멀리 ____________

18 우연히, 뜻밖에 ____________

19 고리, 반지 ____________

20 혜성 ____________

21 망원경 ____________

22 태양의 ____________

23 달의 ____________

24 식(蝕) ____________

25 위성 ____________

26 궤도 ____________

27 은하 ____________

28 천문학 ____________

29 천문학자 ____________

30 표면 ____________

[31~40] 다음 문장의 빈칸에 알맞은 단어를 쓰시오.

31 Is it possible to live on another ____________?
다른 행성에서 사는 것이 가능할까요?

32 All the planets in our ____________ system orbit the sun.
태양계에 있는 모든 행성은 태양의 궤도를 돈다.

33 A year on ____________ is about twice as long as a year on Earth.
화성에서의 일 년은 지구에서의 일 년보다 약 두 배 길다.

34 Seventy percent of the earth's ____________ is water.
지구 표면의 70%는 물이다.

35 People didn't know the dangers of ____________.
사람들은 수은의 위험성을 알지 못했다.

36 ____________ is the scientific study of the universe.
천문학은 우주에 관한 과학적 학문이다.

37 Andromeda Galaxy is about 2 million ____________ away.
안드로메다 은하는 약 2백만 광년 떨어져 있다.

38 She became interested in astronomy ____________.
그녀는 우연히 천문학에 관심을 갖게 되었다.

39 The moon is the ____________ of the earth.
달은 지구의 위성이다.

40 Edmond Halley discovered a new ____________ in 1682.
에드먼드 핼리는 1682년에 새로운 혜성을 발견했다.

Day 34

Daily Check-up

[01~30] 영어 단어를 보고 알맞은 뜻을, 뜻을 보고 알맞은 영어 단어를 쓰시오.

01 dam ____________

02 heat ____________

03 battery ____________

04 consume ____________

05 tidal ____________

06 careless ____________

07 transform ____________

08 be made up of ____________

09 conserve ____________

10 efficiency ____________

11 crisis ____________

12 utility pole ____________

13 solar collector ____________

14 transmission tower ____________

15 wind ____________

16 석탄 ____________

17 광산; 지뢰 ____________

18 공장 ____________

19 방사능을 가진 ____________

20 송전선 ____________

21 생성하다 ____________

22 원자핵의 ____________

23 풍차 ____________

24 천연가스 ____________

25 풍부한, 풍족한 ____________

26 힘, 권력, 에너지 ____________

27 생산하다 ____________

28 ~로 변하다 ____________

29 (기타) 등등 ____________

30 권한이 부여된 ____________

[31~40] 다음 문장의 빈칸에 알맞은 단어를 쓰시오.

31 Put some oil in the frying pan and ____________ it.
프라이팬에 기름을 두르고 그것을 가열하세요.

32 She put more ____________ on the fire to warm herself.
그녀는 몸을 따뜻하게 하기 위해서 불에 더 많은 석탄을 넣었다.

33 We can ____________ electricity to light up a city from sound.
우리는 소리로 한 도시를 밝힐 전기를 만들어 낼 수 있다.

34 People used ____________ to grind grain long ago.
오래전에 사람들은 곡식을 빻기 위해 풍차를 사용했다.

35 ____________ use of natural resources threatens our future.
천연자원의 부주의한 사용은 우리의 미래를 위협한다.

36 The country has ____________ natural resources.
그 나라는 천연자원이 풍부하다.

37 The signal was coming from the ____________.
송전탑에서 신호가 오고 있었다.

38 I take short showers to ____________ water.
나는 물을 절약하기 위해 샤워를 짧게 한다.

39 Experts are worried about the current energy ____________.
전문가들이 현재의 에너지 위기에 대해서 염려하고 있다.

40 The waste can be ____________ food for the plants by bacteria.
그 쓰레기는 박테리아에 의해 식물들을 위한 먹이로 변할 수 있다.

Day 35

Daily Check-up

[01~30] 영어 단어를 보고 알맞은 뜻을, 뜻을 보고 알맞은 영어 단어를 쓰시오.

01 elementary ____________
02 tutor ____________
03 discuss ____________
04 explain ____________
05 counsel ____________
06 admit ____________
07 evaluate ____________
08 submit ____________
09 pupil ____________
10 intelligence ____________
11 scholarship ____________
12 absent ____________
13 attend ____________
14 semester ____________
15 play a role (in) ____________

16 용기를 북돋우다 ____________
17 ~에 주의하다 ____________
18 학술적인, 학문적인 ____________
19 교수하다, 가르치다 ____________
20 교육하다, 육성하다 ____________
21 유치원 ____________
22 졸업하다 ____________
23 시험 ____________
24 단과대학 ____________
25 종합대학 ____________
26 암기하다 ____________
27 입장, 입학 ____________
28 지식 ____________
29 대안; 대안의 ____________
30 강의 ____________

[31~40] 다음 문장의 빈칸에 알맞은 단어를 쓰시오.

31 Angela started as a ___________ for her cousin.
Angela는 자신의 사촌을 위해 개인교사를 시작했다.

32 The students are ___________ the new school rules.
그 학생들은 새로운 학교 규칙에 대해 토론하고 있다.

33 He has a wide ___________ of painting and music.
그는 그림과 음악에 폭넓은 지식을 지니고 있다.

34 There are many applicants for ___________ to this school.
이 학교에 입학 지원자들이 많다.

35 Diane couldn't go to ___________ because she was too young.
Diane은 너무 어려서 유치원에 다닐 수 없었다.

36 I'm scheduled to ___________ a report by Friday.
나는 금요일까지 보고서를 제출할 예정이다.

37 Professor James ___________ students to do their best.
James 교수는 학생들에게 최선을 다하라고 가르친다.

38 This ___________, I will study harder to get good grades.
이번 학기에 나는 좋은 성적을 받기 위해서 더 열심히 공부할 것이다.

39 The students ___________ his every body movement.
학생들은 그의 몸짓 하나하나에 주목한다.

40 The ___________ will be of special interest to history students.
그 강의는 역사학과 학생들에게 특히 흥미로울 것이다.

Day 36

Daily Check-up

[01~30] 영어 단어를 보고 알맞은 뜻을, 뜻을 보고 알맞은 영어 단어를 쓰시오.

01 textbook ____________
02 partner ____________
03 homework ____________
04 math ____________
05 conversation ____________
06 locker ____________
07 chalk board ____________
08 marker ____________
09 project ____________
10 laboratory ____________
11 bulletin board ____________
12 ask ~ a favor ____________
13 schoolmate ____________
14 homeroom teacher ____________
15 auditorium ____________

16 식당, 간이식당 ____________
17 과제, 숙제 ____________
18 ~와 잘 지내다 ____________
19 ~에 참여하다 ____________
20 도서관 ____________
21 체육 ____________
22 복도 ____________
23 교장 ____________
24 동아리 ____________
25 강당, 부속 회관 ____________
26 과목; 주제 ____________
27 급우, 학급 친구 ____________
28 선배; 손위의 ____________
29 교실 ____________
30 분필 ____________

맞은 개수 /40

[31~40] 다음 문장의 빈칸에 알맞은 단어를 쓰시오.

31 Our English teacher always gives us too much ___________.
우리 영어 선생님은 항상 우리에게 숙제를 너무 많이 주신다.

32 I asked my ___________ about their hobbies.
나는 급우들에게 그들의 취미를 물었다.

33 How many ___________ do you study?
너는 몇 과목을 공부하니?

34 Students made special seats for their ___________.
학생들은 그들의 선배들을 위한 특별 좌석들을 마련했다.

35 Our school does not have a language ___________.
우리 학교는 어학 실습실이 없다.

36 We're looking for someone who can ___________ others.
우리는 다른 사람들과 잘 지낼 수 있는 사람을 찾고 있습니다.

37 Students will have a meeting with the ___________.
학생들은 교장 선생님과 모임을 가질 것이다.

38 We listened to his songs at the ___________.
우리는 강당에서 그의 노래를 들었다.

39 How often do you go to the ___________?
너는 도서관에 얼마나 자주 가니?

40 Do you have your math ___________ with you?
너는 수학 교과서를 가지고 있니?

Day 37

Daily Check-up

[01~30] 영어 단어를 보고 알맞은 뜻을, 뜻을 보고 알맞은 영어 단어를 쓰시오.

01 donate ____________

02 predict ____________

03 show off ____________

04 look for ____________

05 tradition ____________

06 consumer ____________

07 responsibility ____________

08 import ____________

09 salary ____________

10 value ____________

11 citizen ____________

12 public ____________

13 employ ____________

14 obstacle ____________

15 property ____________

16 도덕, 윤리 ____________

17 영향; 영향을 미치다 ____________

18 개인; 개인의 ____________

19 관계, 사이 ____________

20 투자하다 ____________

21 의무, 임무 ____________

22 지위, 상태 ____________

23 문화 ____________

24 지역의, 현지의 ____________

25 군중 ____________

26 공급; 공급하다 ____________

27 수요; 요구하다 ____________

28 수출; 수출하다 ____________

29 계좌 ____________

30 빚, 부채 ____________

[31~40] 다음 문장의 빈칸에 알맞은 단어를 쓰시오.

31 Gold never loses its ____________.
금은 결코 그 가치를 잃지 않는다.

32 They agreed to a 5 percent ____________ increase.
그들은 5%의 급여 인상에 동의했다.

33 Every citizen has civil rights and ____________.
모든 시민은 시민의 권리와 의무를 갖고 있다.

34 Social ____________ influenced the fashion of footwear.
사회적 지위가 신발의 패션에 영향을 미쳤다.

35 He became a British ____________ shortly before his death.
그는 사망하기 얼마 전 영국 시민이 되었다.

36 My father is a very ____________ person.
나의 아버지는 굉장히 도덕적인 분이다.

37 Poverty is one of the biggest ____________ to world peace.
빈곤은 세계 평화를 막는 가장 큰 장애물들 중 하나이다.

38 ____________ want to buy things at a low price.
소비자는 물건을 낮은 가격에 사기를 원한다.

39 We train students to have a sense of ____________.
우리는 학생들이 책임감을 갖도록 교육시킨다.

40 Let's ____________ the movie advertisement.
그 영화의 광고를 찾아보자.

Day 38

Daily Check-up

[01~30] 영어 단어를 보고 알맞은 뜻을, 뜻을 보고 알맞은 영어 단어를 쓰시오.

01 victim ______________

02 argue ______________

03 punish ______________

04 majority ______________

05 diplomat ______________

06 gap ______________

07 justice ______________

08 represent ______________

09 democracy ______________

10 elect ______________

11 trial ______________

12 sentence ______________

13 protest ______________

14 candidate ______________

15 government ______________

16 소수; 소수의 ______________

17 ~하기로 되어 있다 ______________

18 ~을 조사하다 ______________

19 투표; 투표하다 ______________

20 정당 ______________

21 정책 ______________

22 불법적인 ______________

23 유죄의, 죄책감의 ______________

24 무죄의, 결백한 ______________

25 범죄 ______________

26 살인 ______________

27 보상하다 ______________

28 용의자 ______________

29 목격자, 증인 ______________

30 체포; 체포하다 ______________

맞은 개수 /40

[31~40] 다음 문장의 빈칸에 알맞은 단어를 쓰시오.

31 He was the only ____________ of the accident.
그는 그 사고의 유일한 희생자였다.

32 I wasn't involved in any ____________ activity.
나는 어떤 불법적인 활동에도 연루되지 않았다.

33 The detective arrested her for ____________.
형사는 그녀를 살인죄로 체포했다.

34 All ____________ members agreed with the opinion.
모든 정당의 당원들이 그 의견에 동의했다.

35 I ____________ that he is not telling the truth.
나는 그가 사실을 말하고 있지 않다고 의심한다.

36 A man was ____________ in connection with the robbery.
그 강도 사건과 관련해서 한 남자가 체포되었다.

37 He became the most influential person in the ____________.
그는 정부에서 가장 영향력 있는 사람이 되었다.

38 What should we do to ____________ for our mistake?
우리의 실수를 보상하기 위해서 우리는 무엇을 해야 할까요?

39 He ____________ Korea at the conference.
그는 그 회의에서 한국을 대표했다.

40 The police will ____________ the murder case closely.
경찰이 그 살인 사건을 면밀히 조사할 것이다.

Day 39 Daily Check-up

[01~30] 영어 단어를 보고 알맞은 뜻을, 뜻을 보고 알맞은 영어 단어를 쓰시오.

01 peace ______________

02 date back ______________

03 century ______________

04 age ______________

05 empire ______________

06 rule ______________

07 religious ______________

08 ancient ______________

09 Buddhism ______________

10 Christianity ______________

11 Hinduism ______________

12 Islam ______________

13 Judaism ______________

14 be based on ______________

15 spiritual ______________

16 의식, 예식 ______________

17 전쟁 ______________

18 공격; 공격하다 ______________

19 기도하다 ______________

20 정신, 영혼 ______________

21 믿음, 신념 ______________

22 자선, 자애 ______________

23 신실한, 성실한 ______________

24 독립 ______________

25 혁명 ______________

26 식민지 ______________

27 문명 ______________

28 무기 ______________

29 싸움, 전투 ______________

30 침입하다 ______________

맞은 개수 /40

[31~40] 다음 문장의 빈칸에 알맞은 단어를 쓰시오.

31 Most people live according to their ___________.

대다수의 사람들이 자신들의 믿음에 따라 살아간다.

32 Arrows were used in ___________ during ancient times.

고대 시대에는 전투에서 화살이 사용되었다.

33 The two countries have been at ___________ for years.

그 두 나라는 수년째 전쟁 중이다.

34 I put some money in the ___________ pot.

나는 약간의 돈을 자선냄비에 넣었다.

35 ___________ is the major religion of India.

힌두교는 인도의 주요 종교이다.

36 He decided to become a ___________ Christian.

그는 신실한 기독교인이 되기로 결심했다.

37 Hong Kong was a British ___________ for over 150 years.

홍콩은 150년 넘게 영국의 식민지였다.

38 She was a great ___________ leader.

그녀는 훌륭한 정신적 지주였다.

39 The castle ruins ___________ to the late 7th century.

그 성의 유적은 7세기 말까지 거슬러 올라간다.

40 In war, a song can sometimes be a powerful ___________.

전쟁에서는 노래가 때때로 강력한 무기가 될 수 있다.

Day 40

Daily Check-up

[01~30] 영어 단어를 보고 알맞은 뜻을, 뜻을 보고 알맞은 영어 단어를 쓰시오.

01 region ____________
02 border ____________
03 aid ____________
04 suffer ____________
05 hunger ____________
06 mutual ____________
07 break out ____________
08 consist of ____________
09 immigrate ____________
10 native ____________
11 community ____________
12 population ____________
13 increase ____________
14 race ____________
15 national ____________
16 감소; 감소하다 ____________
17 도시의 ____________
18 시골의 ____________
19 고아 ____________
20 원조, 지원 ____________
21 구하다 ____________
22 다른 ____________
23 세계적인 ____________
24 외국의 ____________
25 국제적인 ____________
26 민족의, 인종의 ____________
27 기구 ____________
28 통계치 ____________
29 협정, 계약 ____________
30 기금 ____________

맞은 개수 /40

[31~40] 다음 문장의 빈칸에 알맞은 단어를 쓰시오.

31 Each ____________ has its own unique characteristics.
각 인종은 고유의 독특한 특성을 가지고 있다.

32 We went to an ____________ music festival in Macao.
우리는 마카오에서 열린 국제 음악 축제에 갔다.

33 Which one do you prefer, a big city or ____________ area?
대도시와 시골 지역 중 어떤 곳을 더 선호하시나요?

34 The government is worried about an aging ____________.
정부는 노령화하는 인구에 대해서 염려한다.

35 Iran shares its ____________ with 10 different countries.
이란은 10개의 다른 국가들과 국경을 공유한다.

36 ____________ conflict caused the tension between the two countries.
민족 갈등은 두 나라 간의 긴장을 야기시켰다.

37 The summit talk didn't reach an ____________.
그 정상 회담은 합의에 이르지 못했다.

38 The organization ____________ medical researchers.
그 조직은 의학 연구원들로 구성되어 있다.

39 We should ____________ the environment from global warming.
우리는 지구 온난화로부터 환경을 구해야 한다.

40 I am planning to volunteer to help ____________.
나는 고아들을 돕기 위해 자원봉사를 할 계획이다.

4일
누적 테스트

학습한 단어의 우리말 뜻을 쓰세요.

Day 01~04

4일 누적 테스트

01 brave	______	21 skinny	______
02 horrible	______	22 fit	______
03 architect	______	23 honest	______
04 good-looking	______	24 careful	______
05 accountant	______	25 enjoy	______
06 cry	______	26 excited	______
07 positive	______	27 optimistic	______
08 dye	______	28 annoyed	______
09 emotion	______	29 overweight	______
10 glad	______	30 handsome	______
11 appearance	______	31 officer	______
12 attractive	______	32 gardener	______
13 secretary	______	33 active	______
14 sympathy	______	34 confident	______
15 sensitive	______	35 dentist	______
16 modest	______	36 slim	______
17 hairdresser	______	37 photographer	______
18 ugly	______	38 cheer up	______
19 lazy	______	39 calm down	______
20 satisfied	______	40 reporter	______

Day 05~08

4일 누적 테스트

01 material ______________

02 gloves ______________

03 plate ______________

04 keep on ~ing ______________

05 bedroom ______________

06 feed ______________

07 sugar ______________

08 fish ______________

09 knife ______________

10 blender ______________

11 eat out ______________

12 knock ______________

13 vest ______________

14 towel ______________

15 sink ______________

16 beef ______________

17 neighbor ______________

18 steak ______________

19 tap ______________

20 scarf ______________

21 glass ______________

22 gate ______________

23 socks ______________

24 slice ______________

25 tie ______________

26 bathroom ______________

27 jacket ______________

28 chop ______________

29 honey ______________

30 skirt ______________

31 tray ______________

32 shorts ______________

33 butter ______________

34 grill ______________

35 purse ______________

36 meat ______________

37 be used for ______________

38 grab ______________

39 ceiling ______________

40 mustard ______________

Day 09~12

4일 누적 테스트

01 manager ________

02 building ________

03 flashlight ________

04 park ________

05 stop ________

06 letter ________

07 fare ________

08 trim ________

09 printer ________

10 track ________

11 direction ________

12 photocopy ________

13 deal with ________

14 lift ________

15 drugstore ________

16 pedestrian ________

17 hang ________

18 station ________

19 highway ________

20 tool ________

21 highlighter ________

22 museum ________

23 outlet ________

24 wheel ________

25 screw ________

26 sidewalk ________

27 pin ________

28 police station ________

29 housework ________

30 passenger ________

31 harbor ________

32 dust ________

33 chair ________

34 room ________

35 wash ________

36 crash ________

37 patrol ________

38 give ~ a ride ________

39 traffic ________

40 fill out ________

Day 13~16

4일 누적 테스트

01 prefer A to B ______________
02 vomit ______________
03 smoked ______________
04 focus on ______________
05 prevent ______________
06 dairy ______________
07 loose ______________
08 cut ______________
09 pack ______________
10 listen ______________
11 smell ______________
12 relax ______________
13 grain ______________
14 metal ______________
15 patient ______________
16 full ______________
17 firm ______________
18 sense ______________
19 on sale ______________
20 discover ______________
21 hard ______________
22 colorful ______________
23 catch a cold ______________
24 bottle ______________
25 low ______________
26 sweet ______________
27 sneeze ______________
28 package ______________
29 open ______________
30 medicine ______________
31 cashier ______________
32 noise ______________
33 ache ______________
34 pile ______________
35 crack ______________
36 sight ______________
37 cancer ______________
38 line up ______________
39 round ______________
40 audio ______________

Day 17~20

4일 누적 테스트

01 reasonable ____________

02 catalog ____________

03 picture ____________

04 bowling ____________

05 sightseeing ____________

06 interest ____________

07 flight ____________

08 coach ____________

09 basketball ____________

10 board ____________

11 pay ____________

12 chess ____________

13 hike ____________

14 up and down ____________

15 arrive ____________

16 land ____________

17 discount ____________

18 receipt ____________

19 volunteer ____________

20 insurance ____________

21 match ____________

22 passport ____________

23 puzzle ____________

24 medium ____________

25 referee ____________

26 spend ... on ~ing ____________

27 change ____________

28 customer ____________

29 model ____________

30 racket ____________

31 jog ____________

32 exchange ____________

33 visa ____________

34 stretch ____________

35 swim ____________

36 kick ____________

37 fix ____________

38 auction ____________

39 check ____________

40 all over the world ____________

Day 21~24

4일 누적 테스트

01 set ________

02 deliver ________

03 wave ________

04 shell ________

05 blow ________

06 Christmas ________

07 merry-go-round ________

08 flea market ________

09 botanical garden ________

10 bite ________

11 spill ________

12 all day long ________

13 festival ________

14 reindeer ________

15 lantern ________

16 concert ________

17 be ready to ________

18 snorkel ________

19 year ________

20 rope ________

21 calorie ________

22 serve ________

23 mat ________

24 vacation ________

25 mask ________

26 celebrate ________

27 swing ________

28 sleeping bag ________

29 amusement ________

30 wrap ________

31 bill ________

32 cooler ________

33 blanket ________

34 Eve ________

35 decorate ________

36 seesaw ________

37 either A or B ________

38 flipper ________

39 honeymoon ________

40 slide ________

Day 25~28

4일 누적 테스트

01 lightning ____________

02 creature ____________

03 clear ____________

04 sunny ____________

05 cattle ____________

06 lay ____________

07 polar ____________

08 dry ____________

09 bud ____________

10 petal ____________

11 root ____________

12 stem ____________

13 appear ____________

14 source ____________

15 forecast ____________

16 livestock ____________

17 palm ____________

18 fruit ____________

19 grass ____________

20 little by little ____________

21 natural ____________

22 forest ____________

23 foggy ____________

24 freezing ____________

25 buffalo ____________

26 crop ____________

27 explore ____________

28 stream ____________

29 lake ____________

30 snowstorm ____________

31 blizzard ____________

32 drizzle ____________

33 farm ____________

34 field ____________

35 cowboy ____________

36 humid ____________

37 seed ____________

38 ranch ____________

39 pasture ____________

40 trunk ____________

Day 29~32

4일 누적 테스트

01 back and forth ____________

02 all the time ____________

03 electric ____________

04 wireless ____________

05 on one's own ____________

06 goose ____________

07 cuckoo ____________

08 damage ____________

09 garbage ____________

10 giraffe ____________

11 zebra ____________

12 hummingbird ____________

13 cell ____________

14 browse ____________

15 leak ____________

16 crocodile ____________

17 lizard ____________

18 bee ____________

19 wing ____________

20 visible ____________

21 environment ____________

22 effect ____________

23 machine ____________

24 rat ____________

25 bat ____________

26 snake ____________

27 mosquito ____________

28 swan ____________

29 electricity ____________

30 pure ____________

31 experiment ____________

32 method ____________

33 frog ____________

34 dinosaur ____________

35 beetle ____________

36 ladybug ____________

37 exhaust ____________

38 shortage ____________

39 measure ____________

40 technology ____________

Day 33~36

4일 누적 테스트

01 efficiency ______	21 lunar ______
02 elementary ______	22 crew ______
03 project ______	23 rocket ______
04 earth ______	24 utility pole ______
05 memorize ______	25 solar collector ______
06 transform ______	26 college ______
07 natural gas ______	27 club ______
08 partner ______	28 hall ______
09 counsel ______	29 conversation ______
10 admit ______	30 Venus ______
11 chalk board ______	31 consume ______
12 absent ______	32 generate ______
13 attend ______	33 pupil ______
14 Jupiter ______	34 intelligence ______
15 Saturn ______	35 orbit ______
16 mine ______	36 galaxy ______
17 factory ______	37 power ______
18 ask ~ a favor ______	38 assignment ______
19 far from ______	39 play a role (in) ______
20 take part in ______	40 P.E. ______

Day 37~40

4일 누적 테스트

01 democracy	______	21 local	______
02 century	______	22 crowd	______
03 age	______	23 debt	______
04 mutual	______	24 elect	______
05 public	______	25 trial	______
06 supply	______	26 pray	______
07 innocent	______	27 soul	______
08 majority	______	28 different	______
09 aid	______	29 global	______
10 suffer	______	30 employ	______
11 Islam	______	31 individual	______
12 national	______	32 argue	______
13 fund	______	33 punish	______
14 influence	______	34 policy	______
15 immigrate	______	35 empire	______
16 revolution	______	36 rule	______
17 ancient	______	37 donate	______
18 organization	______	38 predict	______
19 civilization	______	39 gap	______
20 break out	______	40 justice	______

Answers

Day 01 Daily Check-up

01 바보 같은, 어리석은	02 자랑스러워하는	03 무례한, 예의 없는	04 활동적인, 적극적인
05 진지한, 진심의	06 잔인한, 무자비한	07 못된, 심술궂은	08 나쁜, 사악한; 악
09 호기심이 많은	10 친한, 친절한	11 관대한, (인심이) 후한	12 자신만만한
13 부정적인	14 조심스러운, 신중한	15 ~을 놀리다, 비웃다	16 wise
17 honest	18 lazy	19 strict	20 calm
21 cheer up	22 positive	23 selfish	24 character
25 cheerful	26 sensitive	27 careful	28 brave
29 modest	30 optimistic	31 lazy	32 strict
33 negative	34 cautious	35 make fun of	36 evil
37 proud	38 character	39 cruel	40 calm

Day 02 Daily Check-up

01 귀여운, 예쁜	02 예쁜, 귀여운	03 아름다운	04 어린, 젊은
05 (남자가) 잘생긴	06 호리호리한, 가냘픈	07 사랑스러운, 아름다운	08 잘생긴
09 매력적인, 멋진	10 이미지, 상, 형태	11 성장하다, 자라다	12 A와 B 둘 다
13 구레나룻	14 대머리의	15 곱슬거리는	16 ugly
17 overweight	18 beard	19 neat	20 plain
21 skinny	22 fit	23 thin	24 dye
25 appearance	26 attractive	27 muscular	28 mustache
29 middle-aged	30 build	31 pretty	32 ugly
33 young	34 plain	35 bald	36 curly
37 attractive	38 sideburns	39 middle-aged	40 grew up

Day 03 Daily Check-up

01 공포	02 울다	03 진정하다	04 ~을 안쓰럽게 여기다
05 감사하는	06 매우 기뻐하는	07 걱정되는	08 부끄러워하는
09 감정	10 몹시 화난, 성난	11 놀란	12 기쁜, 좋아하는
13 그리워하다	14 유감, 후회; 후회하다	15 깜짝 놀란, 겁이 난	16 laugh
17 depressed	18 satisfied	19 amused	20 worried
21 excited	22 enjoy	23 annoyed	24 glad
25 horrible	26 upset	27 joy	28 bother
29 sympathy	30 disappointed	31 worried	32 glad
33 miss	34 surprised	35 disappointed	36 feel sorry for
37 horrible	38 fear	39 ashamed	40 bother

Day 04 Daily Check-up

01 공무원, 관리
02 정원사
03 사진사, 사진작가
04 방송 진행자, 아나운서
05 우주비행사
06 탐정
07 ~에 관심이[흥미가] 있다
08 과학자
09 정비공
10 제빵사
11 군인
12 교수
13 판사, 심사원; 판단하다
14 소설가
15 사업가
16 reporter
17 engineer
18 lawyer
19 dentist
20 architect
21 president
22 salesperson
23 carpenter
24 fisherman
25 hairdresser
26 secretary
27 illustrator
28 be good at
29 security guard
30 accountant
31 Bakers
32 engineer
33 lawyer
34 mechanic
35 carpenter
36 fisherman
37 judge
38 illustrator
39 are good at
40 astronaut

Day 05 Daily Check-up

01 바지
02 스웨터
03 치마
04 넥타이; ~을 묶다, 매다
05 양말
06 1. 직물, 천 2. 재료
07 장갑
08 옷, 의복; 옷을 입다
09 단추; ~에 단추를 채우다
10 청바지
11 정장, 슈트
12 주머니
13 (옷을) 입다
14 (옷 등을) 벗다
15 지갑
16 bow tie
17 heels
18 stockings
19 sandals
20 purse
21 vest
22 overalls
23 athletic shoes
24 try on
25 scarf
26 jacket
27 shorts
28 belt
29 uniform
30 boots
31 sweater
32 belt
33 dress
34 shorts
35 button
36 pocket
37 heels
38 athletic shoes
39 try on
40 overalls

Day 06 Daily Check-up

01 설탕
02 소금
03 수프
04 생선
05 간단히 먹다
06 1. 후추 2. 고추
07 밥
08 밀가루
09 꿀
10 겨자
11 식탁[밥상]을 차리다
12 외식하다
13 곡물 식품, 시리얼
14 애피타이저
15 반찬
16 noodle
17 pickle
18 stew
19 diet
20 snack
21 egg
22 beef
23 steak
24 pork
25 butter
26 bread
27 jam
28 meat
29 meal
30 powder
31 pork
32 pepper
33 rice
34 flour
35 noodles
36 powder
37 set the table
38 salt
39 bread
40 egg

Day 07

Daily Check-up

01 바구니	02 손잡이	03 밀다	04 얇게 썰다
05 냉장고	06 접시	07 쟁반	08 주걱, 국자
09 (열로) 굽다, 익히다	10 주전자	11 ~에 사용[이용]되다	12 계속 ~하다
13 진열대	14 요리법	15 부엌용 믹서기	16 bake
17 fry	18 boil	19 glass	20 knife
21 chop	22 lid	23 pour	24 pot
25 bowl	26 jar	27 pan	28 beat
29 steam	30 opener	31 Fry	32 Boil
33 basket	34 lid	35 Roll	36 refrigerator
37 Beat	38 steam	39 scoop	40 kettle

Day 08

Daily Check-up

01 노크를 하다	02 비누	03 타월, 수건	04 커튼
05 거울	06 차고	07 세탁물	08 물; 물을 주다
09 잔디	10 서랍	11 전기스탠드, 램프	12 시트, 홑이불
13 계단, 층계	14 체중계, 저울	15 켜다	16 garden
17 apartment	18 yard	19 neighbor	20 gate
21 bedroom	22 roof	23 floor	24 feed
25 bathroom	26 ceiling	27 shelf	28 sink
29 tap	30 in place	31 yard	32 soap
33 curtains	34 roof	35 laundry	36 lawn
37 scale	38 in place	39 shelf	40 lamp

Day 09

Daily Check-up

01 운전하다	02 요금	03 굽이, 커브, 굴곡	04 면허증
05 1. 옮기다 2. 환승하다	06 (역의) 플랫폼, 승강장	07 수송하다, 운송하다	08 충돌; 충돌하다
09 (탈것에) 타다, 승차하다	10 역, 정거장	11 바퀴	12 한계, 제한; 제한하다
13 길, 경로, 루트	14 ~을 건너다; 십자가	15 교통(량); 교통의	16 park
17 stop	18 subway	19 seat	20 road
21 bicycle	22 track	23 rail	24 sign
25 passenger	26 harbor	27 gas	28 accident
29 forward	30 on foot	31 drive	32 seats
33 bicycle	34 crossing	35 curves	36 license
37 forward	38 gas	39 transport	40 get on

Day 10 Daily Check-up

01 책상	02 의자	03 방, 실	04 회사
05 면접을 보다; 면접, 인터뷰	06 스테이플러로 고정시키다	07 통화; 전화를 걸다	08 편지
09 도장, 인감, 봉인	10 (표에 구멍을 뚫는) 펀치	11 형광 컬러 펜	12 서류, 문서
13 출력물	14 사진 복사물	15 ~을 다루다, 처리하다	16 fill out
17 bookcase	18 manager	19 calculator	20 stationery
21 folder	22 calendar	23 printer	24 envelope
25 glue	26 scissors	27 eraser	28 clip
29 pin	30 message	31 glue	32 scissors
33 company	34 calendar	35 envelope	36 message
37 bookcase	38 calculator	39 stationery	40 printout

Day 11 Daily Check-up

01 병원	02 박물관	03 시청	04 경찰서
05 (시골) 마을, 촌락	06 방향	07 거리	08 도시의 큰 대로, 넓은 길
09 (도로의) 블록, 구획	10 하수구	11 ~를 태워 주다	12 ~로 알려져 있다
13 ~의 중간에	14 횡단보도	15 교차로	16 building
17 bakery	18 fire station	19 left	20 trash
21 straight	22 corner	23 turn	24 drugstore
25 pedestrian	26 department store	27 sidewalk	28 patrol
29 signal	30 highway	31 bakery	32 hospital
33 left	34 avenue	35 straight	36 Turn
37 crosswalk	38 in the middle of	39 is known for	40 sewer

Day 12 Daily Check-up

01 걸다, 매달리다	02 먼지, 티끌; 먼지를 털다	03 도구, 연장	04 송곳; 구멍을 뚫다
05 톱; 톱질하다	06 세우다, 설치[설립]하다	07 치우다, 청소하다	08 깎아 다듬다
09 닦다, 윤을 내다	10 나사; 나사로 죄다, 비틀다	11 빗자루	12 삽
13 렌치(너트를 죄는 기구)	14 대걸레; 대걸레로 닦다	15 매일의, 나날의	16 iron
17 lift	18 wash	19 hammer	20 switch
21 ladder	22 carry	23 flashlight	24 bucket
25 housework	26 dig	27 sweep	28 fold
29 rake	30 outlet	31 iron	32 Mop
33 carrying	34 drill	35 sawed	36 digging
37 swept	38 folded	39 set up	40 shovel

Day 13 Daily Check-up

01 얼음	02 막대기, 막대기 모양의 것	03 조각	04 계산대
05 훈제된	06 신선한	07 곡물, 곡류	08 채소
09 1. 판매되는 2. 할인 중인	10 공짜로, 무료로	11 줄을 서다	12 식료 잡화점, 식품점
13 용기	14 통로	15 (포장용) 용기, 상자	16 bottle
17 can	18 item	19 pack	20 cart
21 seafood	22 cashier	23 freezer	24 frozen food
25 spray	26 bin	27 dairy	28 bundle
29 pile	30 cash register	31 counter	32 fresh
33 ice	34 item	35 cart	36 Frozen food
37 container	38 aisle	39 for free	40 bundles

Day 14 Daily Check-up

01 낮은	02 열린; 열다	03 무거운	04 1. 가득 찬 2. 배부른
05 깊은	06 넓은	07 꽉 조이는	08 헐렁한
09 날카로운	10 ~으로 덮여 있다	11 B보다 A를 더 선호하다	12 달걀 모양, 타원형
13 1. 정사각형 2. 광장	14 둥근	15 가벼운, (양이) 적은; 빛	16 clean
17 high	18 flat	19 dark	20 famous
21 colorful	22 empty	23 metal	24 plastic
25 shallow	26 triangle	27 crack	28 glitter
29 firm	30 wooden	31 deep	32 light
33 empty	34 oval	35 glitters	36 wooden
37 are covered with	38 sharp	39 tight	40 triangle

Day 15 Daily Check-up

01 보다, 바라보다	02 (주의해서) 듣다	03 냄새, 후각	04 (소리가) 큰, 시끄러운
05 굳은, 단단한	06 소음	07 신, 신맛의	08 촉감
09 거친	10 부드러운	11 주의, 주목	12 관찰하다, 알아차리다
13 발견하다, 알아내다	14 의미가 통하다	15 음의 재생, 오디오	16 soft
17 sense	18 objective	19 sight	20 stare
21 whisper	22 juicy	23 bitter	24 sweet
25 scream	26 bad	27 feel	28 watch
29 flavor	30 focus on	31 look	32 loud
33 feel	34 juicy	35 touch	36 soft
37 stared	38 observed	39 make sense	40 flavor

Day 16 Daily Check-up

01 기침; 기침하다	02 열, 발열	03 아픈, 쑤시는	04 베인 상처
05 통증, 아픔	06 어지러운	07 눈이 먼, 시각 장애의	08 귀가 먹은
09 환자; 끈기 있는	10 쉬게 하다, 편히 쉬다	11 화상; 화상을 입다	12 증상
13 상처; 상처를 내다	14 비상사태, 응급	15 감기에 걸리다	16 prevent
17 medical	18 operate	19 see a doctor	20 disease
21 cancer	22 pain	23 medicine	24 virus
25 cure	26 vomit	27 sneeze	28 bruise
29 examine	30 recover	31 blind	32 deaf
33 burned	34 recover	35 medical	36 emergency
37 see a doctor	38 examined	39 wounds	40 fever

Day 17 Daily Check-up

01 1. 요구, 청구 2. 주장	02 1. 수표 2. 점검	03 (여행 등의) 목적지	04 보안, 안전
05 전 세계에	06 즐겁게 보내다	07 지연, 연기; 연기하다	08 시차증
09 기념품	10 안내원, 종업원	11 탑승하다, 승차하다	12 여행 일정표
13 (보통 멀리 가는) 여행	14 취소하다; 취소	15 풍경	16 apply
17 passport	18 insurance	19 reach	20 depart
21 arrive	22 land	23 abroad	24 baggage
25 sightseeing	26 visa	27 flight	28 landscape
29 reserve	30 trip	31 reached	32 attendant
33 abroad	34 itinerary	35 destinations	36 reserved
37 applied	38 delayed	39 souvenir	40 claim

Day 18 Daily Check-up

01 하이킹하다	02 희극의, 만화의	03 야영, 캠프	04 자원 봉사자, 지원자
05 수다를 떨다	06 모형, 모델; 모형의	07 뜨개질을 하다	08 ~하는 데 …을 쓰다
09 산책하러 (나)가다	10 때때로, 가끔	11 게임, 시합	12 흥미, 관심
13 사진, 그림	14 1. 움직임 2. 활동	15 (수)공예; 공예품을 만들다	16 musical
17 dance	18 movie	19 puzzle	20 collect
21 chess	22 pleasure	23 stamp	24 jog
25 magic	26 fix	27 favorite	28 mania
29 leisure	30 involve	31 collect	32 comic
33 pleasure	34 stamps	35 leisure	36 involve
37 from time to time	38 favorite	39 mania	40 musical

Day 19 Daily Check-up

01 (걷어) 차기, 발길질 02 실외의, 집밖의 03 경기자, 선수 04 볼링
05 상, 상품 06 야구 07 (야구의) 루 08 시합, 경기
09 타자 10 투구, 던짐; 던지다 11 심판; 심판을 보다 12 챔피언, 우승자
13 몸을 천천히 풀다 14 위아래로, 이리저리 15 코치, 지도자 16 stretch
17 swim 18 competition 19 goal 20 shoot
21 basketball 22 catch 23 racket 24 athlete
25 defender 26 score 27 sweat 28 dive
29 skate 30 surf 31 players 32 shot
33 baseball 34 champion 35 sweating 36 dived
37 warm up 38 score 39 batters 40 outdoor

Day 20 Daily Check-up

01 가게, 상점 02 선물 03 값싼, 저렴한 04 값비싼
05 지불하다 06 사업, 상업, 장사 07 세금 08 1. 교환 2. 거래소
09 선발하다, 선택하다 10 (가격이) 합리적인, 저렴한 11 목록, 카탈로그 12 질, 품질
13 둘러보다, 구경하다 14 잠깐 들르다 15 중간; 중간의 16 sale
17 sell 18 choose 19 goods 20 tag
21 cash 22 change 23 customer 24 display
25 stand 26 retail 27 discount 28 receipt
29 brand-name 30 auction 31 cheap 32 selling
33 select 34 tag 35 brand-name 36 stand
37 retail 38 quality 39 look around 40 Drop by

Day 21 Daily Check-up

01 받다 02 주문; 주문하다 03 요리사; 요리하다 04 디저트, 후식
05 냅킨 06 한입; 물다 07 흘리다, 엎지르다 08 특별한 것; 특별한
09 (고기 등이) 덜 익은 10 음료 11 새 보충물; 다시 채우다 12 싸다, 포장하다; 포장지
13 계산서, 청구서 14 ~할 준비가 되다 15 ~을 기다리다 16 chef
17 buffet 18 waiter 19 set 20 deliver
21 wipe 22 straw 23 calorie 24 serve
25 tip 26 total 27 ingredient 28 recommend
29 appetite 30 either A or B 31 ordered 32 chef
33 dessert 34 wipe 35 straws 36 rare
37 beverage 38 ingredients 39 appetite 40 wait for

Day 22

Daily Check-up

01 파도	02 하루 종일	03 방학	04 냉장 박스
05 담요	06 스노클을 쓰고 잠수하다	07 선탠, 볕에 그을음	08 고무 보트, 뗏목
09 노출하다	10 파라솔, 양산	11 일광욕	12 인명 구조원
13 구명보트	14 물갈퀴, 오리발	15 쌍안경	16 sand
17 shell	18 mat	19 whistle	20 sunblock
21 float	22 look forward to ~ing	23 yacht	24 sunglasses
25 shade	26 shore	27 swimsuit	28 pebble
29 throw away	30 scuba	31 raft	32 yacht
33 whistle	34 swimsuit	35 binoculars	36 pebbles
37 expose	38 lifeguard	39 float	40 shore

Day 23

Daily Check-up

01 축제	02 불다	03 사탕	04 해, 년
05 가면	06 기념하다, 축하하다	07 숨기다	08 1. 초대 2. 초대장
09 장식하다	10 마녀	11 기념일	12 순록
13 랜턴	14 (속을) 채우다; 것, 물건	15 붐비는, 혼잡한	16 Valentine
17 Christmas	18 gather	19 honeymoon	20 Easter
21 congratulate	22 Thanksgiving	23 Halloween	24 take place
25 be similar to	26 Eve	27 trick	28 costume
29 turkey	30 wish	31 festival	32 candy
33 wishes	34 gather	35 hide	36 witch
37 anniversary	38 Thanksgiving	39 stuffed	40 takes place

Day 24

Daily Check-up

01 시소; 시소를 타다	02 걷다, 산책하다	03 탈것; 타다	04 긴 의자, 벤치
05 콘서트, 공연	06 방문하다	07 줄	08 분수
09 놀이터, 운동장	10 그네; 그네를 타다	11 침낭	12 회전목마
13 벼룩시장	14 식물원	15 수족관	16 campfire
17 fishing rod	18 sail	19 amusement	20 thermos
21 peak	22 rapids	23 get together	24 because of
25 be filled with	26 backpack	27 slide	28 event
29 picnic	30 zoo	31 zoo	32 walked
33 visited	34 playground	35 thermos	36 rapids
37 gets together	38 was filled with	39 aquarium	40 fishing rod

Day 25 Daily Check-up

01 천둥, 천둥같이 큰 소리	02 번개; 번개 같은	03 (신의) 창조물, 피조물	04 벼랑, 절벽
05 1. 시내, 개울 2. 흐름, 동향	06 1. 요소, 성분 2. 원소	07 나타나다	08 원천, 수원
09 강	10 바다, 대양	11 해안, 연안	12 조수, 간만
13 북극[남극]의, 극지의	14 화산	15 ~을 찾아내다, 알아내다	16 valley
17 flood	18 hurricane	19 breeze	20 natural
21 forest	22 desert	23 explore	24 lake
25 waterfall	26 landslide	27 earthquake	28 disaster
29 food chain	30 right away	31 cliff	32 volcanos
33 desert	34 elements	35 disasters	36 right away
37 thunder	38 valley	39 waterfall	40 landslide

Day 26 Daily Check-up

01 안개 낀	02 몹시 추운, 얼어붙을 듯한	03 얼음의, 싸늘한	04 건조한; 말리다
05 축축한, 습기 있는	06 예측; 예측하다	07 상태, 상황	08 1. 끈적끈적한 2. 무더운
09 ~까지	10 우박, 싸락눈	11 구름 낀	12 비가 오는
13 강한 눈보라, 블리자드	14 이슬비	15 (온도 단위인) 도	16 melt
17 gale	18 clear	19 sunny	20 windy
21 snowy	22 mild	23 storm	24 rainfall
25 snowstorm	26 temperature	27 humid	28 drought
29 climate	30 on the way (to)	31 cloudy	32 snowy
33 icy	34 moist	35 rainfall	36 drought
37 temperature	38 sticky	39 up to	40 condition

Day 27 Daily Check-up

01 밭	02 말	03 황소	04 헛간
05 돼지	06 수확하다	07 소	08 알을 낳다
09 면	10 양치기	11 경작하다, 재배하다	12 과수원
13 ~을 돌보다	14 농장, 목축장	15 목장; 방목하다	16 buffalo
17 crop	18 meadow	19 hay	20 farmhouse
21 scarecrow	22 livestock	23 vineyard	24 cowboy
25 chicken	26 calf	27 shed	28 run away
29 farm	30 goat	31 horse	32 bull
33 goats	34 hay	35 harvest	36 cultivating
37 orchard	38 vineyard	39 ran away	40 scarecrows

Day 28 Daily Check-up

01 꽃, 개화; 꽃이 피다
02 열매, 과일
03 1. 풀, 잔디 2. 잔디밭
04 1. 잘라내다 2. 차단하다
05 조금씩, 천천히
06 1. 야자수 2. 손바닥
07 새싹; 싹이 나다, 발아하다
08 (식물의) 눈, 봉오리
09 꽃잎
10 바늘처럼 뾰족한 잎
11 소나무
12 (식물의) 줄기, 대; 유래하다
13 가시
14 1. 나뭇가지 2. 분점
15 (나무의) 큰 가지
16 weed
17 seed
18 root
19 maple
20 bamboo
21 day by day
22 bark
23 fertilizer
24 bush
25 bulb
26 poisonous
27 herb
28 cherry tree
29 cactus
30 trunk
31 bloomed
32 weed
33 sprouts
34 thorn
35 bough
36 cherry tree
37 cactus
38 fertilizers
39 Cut off
40 poisonous

Day 29 Daily Check-up

01 캥거루
02 기린
03 얼룩말
04 1. 낙타 2. 낙타색
05 친구를 사귀다
06 혼자, 혼자 힘으로
07 뱀
08 여우
09 사슴
10 해마
11 개구리
12 공룡
13 새장
14 고래
15 코뿔소
16 dolphin
17 shark
18 leopard
19 lion
20 rat
21 bat
22 tiger
23 bear
24 turtle
25 hippo
26 crocodile
27 octopus
28 jellyfish
29 fish tank
30 lizard
31 rat
32 fox
33 Bears
34 kangaroos
35 camels
36 Hippos
37 Rhinos
38 make friends with
39 fish tank
40 sharks

Day 30 Daily Check-up

01 거미
02 나비
03 백조
04 올빼미
05 공작새
06 벌새
07 ~와 같은
08 내내, 줄곧
09 나방, 좀벌레
10 까마귀
11 무당벌레
12 벌
13 독수리
14 거위
15 뻐꾸기
16 insect
17 wing
18 hen
19 beetle
20 flea
21 mosquito
22 penguin
23 beak
24 pigeon
25 parrot
26 ostrich
27 swallow
28 cricket
29 caterpillar
30 thanks to
31 Insects
32 hen
33 Fleas
34 eagles
35 beak
36 pigeons
37 owls
38 ostrich
39 crickets
40 such as

Day 31 Daily Check-up

01 환경	02 영향, 효과	03 부족, 결핍	04 줄이다
05 지구 온난화	06 남용; 남용하다	07 온실	08 ~에 대해 걱정하다
09 화석	10 공유하다	11 야기하다	12 1. 파괴 2. 유적, 폐허
13 날것의, 가공하지 않은	14 순수한	15 오염	16 electricity
17 smog	18 fuel	19 acid	20 toxic
21 exhaust	22 resource	23 destroy	24 back and forth
25 protect	26 separate	27 endangered	28 leak
29 damage	30 garbage	31 protect	32 separate
33 destroyed	34 ruined	35 shared	36 Raw
37 are worried about	38 greenhouse	39 toxic	40 overuse

Day 32 Daily Check-up

01 알리다, 통지하다	02 실험; 실험하다	03 방법	04 장치
05 공식	06 ~로 이어지다	07 1. 곱하다 2. 증가시키다	08 기술
09 기계	10 눈에 보이는	11 진공, 공백	12 반응하다
13 중요한	14 세포	15 삭제하다	16 gravity
17 browse	18 wireless	19 transmit	20 mobile
21 charge	22 come up with	23 inspect	24 imagine
25 chemical	26 measure	27 prove	28 electric
29 invent	30 data	31 invented	32 important
33 prove	34 informed	35 chemical	36 imagine
37 vacuum	38 multiply	39 transmit	40 led to

Day 33 Daily Check-up

01 지구	02 행성	03 우주	04 (비행기, 배의) 승무원
05 로켓	06 외부의, 외곽의	07 1. 수성 2. 수은	08 금성
09 화성	10 목성	11 토성	12 은하수
13 우주 왕복선	14 우주 정거장	15 빅뱅	16 light year
17 far from	18 by chance	19 ring	20 comet
21 telescope	22 solar	23 lunar	24 eclipse
25 satellite	26 orbit	27 galaxy	28 astronomy
29 astronomer	30 surface	31 planet	32 solar
33 Mars	34 surface	35 mercury	36 Astronomy
37 light years	38 by chance	39 satellite	40 comet

Day 34 Daily Check-up

01 댐	02 열; 가열하다	03 배터리	04 소모하다
05 조수의	06 부주의한	07 바꾸다, 변형시키다	08 ~로 구성되다
09 보전하다	10 효율	11 위기	12 전신주
13 태양열 집열기	14 송전탑	15 바람	16 coal
17 mine	18 factory	19 radioactive	20 power line
21 generate	22 nuclear	23 windmill	24 natural gas
25 abundant	26 power	27 produce	28 turn into
29 and so on	30 authorized	31 heat	32 coal
33 produce	34 windmills	35 Careless	36 abundant
37 transmission tower	38 conserve	39 crisis	40 turned into

Day 35 Daily Check-up

01 기초의, 기본이 되는	02 가정교사, 개인 지도 교사	03 토론하다	04 설명하다
05 상담; 상담하다, 권고하다	06 받아들이다, 인정하다	07 평가하다	08 제출하다
09 학생	10 지성, 지능	11 장학금	12 결석한
13 출석하다, 참석하다	14 학기	15 (~에서) 역할을 하다	16 encourage
17 pay attention to	18 academic	19 instruct	20 educate
21 kindergarten	22 graduate	23 exam	24 college
25 university	26 memorize	27 entrance	28 knowledge
29 alternative	30 lecture	31 tutor	32 discussing
33 knowledge	34 entrance	35 kindergarten	36 submit
37 instructs	38 semester	39 pay attention to	40 lecture

Day 36 Daily Check-up

01 교과서	02 짝, 동료, 협력자	03 숙제	04 수학
05 대화, 회화	06 사물함, 로커	07 칠판	08 마커펜
09 1. 계획, 기획 2. 프로젝트	10 실습실, 연습실	11 게시판	12 ~에게 부탁을 하다
13 학교 친구, 동창생	14 담임 선생님	15 강당	16 cafeteria
17 assignment	18 get along with	19 take part in	20 library
21 P.E.	22 hallway	23 principal	24 club
25 hall	26 subject	27 classmate	28 senior
29 classroom	30 chalk	31 homework	32 classmates
33 subjects	34 seniors	35 laboratory	36 get along with
37 principal	38 auditorium	39 library	40 textbook

Day 37 Daily Check-up

01 기부하다	02 예측하다, 예언하다	03 자랑하다, 내세우다	04 ~을 찾다, 구하다
05 전통	06 소비자	07 책임	08 수입; 수입하다
09 급여	10 가치, 값; 소중히 여기다	11 시민, 국민	12 대중의, 공공의, 공개된
13 고용하다	14 장애, 장애물	15 재산, 소유물	16 moral
17 influence	18 individual	19 relationship	20 invest
21 duty	22 status	23 culture	24 local
25 crowd	26 supply	27 demand	28 export
29 account	30 debt	31 value	32 salary
33 duties	34 status	35 citizen	36 moral
37 obstacles	38 Consumers	39 responsibility	40 look for

Day 38 Daily Check-up

01 희생자	02 논하다, 주장하다	03 처벌하다, 벌주다	04 대다수, 과반수; 다수의
05 외교관	06 차이, 격차	07 정의	08 대표하다, 나타내다
09 민주주의	10 선출하다	11 1. 재판 2. 시행	12 1. 형벌 2. 문장
13 항의; 항의하다	14 후보자	15 1. 정부 2. 통치	16 minority
17 be supposed to	18 look into	19 vote	20 party
21 policy	22 illegal	23 guilty	24 innocent
25 crime	26 murder	27 compensate	28 suspect
29 witness	30 arrest	31 victim	32 illegal
33 murder	34 party	35 suspect	36 arrested
37 government	38 compensate	39 represented	40 look into

Day 39 Daily Check-up

01 평화	02 ~까지 거슬러 올라가다	03 세기, 100년	04 1. 나이 2. 시대, 시기
05 제국	06 1. 지배, 통치 2. 규칙	07 종교의	08 고대의, 구식의
09 불교	10 기독교	11 힌두교	12 이슬람교
13 유대교	14 ~에 기초하다, 근거하다	15 정신적인, 영적인	16 ceremony
17 war	18 attack	19 pray	20 soul
21 belief	22 charity	23 faithful	24 independence
25 revolution	26 colony	27 civilization	28 weapon
29 battle	30 invade	31 beliefs	32 battle
33 war	34 charity	35 Hinduism	36 faithful
37 colony	38 spiritual	39 date back	40 weapon

Day 40

Daily Check-up

01 지역, 지방	02 1. 국경 2. 경계	03 원조, 지원, 구조	04 (고통 등을) 겪다, 당하다
05 배고픔, 기아	06 서로의, 상호의	07 발발하다, 발생하다	08 ~으로 이루어지다
09 (타국에서) 이민을 오다	10 ~ 출신자, 토착민	11 주민, 지역 사회	12 인구
13 증가; 증가하다	14 1. 인종, 민족 2. 경주	15 국가의	16 decrease
17 urban	18 rural	19 orphan	20 support
21 rescue	22 different	23 global	24 foreign
25 international	26 ethnic	27 organization	28 statistic
29 agreement	30 fund	31 race	32 international
33 rural	34 population	35 border	36 Ethnic
37 agreement	38 consists of	39 rescue	40 orphans

4일 누적 테스트

Day 01~04

01 용감한
02 무서운, 끔찍한
03 건축가
04 잘생긴
05 회계사
06 울다
07 긍정적인
08 염색하다
09 감정
10 기쁜
11 외모
12 매력적인
13 비서
14 동정
15 민감한, 예민한
16 겸손한, 신중한
17 미용사
18 못생긴, 추한
19 게으른
20 만족한
21 깡마른
22 건강한; 적합하다
23 정직한, 솔직한
24 조심성 있는
25 즐기다
26 흥분한, 신이 난
27 낙관적인, 낙천적인
28 짜증 난, 화가 난
29 과체중의, 너무 살찐
30 (남자가) 잘생긴
31 공무원, 관리
32 정원사
33 활동적인, 적극적인
34 자신만만한
35 치과의사
36 호리호리한, 가냘픈
37 사진사, 사진작가
38 기운을 내다
39 진정하다
40 기자, 통신원

4일 누적 테스트

Day 05~08

01 1. 직물, 천 2. 재료
02 장갑
03 접시
04 계속 ~하다
05 침실
06 먹이를 주다
07 설탕
08 생선
09 칼
10 부엌용 믹서기
11 외식하다
12 노크를 하다
13 조끼
14 타월, 수건
15 싱크대, 개수대
16 소고기
17 이웃(사람)
18 스테이크
19 수도꼭지
20 스카프, 목도리
21 컵, 유리잔, 한 컵(의 양)
22 문
23 양말
24 얇게 썰다
25 넥타이; ~을 묶다, 매다
26 욕실
27 재킷, 상의, 웃옷
28 썰다, 다지다
29 꿀
30 치마
31 쟁반
32 반바지, 운동 팬츠
33 버터
34 (열로) 굽다, 익히다
35 돈주머니, 지갑
36 고기
37 ~에 사용[이용]되다
38 간단히 먹다
39 천장
40 겨자

4일 누적 테스트

Day 09~12

01 관리자
02 건물
03 손전등
04 주차하다; 공원
05 정류장; 정차하다
06 편지
07 요금
08 깎아 다듬다
09 인쇄기, 프린터
10 철도 선로, 궤도
11 방향
12 사진 복사물
13 ~을 다루다, 처리하다
14 올리다, 들어올리다
15 약국
16 보행자
17 걸다, 매달리다
18 역, 정거장
19 고속도로
20 도구, 연장
21 형광 컬러 펜
22 박물관
23 (전기) 콘센트
24 바퀴
25 나사; 나사로 죄다
26 인도, 보도
27 핀; 핀으로 고정하다
28 경찰서
29 가사, 집안일
30 승객
31 항구
32 먼지, 티끌; 먼지를 털다
33 의자
34 방, 실
35 세탁물; 씻다
36 충돌; 충돌하다
37 순찰대, 순찰 경관
38 ~를 태워 주다
39 교통(량); 교통의
40 ~을 작성하다, 기입하다

4일 누적 테스트

Day 13~16

01 B보다 A를 더 선호하다 02 토하다 03 훈제된 04 ~에 집중하다
05 예방하다, 막다 06 우유의, 유제품의 07 헐렁한 08 베인 상처; 상처를 내다
09 꾸러미, 한 상자 10 (주의해서) 듣다 11 냄새, 후각; 냄새가 나다 12 쉬게 하다, 편히 쉬다
13 곡물, 곡류 14 금속 15 환자; 끈기 있는 16 1. 가득 찬 2. 배부른
17 단단한, 굳은; 회사 18 감각; 감지하다 19 1. 판매되는 2. 할인 중인 20 발견하다, 알아내다
21 굳은, 단단한 22 다채로운, 화려한 23 감기에 걸리다 24 병
25 낮은 26 달콤한 27 재채기하다 28 (포장용) 용기, 상자
29 열린; 열다 30 약 31 계산원 32 소음
33 통증, 아픔; 통증이 있다 34 더미 35 (갈라진) 틈, 틈새 36 시각, 시력
37 암 38 줄을 서다 39 1. 둥근 2. 한 바퀴를 도는 40 음의 재생, 오디오

4일 누적 테스트

Day 17~20

01 (가격이) 합리적인 02 목록, 카탈로그 03 사진, 그림 04 볼링
05 관광 06 흥미, 관심 07 비행 08 코치, 지도자
09 농구 10 탑승하다, 승차하다 11 지불하다 12 체스, 서양 장기
13 하이킹하다 14 위아래로, 이리저리 15 도착하다 16 땅; 착륙하다
17 할인; 할인하다 18 영수증 19 자원 봉사자, 지원자 20 보험
21 시합, 경기 22 여권 23 수수께끼, 퍼즐 24 중간; 중간의
25 심판; 심판을 보다 26 ~하는 데 …을 쓰다 27 1. 거스름돈 2. 변화 28 고객
29 모형, 모델; 모형의 30 라켓; 라켓으로 치다 31 조깅하다 32 1. 교환 2. 거래소
33 비자, 사증 34 몸을 쭉 뻗다, 쭉 내밀다 35 수영하다 36 (걷어) 차기, 발길질
37 1. 고치다 2. 고정시키다 38 경매 39 1. 수표 2. 점검 40 전 세계에

4일 누적 테스트

Day 21~24

01 1. 놓다 2. 준비하다 02 배달하다 03 파도 04 조개
05 불다 06 크리스마스 07 회전목마 08 벼룩시장
09 식물원 10 한입; 물다 11 흘리다, 엎지르다 12 하루 종일
13 축제 14 순록 15 랜턴 16 콘서트, 공연
17 ~할 준비가 되다 18 스노클을 쓰고 잠수하다 19 해, 년 20 줄
21 칼로리, 열량 22 1. 시중들다 2. 제공하다 23 돗자리, 매트 24 방학
25 가면 26 기념하다, 축하하다 27 그네; 그네를 타다 28 침낭
29 놀이, 즐거움, 재미 30 싸다, 포장하다; 포장지 31 계산서, 청구서 32 냉장 박스
33 담요 34 전날 밤, 이브 35 장식하다 36 시소; 시소를 타다
37 A와 B 둘 중 하나 38 물갈퀴, 오리발 39 신혼여행 40 미끄럼틀; 미끄러지다

4일 누적 테스트

Day 25~28

01 번개; 번개 같은	02 (신의) 창조물, 피조물	03 1. 청명한 2. 깨끗한	04 햇빛이 밝은, 화창한
05 소	06 알을 낳다	07 북극[남극]의, 극지의	08 건조한; 말리다
09 (식물의) 눈, 봉오리	10 꽃잎	11 뿌리; 뿌리 뽑다	12 (식물의) 줄기, 대
13 나타나다	14 원천, 수원	15 예측, (일기의) 예보	16 가축류
17 1. 야자수 2. 손바닥	18 열매, 과일	19 1. 풀, 잔디 2. 잔디밭	20 조금씩, 천천히
21 자연의, 자연스러운	22 숲, 삼림	23 안개 낀	24 몹시 추운, 얼어붙을 듯한
25 버팔로, 물소, 들소	26 1. (농)작물 2. 수확량	27 탐험하다	28 시내, 개울
29 호수	30 눈보라	31 강한 눈보라, 블리자드	32 이슬비
33 농장	34 밭	35 카우보이, 목동	36 습한, 눅눅한
37 씨앗, 종자	38 농장, 목축장	39 목장; 방목하다	40 나무의 몸통 부분

4일 누적 테스트

Day 29~32

01 1. 앞뒤로 2. 왔다갔다	02 내내, 줄곧	03 전기의	04 무선의
05 혼자, 혼자 힘으로	06 거위	07 뻐꾸기	08 손상, 피해
09 쓰레기	10 기린	11 얼룩말	12 벌새
13 세포	14 검색하다	15 누출; 새다	16 악어
17 도마뱀	18 벌	19 날개	20 눈에 보이는
21 환경	22 영향, 효과	23 기계	24 쥐
25 박쥐	26 뱀	27 모기	28 백조
29 전기	30 순수한	31 실험; 실험하다	32 방법
33 개구리	34 공룡	35 딱정벌레	36 무당벌레
37 배기가스; 다 써버리다	38 부족, 결핍	39 측정하다	40 기술

4일 누적 테스트

Day 33~36

01 효율	02 기초의, 기본이 되는	03 1. 계획, 기획 2. 프로젝트	04 지구
05 암기하다	06 바꾸다, 변형시키다	07 천연가스	08 짝, 동료, 협력자
09 상담; 상담하다, 권고하다	10 받아들이다, 인정하다	11 칠판	12 결석한
13 출석하다, 참석하다	14 목성	15 토성	16 1. 광산 2. 지뢰
17 공장	18 ~에게 부탁을 하다	19 ~에서 멀리	20 ~에 참여[참가]하다
21 달의	22 (비행기, 배의) 승무원	23 로켓	24 전신주
25 태양열 집열기	26 단과대학	27 동아리	28 강당, 부속 회관
29 대화, 회화	30 금성	31 소모하다	32 생성하다, 발생시키다
33 학생	34 지성, 지능	35 궤도; 궤도를 그리며 돌다	36 은하
37 힘, 권력, 에너지	38 과제, 숙제	39 (~에서) 역할을 하다	40 체육

4일 누적 테스트

Day 37~40

01 민주주의	02 세기, 100년	03 1. 나이 2. 시대, 시기	04 서로의, 상호의
05 대중의, 공공의, 공개된	06 공급; 공급하다	07 무죄의, 결백한	08 대다수, 과반수; 다수의
09 원조, 지원, 구조	10 (고통 등을) 겪다, 당하다	11 이슬람교	12 국가의
13 기금	14 영향; 영향을 미치다	15 (타국에서) 이민을 오다	16 혁명
17 고대의, 구식의	18 기구	19 문명	20 발발하다, 발생하다
21 지역의, 현지의	22 군중	23 빚, 부채	24 선출하다
25 1. 재판 2. 시행	26 기도하다, 기원하다	27 정신, 영혼	28 다른
29 세계적인	30 고용하다	31 개인; 개인의, 개인적인	32 논하다, 주장하다
33 처벌하다, 벌주다	34 정책	35 제국	36 1. 지배, 통치 2. 규칙
37 기부하다	38 예측하다, 예언하다	39 차이, 격차	40 정의

MEMO

Word ∞ master

중등 실력 mini

Study Plan

회독 체크표			
Day 01	1회독 □	2회독 □	3회독 □
Day 02	1회독 □	2회독 □	3회독 □
Day 03	1회독 □	2회독 □	3회독 □
Day 04	1회독 □	2회독 □	3회독 □
Day 05	1회독 □	2회독 □	3회독 □
Day 06	1회독 □	2회독 □	3회독 □
Day 07	1회독 □	2회독 □	3회독 □
Day 08	1회독 □	2회독 □	3회독 □
Day 09	1회독 □	2회독 □	3회독 □
Day 10	1회독 □	2회독 □	3회독 □
Day 11	1회독 □	2회독 □	3회독 □
Day 12	1회독 □	2회독 □	3회독 □
Day 13	1회독 □	2회독 □	3회독 □
Day 14	1회독 □	2회독 □	3회독 □
Day 15	1회독 □	2회독 □	3회독 □
Day 16	1회독 □	2회독 □	3회독 □
Day 17	1회독 □	2회독 □	3회독 □
Day 18	1회독 □	2회독 □	3회독 □
Day 19	1회독 □	2회독 □	3회독 □
Day 20	1회독 □	2회독 □	3회독 □

회독 체크표			
Day 21	1회독 ☐	2회독 ☐	3회독 ☐
Day 22	1회독 ☐	2회독 ☐	3회독 ☐
Day 23	1회독 ☐	2회독 ☐	3회독 ☐
Day 24	1회독 ☐	2회독 ☐	3회독 ☐
Day 25	1회독 ☐	2회독 ☐	3회독 ☐
Day 26	1회독 ☐	2회독 ☐	3회독 ☐
Day 27	1회독 ☐	2회독 ☐	3회독 ☐
Day 28	1회독 ☐	2회독 ☐	3회독 ☐
Day 29	1회독 ☐	2회독 ☐	3회독 ☐
Day 30	1회독 ☐	2회독 ☐	3회독 ☐
Day 31	1회독 ☐	2회독 ☐	3회독 ☐
Day 32	1회독 ☐	2회독 ☐	3회독 ☐
Day 33	1회독 ☐	2회독 ☐	3회독 ☐
Day 34	1회독 ☐	2회독 ☐	3회독 ☐
Day 35	1회독 ☐	2회독 ☐	3회독 ☐
Day 36	1회독 ☐	2회독 ☐	3회독 ☐
Day 37	1회독 ☐	2회독 ☐	3회독 ☐
Day 38	1회독 ☐	2회독 ☐	3회독 ☐
Day 39	1회독 ☐	2회독 ☐	3회독 ☐
Day 40	1회독 ☐	2회독 ☐	3회독 ☐

Section 01

People

Day 01

Characters

□□ 0001	**wise**	ⓐ 지혜로운, 슬기로운
□□ 0002	**foolish**	ⓐ 바보 같은, 어리석은
□□ 0003	**proud**	ⓐ 1. 자랑스러워하는 2. 거만한, 잘난 체하는
□□ 0004	**honest**	ⓐ 정직한, 솔직한
□□ 0005	**careful**	ⓐ 조심성 있는
□□ 0006	**brave**	ⓐ 용감한
□□ 0007	**lazy**	ⓐ 게으른
□□ 0008	**calm**	ⓐ 차분한, 침착한
□□ 0009	**rude**	ⓐ 무례한, 예의 없는
□□ 0010	**active**	ⓐ 활동적인, 적극적인
□□ 0011	**character**	ⓝ 성격, 기질
□□ 0012	**serious**	ⓐ 진지한, 진심의
□□ 0013	**strict**	ⓐ 엄한, 엄격한
□□ 0014	**cruel**	ⓐ 잔인한, 무자비한
□□ 0015	**mean**	ⓐ 못된, 심술궂은

□□ 0016	selfish	ⓐ 이기적인
□□ 0017	evil	ⓐ 나쁜, 사악한 ⓝ 악
□□ 0018	curious	ⓐ 호기심이 많은, 알고 싶어 하는
□□ 0019	cheerful	ⓐ 쾌활한, 명랑한
□□ 0020	friendly	ⓐ 1. 친한, 친절한 2. 호의적인
□□ 0021	modest	ⓐ 1. 겸손한, 신중한 2. 중도적인
□□ 0022	generous	ⓐ 관대한, (인심이) 후한
□□ 0023	sensitive	ⓐ 민감한, 예민한
□□ 0024	confident	ⓐ 1. 자신만만한 2. 확신하는
□□ 0025	positive	ⓐ 긍정적인
□□ 0026	negative	ⓐ 부정적인
□□ 0027	optimistic	ⓐ 낙관적인, 낙천적인
□□ 0028	cautious	ⓐ 조심스러운, 신중한, 조심하는
□□ 0029	make fun of	~을 놀리다, 비웃다
□□ 0030	cheer up	기운을 내다, ~을 격려하다

Day 02

Describing People

□□ 0031	cute	ⓐ 귀여운, 예쁜
□□ 0032	pretty	ⓐ 예쁜, 귀여운 ⓐⓓ 매우, 아주
□□ 0033	beautiful	ⓐ 아름다운
□□ 0034	ugly	ⓐ 못생긴, 추한
□□ 0035	overweight	ⓐ 과체중의, 너무 살찐
□□ 0036	young	ⓐ 어린, 젊은
□□ 0037	handsome	ⓐ (남자가) 잘생긴
□□ 0038	slim	ⓐ 호리호리한, 가냘픈, 날씬한
□□ 0039	beard	ⓝ 턱수염
□□ 0040	lovely	ⓐ 사랑스러운, 아름다운
□□ 0041	neat	ⓐ 단정한, 깔끔한
□□ 0042	plain	ⓐ 평범하게 생긴, 꾸밈없는
□□ 0043	good-looking	ⓐ 잘생긴
□□ 0044	skinny	ⓐ 깡마른, 바싹 여윈
□□ 0045	fit	ⓐ 건강한 ⓥ 적합하다, 꼭 맞다

□□ 0046 **muscular** ⓐ 근육질의, 건장한

□□ 0047 **thin** ⓐ 1. (몸, 손가락 등이) 가는, 가느다란
2. 여윈, 수척한 3. (머리카락 등이) 숱이 적은

□□ 0048 **bald** ⓐ 대머리의

□□ 0049 **curly** ⓐ 곱슬거리는

□□ 0050 **dye** ⓥ 염색하다

□□ 0051 **appearance** ⓝ 외모

□□ 0052 **attractive** ⓐ 매력적인

□□ 0053 **charming** ⓐ 매력적인, 멋진

□□ 0054 **mustache** ⓝ 코밑수염

□□ 0055 **sideburns** ⓝ 구레나룻

□□ 0056 **middle-aged** ⓐ 중년의

□□ 0057 **build** ⓝ 체격 ⓥ 짓다, 건축하다

□□ 0058 **image** ⓝ 이미지, 상, 형태

□□ 0059 **grow up** 성장하다, 자라다

□□ 0060 **both A and B** A와 B 둘 다

Day 03

Emotions

□□ 0061 **enjoy** ⓥ 즐기다

□□ 0062 **cry** ⓥ 울다

□□ 0063 **glad** ⓐ 기쁜

□□ 0064 **fear** ⓝ 공포

□□ 0065 **joy** ⓝ 기쁨, 즐거움

□□ 0066 **miss** ⓥ 1. 그리워하다 2. 놓치다

□□ 0067 **laugh** ⓥ 웃다

□□ 0068 **mad** ⓐ 1. 몹시 화난, 성난 2. 미친, 제정신이 아닌

□□ 0069 **annoyed** ⓐ 짜증 난, 화가 난

□□ 0070 **upset** ⓐ 화가 난, 기분이 상한

□□ 0071 **worried** ⓐ 걱정스러운

□□ 0072 **regret** ⓝ 유감, 후회 ⓥ 후회하다

□□ 0073 **bother** ⓥ 괴롭히다, 방해하다

□□ 0074 **excited** ⓐ 흥분한, 신이 난

□□ 0075 **surprised** ⓐ 놀란

□□ 0076 **pleased** ⓐ 기쁜, 좋아하는

□□ 0077 **horrible** ⓐ 무서운, 끔찍한

□□ 0078 **grateful** ⓐ 감사하는, 고맙게 여기는

□□ 0079 **anxious** ⓐ 걱정되는, 근심이 되는

□□ 0080 **delighted** ⓐ 매우 기뻐하는

□□ 0081 **depressed** ⓐ 의기소침한, 낙담한, 우울한

□□ 0082 **frightened** ⓐ 깜짝 놀란, 겁이 난

□□ 0083 **ashamed** ⓐ 부끄러워하는

□□ 0084 **emotion** ⓝ 감정

□□ 0085 **sympathy** ⓝ 동정

□□ 0086 **satisfied** ⓐ 만족한

□□ 0087 **disappointed** ⓐ 실망한, 낙담한

□□ 0088 **amused** ⓐ 즐기는, 즐거워하는

□□ 0089 **calm down** 진정하다, 흥분을 가라앉히다

□□ 0090 **feel sorry for** ~을 안쓰럽게[안됐다고] 여기다, ~에게 미안함을 느끼다

Day 04

Jobs

□□ 0091	**baker**	ⓝ 제빵사
□□ 0092	**reporter**	ⓝ 기자, 통신원
□□ 0093	**engineer**	ⓝ 기사, 기술자
□□ 0094	**scientist**	ⓝ 과학자
□□ 0095	**lawyer**	ⓝ 변호사
□□ 0096	**dentist**	ⓝ 치과의사
□□ 0097	**mechanic**	ⓝ 정비공
□□ 0098	**architect**	ⓝ 건축가
□□ 0099	**officer**	ⓝ 공무원, 관리
□□ 0100	**gardener**	ⓝ 정원사
□□ 0101	**photographer**	ⓝ 사진사, 사진작가
□□ 0102	**president**	ⓝ 대통령
□□ 0103	**salesperson**	ⓝ 판매원
□□ 0104	**carpenter**	ⓝ 목수
□□ 0105	**businessman**	ⓝ 사업가

□□ 0106 **fisherman** ⓝ 어부

□□ 0107 **soldier** ⓝ 군인

□□ 0108 **professor** ⓝ 교수

□□ 0109 **judge** ⓝ 판사, 심사원 ⓥ 판단하다

□□ 0110 **announcer** ⓝ 방송 진행자, 아나운서

□□ 0111 **hairdresser** ⓝ 미용사

□□ 0112 **accountant** ⓝ 회계사

□□ 0113 **novelist** ⓝ 소설가

□□ 0114 **security guard** ⓝ 경호원, 경비원

□□ 0115 **astronaut** ⓝ 우주비행사

□□ 0116 **detective** ⓝ 탐정

□□ 0117 **secretary** ⓝ 비서

□□ 0118 **illustrator** ⓝ 삽화가

□□ 0119 **be good at** ~에 능숙하다, ~을 잘하다

□□ 0120 **be[become] interested in** ~에 관심이[흥미가] 있다

Section

02

Daily Life

Day 05

Clothes

□□ 0121	**pants**	ⓝ 바지
□□ 0122	**sweater**	ⓝ 스웨터
□□ 0123	**skirt**	ⓝ 치마
□□ 0124	**tie**	ⓝ 넥타이 ⓥ ~을 묶다, 매다
□□ 0125	**belt**	ⓝ 벨트, 허리띠
□□ 0126	**uniform**	ⓝ 유니폼, 제복
□□ 0127	**socks**	ⓝ 양말
□□ 0128	**material**	ⓝ 1. 직물, 천 2. 재료
□□ 0129	**gloves**	ⓝ 장갑
□□ 0130	**boots**	ⓝ 장화, 부츠, 목이 긴 구두
□□ 0131	**dress**	ⓝ 옷, 의복 ⓥ 옷을 입다
□□ 0132	**scarf**	ⓝ 스카프, 목도리
□□ 0133	**jacket**	ⓝ 재킷, 상의, 웃옷
□□ 0134	**shorts**	ⓝ 반바지, 운동 팬츠
□□ 0135	**button**	ⓝ 단추 ⓥ ~에 단추를 채우다

□□ 0136 **jeans** ⓝ 청바지

□□ 0137 **suit** ⓝ 정장, 슈트 ⓥ ~에게 잘 어울리다

□□ 0138 **pocket** ⓝ 주머니

□□ 0139 **bow tie** ⓝ 나비넥타이

□□ 0140 **heels** ⓝ 굽 높은 구두

□□ 0141 **stockings** ⓝ 긴 양말, 스타킹

□□ 0142 **sandals** ⓝ 샌들

□□ 0143 **wallet** ⓝ 지갑

□□ 0144 **purse** ⓝ 돈주머니, 지갑

□□ 0145 **vest** ⓝ 조끼

□□ 0146 **overalls** ⓝ 멜빵 바지

□□ 0147 **athletic shoes** ⓝ 운동화

□□ 0148 **put on** (옷을) 입다, (모자, 안경 등을) 쓰다

□□ 0149 **try on** ~을 입어[신어] 보다

□□ 0150 **take off** 1. (옷 등을) 벗다 2. 이륙하다

Day 06 Food

□□	0151	butter	ⓝ 버터
□□	0152	bread	ⓝ 빵
□□	0153	jam	ⓝ 잼
□□	0154	meat	ⓝ 고기
□□	0155	sugar	ⓝ 설탕
□□	0156	salt	ⓝ 소금
□□	0157	soup	ⓝ 수프
□□	0158	fish	ⓝ 생선
□□	0159	grab	ⓥ 1. 간단히 먹다 2. 잡다, 붙들다
□□	0160	beef	ⓝ 소고기
□□	0161	steak	ⓝ 스테이크
□□	0162	pork	ⓝ 돼지고기
□□	0163	pepper	ⓝ 1. 후추 2. 고추
□□	0164	diet	ⓝ 다이어트, 식이요법
□□	0165	snack	ⓝ 간식

□□ 0166	**egg**	ⓝ 달걀
□□ 0167	**rice**	ⓝ 밥
□□ 0168	**flour**	ⓝ 밀가루
□□ 0169	**honey**	ⓝ 꿀
□□ 0170	**mustard**	ⓝ 겨자
□□ 0171	**noodle**	ⓝ 국수
□□ 0172	**pickle**	ⓝ (오이 등을) 절인 것, 피클 ⓥ 절이다
□□ 0173	**stew**	ⓝ 스튜, 찌개
□□ 0174	**cereal**	ⓝ 곡물 식품, 시리얼 ⓐ 곡물의
□□ 0175	**meal**	ⓝ 식사
□□ 0176	**side dish**	ⓝ 반찬, 주된 요리에 곁들이는 요리
□□ 0177	**appetizer**	ⓝ 애피타이저, 식욕을 돋우는 것
□□ 0178	**powder**	ⓝ 가루
□□ 0179	**set the table**	식탁[밥상]을 차리다
□□ 0180	**eat out**	외식하다

Day 07

Cooking

□□ 0181	bake	ⓥ 굽다
□□ 0182	fry	ⓥ 튀기다
□□ 0183	boil	ⓥ 끓이다
□□ 0184	glass	ⓝ 컵, 유리잔, 한 컵(의 양)
□□ 0185	knife	ⓝ 칼
□□ 0186	basket	ⓝ 바구니
□□ 0187	chop	ⓥ 썰다, 다지다
□□ 0188	lid	ⓝ 뚜껑
□□ 0189	handle	ⓝ 손잡이
□□ 0190	pour	ⓥ 붓다
□□ 0191	roll	ⓥ 밀다
□□ 0192	slice	ⓥ 얇게 썰다
□□ 0193	refrigerator	ⓝ 냉장고
□□ 0194	pot	ⓝ (속이 깊은) 냄비
□□ 0195	bowl	ⓝ (우묵한) 그릇, 통

□□ 0196	**plate**	ⓝ 접시
□□ 0197	**tray**	ⓝ 쟁반
□□ 0198	**jar**	ⓝ (입구가 넓은) 병, 단지
□□ 0199	**pan**	ⓝ (납작한) 냄비, 팬
□□ 0200	**beat**	ⓥ 휘저어 섞다
□□ 0201	**steam**	ⓥ 찌다
□□ 0202	**scoop**	ⓝ 주걱, 국자
□□ 0203	**grill**	ⓥ (열로) 굽다, 익히다
□□ 0204	**kettle**	ⓝ 주전자
□□ 0205	**opener**	ⓝ 따개
□□ 0206	**cabinet**	ⓝ 진열대
□□ 0207	**recipe**	ⓝ 요리법
□□ 0208	**blender**	ⓝ 부엌용 믹서기
□□ 0209	**be used for**	~에 사용[이용]되다
□□ 0210	**keep on ~ing**	계속 ~하다

Day 08

House

□□ 0211 **garden** ⓝ 정원 ⓥ 정원을 가꾸다

□□ 0212 **apartment** ⓝ 아파트

□□ 0213 **yard** ⓝ 마당

□□ 0214 **knock** ⓥ 노크를 하다, (문 등을) 두드리다

□□ 0215 **soap** ⓝ 비누

□□ 0216 **towel** ⓝ 타월, 수건

□□ 0217 **curtain** ⓝ 커튼

□□ 0218 **mirror** ⓝ 거울

□□ 0219 **neighbor** ⓝ 이웃(사람)

□□ 0220 **gate** ⓝ 문

□□ 0221 **bedroom** ⓝ 침실

□□ 0222 **roof** ⓝ 지붕

□□ 0223 **garage** ⓝ 차고

□□ 0224 **laundry** ⓝ 세탁물

□□ 0225 **water** ⓝ 물 ⓥ 물을 주다

□□ 0226	**lawn**	ⓝ 잔디
□□ 0227	**floor**	ⓝ 1. 마루, 바닥 2. 층
□□ 0228	**feed**	ⓥ 먹이를 주다
□□ 0229	**bathroom**	ⓝ 욕실
□□ 0230	**ceiling**	ⓝ 천장
□□ 0231	**shelf**	ⓝ 선반
□□ 0232	**drawer**	ⓝ 서랍
□□ 0233	**lamp**	ⓝ 전기스탠드, 램프
□□ 0234	**sheet**	ⓝ 시트, 홑이불
□□ 0235	**stair**	ⓝ 계단, 층계
□□ 0236	**scale**	ⓝ 체중계, 저울
□□ 0237	**sink**	ⓝ 싱크대, 개수대
□□ 0238	**tap**	ⓝ 수도꼭지
□□ 0239	**turn on**	(라디오, TV, 전기, 가스 등을) 켜다
□□ 0240	**in place**	제자리에 (있는)

Transportation

□□ 0241	park	ⓥ 주차하다 ⓝ 공원
□□ 0242	stop	ⓝ 정류장 ⓥ 정차하다, 그만두다
□□ 0243	drive	ⓥ 운전하다
□□ 0244	subway	ⓝ 지하철
□□ 0245	seat	ⓝ 좌석
□□ 0246	road	ⓝ 길, 도로
□□ 0247	fare	ⓝ 요금
□□ 0248	bicycle	ⓝ 자전거
□□ 0249	limit	ⓝ 한계, 제한 ⓥ 제한하다
□□ 0250	route	ⓝ 1. 길, 경로, 루트 2. (버스, 기차 등의) 노선
□□ 0251	cross	ⓥ ~을 건너다 ⓝ 십자가
□□ 0252	track	ⓝ 철도 선로, 궤도
□□ 0253	rail	ⓝ 철로
□□ 0254	curve	ⓝ 굽이, 커브, 굴곡 ⓥ 구부러지다
□□ 0255	sign	ⓝ 표지(판) ⓥ 서명하다

□□ 0256 **station** ⓝ 1. 역, 정거장 2. (관공)서, 국

□□ 0257 **wheel** ⓝ 바퀴

□□ 0258 **license** ⓝ 면허증

□□ 0259 **accident** ⓝ 사고

□□ 0260 **traffic** ⓝ 교통(량) ⓐ 교통의

□□ 0261 **forward** ad 앞으로, 앞을 향하여

□□ 0262 **transfer** ⓥ 1. 옮기다 2. 환승하다

□□ 0263 **passenger** ⓝ 승객

□□ 0264 **harbor** ⓝ 항구

□□ 0265 **gas** ⓝ 휘발유, 가솔린

□□ 0266 **platform** ⓝ (역의) 플랫폼, 승강장

□□ 0267 **transport** ⓥ 수송하다, 운송하다

□□ 0268 **crash** ⓝ 충돌 ⓥ 충돌하다

□□ 0269 **get on** (탈것에) 타다, 승차하다

□□ 0270 **on foot** 걸어서, 도보로

Day 10

In the Office

□□ 0271 **glue** ⓝ 풀 ⓥ 풀을 바르다, 접착하다

□□ 0272 **scissors** ⓝ 가위

□□ 0273 **eraser** ⓝ 지우개

□□ 0274 **desk** ⓝ 책상

□□ 0275 **chair** ⓝ 의자

□□ 0276 **room** ⓝ 방, 실

□□ 0277 **company** ⓝ 회사

□□ 0278 **interview** ⓥ 면접을 보다, 인터뷰를 하다 ⓝ 면접, 인터뷰

□□ 0279 **calendar** ⓝ 달력

□□ 0280 **printer** ⓝ 인쇄기, 프린터

□□ 0281 **envelope** ⓝ 봉투

□□ 0282 **folder** ⓝ 폴더, 서류철

□□ 0283 **call** ⓝ 통화 ⓥ 전화를 걸다

□□ 0284 **letter** ⓝ 편지

□□ 0285 **seal** ⓝ 도장, 인감, 봉인 ⓥ 날인하다, 봉하다

□□ 0286	clip	ⓝ 클립 ⓥ 자르다, 깎다
□□ 0287	pin	ⓝ 핀 ⓥ 핀으로 고정하다
□□ 0288	message	ⓝ 메시지
□□ 0289	bookcase	ⓝ 책장, 책꽂이
□□ 0290	manager	ⓝ 관리자
□□ 0291	calculator	ⓝ 계산기
□□ 0292	stationery	ⓝ 문구류
□□ 0293	staple	ⓥ 스테이플러로 고정시키다
□□ 0294	punch	ⓝ (표에 구멍을 뚫는) 펀치 ⓥ 구멍을 뚫다
□□ 0295	highlighter	ⓝ 형광 컬러 펜
□□ 0296	document	ⓝ 서류, 문서
□□ 0297	printout	ⓝ 출력물
□□ 0298	photocopy	ⓝ 사진 복사물 ⓥ 사진 복사하다
□□ 0299	deal with	~을 다루다, 처리하다
□□ 0300	fill out	~을 작성하다, 기입하다

Day 11

On the Road

□□ 0301 **building** ⓝ 건물

□□ 0302 **bakery** ⓝ 제과점

□□ 0303 **fire station** ⓝ 소방서

□□ 0304 **hospital** ⓝ 병원

□□ 0305 **museum** ⓝ 박물관

□□ 0306 **city hall** ⓝ 시청

□□ 0307 **police station** ⓝ 경찰서

□□ 0308 **left** ⓝ 왼쪽

□□ 0309 **trash** ⓝ 쓰레기

□□ 0310 **village** ⓝ (시골) 마을, 촌락

□□ 0311 **direction** ⓝ 방향

□□ 0312 **street** ⓝ 거리

□□ 0313 **avenue** ⓝ 도시의 큰 대로, 넓은 길

□□ 0314 **block** ⓝ 1. (도로의) 블록, 구획 2. 덩어리, 장애물
ⓥ 막다, 봉쇄하다

□□ 0315 **straight** ⓐ 똑바른, 직선의 ⓐⓓ 곧장, 일직선으로

□□ 0316	**corner**	ⓝ 모퉁이, 구석
□□ 0317	**turn**	ⓝ 1. 회전 2. 방향 전환 ⓥ 돌다
□□ 0318	**drugstore**	ⓝ 약국
□□ 0319	**pedestrian**	ⓝ 보행자
□□ 0320	**department store**	ⓝ 백화점
□□ 0321	**sidewalk**	ⓝ 인도, 보도
□□ 0322	**crosswalk**	ⓝ 횡단보도
□□ 0323	**intersection**	ⓝ 교차로
□□ 0324	**patrol**	ⓝ 순찰대, 순찰 경관
□□ 0325	**signal**	ⓝ 신호, 신호기
□□ 0326	**highway**	ⓝ 고속도로
□□ 0327	**sewer**	ⓝ 하수구
□□ 0328	**give ~ a ride**	~를 태워 주다
□□ 0329	**be known for**	~로 알려져 있다, ~로 유명하다
□□ 0330	**in the middle of**	~의 중간[중앙]에, ~의 도중에

Day 12

Housework & Tools

□□ 0331	iron	ⓝ 1. 다리미 2. 철 ⓥ 다림질하다
□□ 0332	lift	ⓥ 올리다, 들어올리다
□□ 0333	wash	ⓝ 세탁물 ⓥ 씻다
□□ 0334	mop	ⓝ 대걸레 ⓥ 대걸레로 닦다
□□ 0335	daily	ⓐ 매일의, 나날의
□□ 0336	hang	ⓥ 걸다, 매달리다
□□ 0337	hammer	ⓝ 망치
□□ 0338	switch	ⓝ 스위치
□□ 0339	dust	ⓝ 먼지, 티끌 ⓥ 먼지를 털다
□□ 0340	ladder	ⓝ 사다리
□□ 0341	carry	ⓥ 나르다
□□ 0342	tool	ⓝ 도구, 연장
□□ 0343	drill	ⓝ 송곳 ⓥ 구멍을 뚫다
□□ 0344	saw	ⓝ 톱 ⓥ 톱질하다
□□ 0345	bucket	ⓝ 물통, 양동이

□□ 0346	housework	ⓝ 가사, 집안일
□□ 0347	dig	ⓥ 파다, 파헤치다
□□ 0348	sweep	ⓥ 청소하다, 쓸다
□□ 0349	fold	ⓥ 개다, 접다
□□ 0350	rake	ⓝ 갈퀴 ⓥ 긁어모으다
□□ 0351	trim	ⓥ 깎아 다듬다
□□ 0352	polish	ⓥ 닦다, 윤을 내다
□□ 0353	screw	ⓝ 나사 ⓥ 나사로 죄다, 비틀다
□□ 0354	broom	ⓝ 빗자루
□□ 0355	shovel	ⓝ 삽
□□ 0356	wrench	ⓝ 렌치(너트를 죄는 기구)
□□ 0357	flashlight	ⓝ 손전등
□□ 0358	outlet	ⓝ 1. (전기) 콘센트 2. 출구, 배출구
□□ 0359	set up	세우다, 설치[설립]하다
□□ 0360	clean up	치우다, 청소하다

Day 13

At the Supermarket

□□ 0361 **bottle** ⓝ 병

□□ 0362 **package** ⓝ 1. (포장용) 용기, 상자 2. 꾸러미, 소포

□□ 0363 **can** ⓝ 깡통, 통조림 ⓥ (음식물을) 통조림으로 만들다

□□ 0364 **item** ⓝ 항목, 품목

□□ 0365 **pack** ⓝ 꾸러미, 한 상자 ⓥ (짐을) 싸다, 꾸리다

□□ 0366 **ice** ⓝ 얼음

□□ 0367 **bar** ⓝ 막대기, 막대기 모양의 것

□□ 0368 **piece** ⓝ 조각

□□ 0369 **counter** ⓝ 계산대

□□ 0370 **spray** ⓝ 스프레이, 분무기 ⓥ 뿌리다

□□ 0371 **bin** ⓝ (뚜껑 달린) 큰 상자

□□ 0372 **smoked** ⓐ 훈제된

□□ 0373 **fresh** ⓐ 신선한

□□ 0374 **grain** ⓝ 곡물, 곡류

□□ 0375 **vegetable** ⓝ 채소

□□ 0376 **cart** ⓝ 손수레, 카트

□□ 0377 **seafood** ⓝ 해산물

□□ 0378 **cashier** ⓝ 계산원

□□ 0379 **freezer** ⓝ 냉동고

□□ 0380 **frozen food** ⓝ 냉동식품

□□ 0381 **grocery** ⓝ 1. 식료 잡화점, 식품점 2. [*pl.*] 식료품류

□□ 0382 **container** ⓝ 용기

□□ 0383 **aisle** ⓝ 통로

□□ 0384 **dairy** ⓐ 우유의, 유제품의

□□ 0385 **bundle** ⓝ (한 묶음의) 다발, 뭉치

□□ 0386 **pile** ⓝ 더미

□□ 0387 **cash register** ⓝ 금전 등록기

□□ 0388 **on sale** 1. 판매되는 2. 할인 중인

□□ 0389 **for free** 공짜로, 무료로

□□ 0390 **line up** 줄을 서다

Day 14

Describing Things

□□ 0391	clean	ⓐ 깨끗한 ⓥ 청소하다, 깨끗이 하다
□□ 0392	high	ⓐ 높은
□□ 0393	low	ⓐ 낮은
□□ 0394	open	ⓐ 열린 ⓥ 열다
□□ 0395	heavy	ⓐ 무거운
□□ 0396	full	ⓐ 1. 가득 찬 2. 배부른
□□ 0397	flat	ⓐ 평평한, 편평한
□□ 0398	dark	ⓐ 어두운
□□ 0399	deep	ⓐ 깊은
□□ 0400	round	ⓐ 1. 둥근 2. 한 바퀴를 도는
□□ 0401	light	ⓐ 가벼운, (양이) 적은 ⓝ 빛
□□ 0402	famous	ⓐ 유명한
□□ 0403	colorful	ⓐ 다채로운, 화려한
□□ 0404	empty	ⓐ 텅 빈
□□ 0405	metal	ⓝ 금속

□□ 0406	plastic	ⓐ 1. 플라스틱의, 비닐의 2. 성형의
□□ 0407	wide	ⓐ 넓은
□□ 0408	tight	ⓐ 꽉 조이는
□□ 0409	loose	ⓐ 헐렁한
□□ 0410	sharp	ⓐ 날카로운
□□ 0411	shallow	ⓐ 얕은
□□ 0412	oval	ⓝ 달걀 모양, 타원형 ⓐ 달걀 모양의, 타원형의
□□ 0413	square	ⓝ 1. 정사각형 2. 광장 ⓐ 정사각형의, 사각의
□□ 0414	triangle	ⓝ 삼각형
□□ 0415	crack	ⓝ (갈라진) 틈, 틈새
□□ 0416	glitter	ⓥ 빛나다
□□ 0417	firm	ⓐ 단단한, 굳은 ⓝ 회사
□□ 0418	wooden	ⓐ 나무로 만든
□□ 0419	be covered with	~으로 덮여 있다
□□ 0420	prefer A to B	B보다 A를 더 선호하다

Section

03

Leisure & Health

Day 15

Senses

□□	0421	**watch**	ⓥ 지켜보다
□□	0422	**look**	ⓥ 보다, 바라보다
□□	0423	**listen**	ⓥ (주의해서) 듣다
□□	0424	**smell**	ⓝ 냄새, 후각 ⓐ 냄새가 나다, 냄새를 맡다
□□	0425	**loud**	ⓐ (소리가) 큰, 시끄러운
□□	0426	**bad**	ⓐ 1. 불쾌한, 나쁜 2. (음식이) 상한
□□	0427	**feel**	ⓥ (기분이) 들다, 느끼다
□□	0428	**hard**	ⓐ 1. 굳은, 단단한 2. 어려운
□□	0429	**scream**	ⓥ 비명을 지르다, 소리치다 ⓝ 비명, 절규
□□	0430	**noise**	ⓝ 소음
□□	0431	**bitter**	ⓐ 쓴, 쓴맛의
□□	0432	**sweet**	ⓐ 달콤한
□□	0433	**sour**	ⓐ 신, 신맛의
□□	0434	**juicy**	ⓐ 즙이 많은
□□	0435	**touch**	ⓝ 1. 촉감 2. 접촉 ⓥ 만지다, 건드리다

□□ 0436 **rough** ⓐ 1. 거친 2. 가공하지 않은

□□ 0437 **soft** ⓐ 부드러운

□□ 0438 **sense** ⓝ 감각 ⓥ 감지하다

□□ 0439 **objective** ⓐ 객관적인 ⓝ 목적, 목표

□□ 0440 **sight** ⓝ 1. 시각, 시력 2. 보기, 일견

□□ 0441 **stare** ⓥ 빤히 보다, 응시하다

□□ 0442 **whisper** ⓝ 속삭임 ⓥ 속삭이다

□□ 0443 **audio** ⓝ 음의 재생, 오디오 ⓐ 음성의, 오디오의

□□ 0444 **flavor** ⓝ 맛, 풍미

□□ 0445 **smooth** ⓐ 부드러운 ⓥ 부드럽게 하다

□□ 0446 **notice** ⓝ 주의, 주목 ⓥ 주의하다, 알아차리다

□□ 0447 **observe** ⓥ 관찰하다, 알아차리다

□□ 0448 **discover** ⓥ 발견하다, 알아내다

□□ 0449 **make sense** 의미가 통하다, 이해가[말이] 되다

□□ 0450 **focus on** ~에 집중하다, 초점을 맞추다

Day 16

Health & Illness

□□ 0451 **cough** ⓝ 기침 ⓥ 기침하다

□□ 0452 **fever** ⓝ 열, 발열

□□ 0453 **sore** ⓐ 아픈, 쑤시는

□□ 0454 **cut** ⓝ 베인 상처 ⓥ 상처를 내다, ~을 베다

□□ 0455 **pain** ⓝ 고통

□□ 0456 **medicine** ⓝ 약

□□ 0457 **virus** ⓝ 바이러스

□□ 0458 **ache** ⓝ 통증, 아픔 ⓥ 통증이 있다

□□ 0459 **dizzy** ⓐ 어지러운

□□ 0460 **disease** ⓝ 병, 질병

□□ 0461 **cancer** ⓝ 암

□□ 0462 **blind** ⓐ 눈이 먼, 시각 장애의

□□ 0463 **deaf** ⓐ 귀가 먹은, 청각 장애가 있는

□□ 0464 **patient** ⓝ 환자 ⓐ 끈기 있는, 참을성 있는

□□ 0465 **cure** ⓝ 치료법 ⓥ 치료하다

□□ 0466	relax	ⓥ 쉬게 하다, 편히 쉬다
□□ 0467	burn	ⓝ 화상 ⓥ 화상을 입다[입히다], (햇볕에) 타다
□□ 0468	symptom	ⓝ 증상
□□ 0469	wound	ⓝ 상처 ⓥ 상처를 내다
□□ 0470	vomit	ⓥ 토하다
□□ 0471	sneeze	ⓥ 재채기하다
□□ 0472	bruise	ⓝ 멍, 타박상
□□ 0473	examine	ⓥ 진찰하다
□□ 0474	recover	ⓥ 회복하다
□□ 0475	prevent	ⓥ 예방하다, 막다
□□ 0476	medical	ⓐ 의학의
□□ 0477	operate	ⓥ 수술하다
□□ 0478	emergency	ⓝ 비상사태, 응급
□□ 0479	catch a cold	감기에 걸리다
□□ 0480	see a doctor	의사의 진찰을 받다, 병원에 가다

Day 17

Travel

□□ 0481	trip	ⓝ 여행
□□ 0482	journey	ⓝ (보통 멀리 가는) 여행, 여정
□□ 0483	sightseeing	ⓝ 관광
□□ 0484	visa	ⓝ 비자, 사증
□□ 0485	flight	ⓝ 비행
□□ 0486	landscape	ⓝ 풍경
□□ 0487	reserve	ⓥ 예약하다
□□ 0488	cancel	ⓥ 취소하다 ⓝ 취소
□□ 0489	scenery	ⓝ 풍경
□□ 0490	apply	ⓥ 신청하다 (for)
□□ 0491	passport	ⓝ 여권
□□ 0492	insurance	ⓝ 보험
□□ 0493	reach	ⓥ 도착하다, 도달하다
□□ 0494	attendant	ⓝ 안내원, 종업원
□□ 0495	board	ⓥ 탑승하다, 승차하다

□□ 0496	**depart**	ⓥ 출발하다
□□ 0497	**arrive**	ⓥ 도착하다
□□ 0498	**land**	ⓝ 땅 ⓥ 착륙하다
□□ 0499	**abroad**	ⓐⓓ 해외로
□□ 0500	**itinerary**	ⓝ 1. 여행 일정표 2. 여행 일기
□□ 0501	**baggage**	ⓝ 짐, 수하물
□□ 0502	**claim**	ⓝ 1. 요구, 청구 2. 주장 ⓥ 1. 요구하다 2. 주장하다
□□ 0503	**check**	ⓝ 1. 수표 2. 점검 ⓥ 조사하다, 점검하다
□□ 0504	**destination**	ⓝ (여행 등의) 목적지
□□ 0505	**security**	ⓝ 보안, 안전
□□ 0506	**delay**	ⓝ 지연, 연기 ⓥ 연기하다
□□ 0507	**jet lag**	ⓝ 시차증(여행 시차에 의한 피로·신경 과민)
□□ 0508	**souvenir**	ⓝ 기념품
□□ 0509	**all over the world**	전 세계에
□□ 0510	**have a good time**	즐겁게 보내다, 좋은 시간을 갖다

Day 18

Hobbies

- □□ 0511 **movie** ⓝ 영화
- □□ 0512 **puzzle** ⓝ 수수께끼, 퍼즐
- □□ 0513 **game** ⓝ 게임, 시합
- □□ 0514 **interest** ⓝ 흥미, 관심
- □□ 0515 **picture** ⓝ 사진, 그림
- □□ 0516 **musical** ⓐ 음악의 ⓝ 뮤지컬
- □□ 0517 **dance** ⓝ 춤 ⓥ 춤을 추다
- □□ 0518 **activity** ⓝ 1. 움직임 2. 활동
- □□ 0519 **craft** ⓝ (수)공예 ⓥ 공예품을 만들다
- □□ 0520 **collect** ⓥ 모으다
- □□ 0521 **chess** ⓝ 체스, 서양 장기
- □□ 0522 **hike** ⓥ 하이킹하다, 도보여행하다
- □□ 0523 **comic** ⓐ 희극의, 만화의
- □□ 0524 **camp** ⓝ 1. 야영, 캠프 2. 야영지 ⓥ 야영하다
- □□ 0525 **pleasure** ⓝ 기쁨

□□ 0526 **stamp** ⓝ 1. 우표 2. 도장

□□ 0527 **jog** ⓥ 조깅하다

□□ 0528 **magic** ⓝ 마법, 주술 ⓐ 마법의

□□ 0529 **fix** ⓥ 1. 고치다 2. 고정시키다

□□ 0530 **favorite** ⓐ 가장 좋아하는

□□ 0531 **mania** ⓝ 열광

□□ 0532 **volunteer** ⓝ 자원 봉사자, 지원자 ⓥ 자진하여 하다

□□ 0533 **chat** ⓥ 1. 수다를 떨다 2. (인터넷으로) 채팅하다

□□ 0534 **model** ⓝ 모형, 모델 ⓐ 모형의, 모델이 되는

□□ 0535 **knit** ⓥ 뜨개질을 하다

□□ 0536 **leisure** ⓝ 여가, 한가한 시간 ⓐ 한가한

□□ 0537 **involve** ⓥ 수반하다, 필요로 하다

□□ 0538 **spend ... on ~ing** ~하는 데 …을 쓰다

□□ 0539 **go (out) for a walk** 산책하러 (나)가다

□□ 0540 **from time to time** 때때로, 가끔

Day 19

Sports

□□ 0541	**stretch**	ⓥ 몸을 쭉 뻗다, 쭉 내밀다
□□ 0542	**swim**	ⓥ 수영하다
□□ 0543	**kick**	ⓝ (걷어) 차기, 발길질 ⓥ 발로 차다
□□ 0544	**outdoor**	ⓐ 실외의, 집밖의
□□ 0545	**player**	ⓝ 경기자, 선수
□□ 0546	**bowling**	ⓝ 볼링
□□ 0547	**prize**	ⓝ 상, 상품
□□ 0548	**competition**	ⓝ 1. 경쟁 2. 대회, 시합
□□ 0549	**goal**	ⓝ 1. (축구의) 골, 득점 2. 목적, 목표
□□ 0550	**shoot**	ⓝ 사격 ⓥ 1. (총 등을) 쏘다 2. 슛을 하다
□□ 0551	**coach**	ⓝ 1. 코치, 지도자 2. 마차 ⓥ 코치하다, 지도하다
□□ 0552	**basketball**	ⓝ 농구
□□ 0553	**baseball**	ⓝ 야구
□□ 0554	**base**	ⓝ 1. (야구의) 루 2. 토대, 기초
□□ 0555	**match**	ⓝ 1. 시합, 경기 2. 경쟁 상대

□□ 0556	**batter**	ⓝ 타자
□□ 0557	**throw**	ⓝ 투구, 던짐 ⓥ 던지다
□□ 0558	**catch**	ⓥ 1. 잡다 2. 공을 받다
□□ 0559	**racket**	ⓝ 라켓 ⓥ 라켓으로 치다
□□ 0560	**athlete**	ⓝ (운동)선수
□□ 0561	**defender**	ⓝ 수비수
□□ 0562	**score**	ⓝ (경기) 득점, 점수 ⓥ 득점하다
□□ 0563	**referee**	ⓝ (운동 경기) 심판 ⓥ 심판을 보다
□□ 0564	**champion**	ⓝ 챔피언, 우승자
□□ 0565	**sweat**	ⓝ 1. 땀 2. (땀이 나도록) 힘든 일 ⓥ 땀을 흘리다
□□ 0566	**dive**	ⓝ 잠수 ⓥ 잠수하다, 물 속에 뛰어들다
□□ 0567	**skate**	ⓝ 스케이트 구두 ⓥ 스케이트를 타다
□□ 0568	**surf**	ⓝ 파도 ⓥ 파도를 타다, 서핑하다
□□ 0569	**warm up**	(스포츠나 활동 전에) 몸을 천천히 풀다, 준비 운동을 하다
□□ 0570	**up and down**	위아래로, 이리저리

Day 20

Shopping

□□ 0571	store	ⓝ 가게, 상점
□□ 0572	gift	ⓝ 선물
□□ 0573	cheap	ⓐ 값싼, 저렴한
□□ 0574	expensive	ⓐ 값비싼
□□ 0575	sale	ⓝ 1. 판매 2. 염가 판매, 세일
□□ 0576	sell	ⓥ 팔다
□□ 0577	choose	ⓥ 선택하다
□□ 0578	pay	ⓥ 지불하다
□□ 0579	business	ⓝ 사업, 상업, 장사
□□ 0580	tax	ⓝ 세금
□□ 0581	exchange	ⓝ 1. 교환 2. 거래소 ⓥ 교환하다
□□ 0582	select	ⓥ 선발하다, 선택하다 ⓐ 엄선된, 고급의
□□ 0583	goods	ⓝ 상품, 물품
□□ 0584	tag	ⓝ 1. 꼬리표, 태그 2. 정가표
□□ 0585	medium	ⓝ 중간 ⓐ 중간의

□□ 0586	**cash**	ⓝ 현금
□□ 0587	**change**	ⓝ 1. 거스름돈 2. 변화 ⓥ 바꾸다
□□ 0588	**customer**	ⓝ 고객
□□ 0589	**display**	ⓝ 전시, 진열 ⓥ 전시하다
□□ 0590	**stand**	ⓝ 노점, 가판대
□□ 0591	**retail**	ⓝ 소매
□□ 0592	**discount**	ⓝ 할인 ⓥ 할인하다
□□ 0593	**receipt**	ⓝ 영수증
□□ 0594	**brand-name**	ⓐ (유명) 상표가 붙은
□□ 0595	**auction**	ⓝ 경매
□□ 0596	**reasonable**	ⓐ 1. (가격이) 합리적인, 저렴한 2. 이치에 맞는
□□ 0597	**catalog**	ⓝ 목록, (상품 등의) 카탈로그
□□ 0598	**quality**	ⓝ 질, 품질
□□ 0599	**look around**	둘러보다, 구경하다
□□ 0600	**drop by**	잠깐 들르다

Day 21

At the Restaurant

□□ 0601	take	ⓥ 받다
□□ 0602	order	ⓝ 주문 ⓥ 주문하다
□□ 0603	cook	ⓝ 요리사 ⓥ 요리하다
□□ 0604	chef	ⓝ 요리사, 주방장
□□ 0605	buffet	ⓝ 뷔페 식당, 뷔페식 상차림
□□ 0606	waiter	ⓝ 웨이터
□□ 0607	dessert	ⓝ 디저트, 후식
□□ 0608	napkin	ⓝ 냅킨
□□ 0609	set	ⓥ 1. 놓다 2. 준비하다
□□ 0610	deliver	ⓥ 배달하다
□□ 0611	wipe	ⓥ 닦다
□□ 0612	straw	ⓝ 1. 빨대 2. 지푸라기
□□ 0613	bite	ⓝ 한입 ⓥ 물다
□□ 0614	spill	ⓥ 흘리다, 엎지르다
□□ 0615	special	ⓝ 특별한 것, 특별 메뉴 ⓐ 특별한

□□ 0616	**rare**	ⓐ 1. (고기 등이) 덜 익은 2. 드문, 희귀한
□□ 0617	**calorie**	ⓝ 칼로리, 열량
□□ 0618	**serve**	ⓥ 1. 시중들다 2. 제공하다
□□ 0619	**tip**	ⓝ 1. 팁 2. (물건·신체의) 뾰족한 끝
□□ 0620	**beverage**	ⓝ 음료
□□ 0621	**refill**	ⓝ 새 보충물 ⓥ 다시 채우다, 보충하다
□□ 0622	**wrap**	ⓥ 싸다, 포장하다 ⓝ 포장지
□□ 0623	**bill**	ⓝ 계산서, 청구서
□□ 0624	**total**	ⓝ 합계, 총액 ⓐ 전체의, 총계의
□□ 0625	**ingredient**	ⓝ 재료
□□ 0626	**recommend**	ⓥ 추천하다
□□ 0627	**appetite**	ⓝ 식욕
□□ 0628	**be ready to**	~할 준비가 되다
□□ 0629	**wait for**	~을 기다리다
□□ 0630	**either A or B**	A와 B 둘 중 하나

Day 22

At the Beach

- □□ 0631 **sand** ⓝ 모래
- □□ 0632 **wave** ⓝ 파도
- □□ 0633 **shell** ⓝ 조개
- □□ 0634 **suntan** ⓝ 선탠, 볕에 그을음
- □□ 0635 **raft** ⓝ 고무 보트, 뗏목
- □□ 0636 **yacht** ⓝ 요트
- □□ 0637 **sunglasses** ⓝ 선글라스
- □□ 0638 **parasol** ⓝ 파라솔, 양산
- □□ 0639 **mat** ⓝ 돗자리, 매트
- □□ 0640 **vacation** ⓝ 방학
- □□ 0641 **whistle** ⓝ 호각 ⓥ 호각을 불다
- □□ 0642 **lifeboat** ⓝ 구명보트
- □□ 0643 **scuba** ⓝ 스쿠버, 잠수용 호흡 장치
- □□ 0644 **swimsuit** ⓝ 수영복
- □□ 0645 **sunblock** ⓝ 자외선 차단제

□□ 0646 **cooler** ⓝ 냉장 박스

□□ 0647 **blanket** ⓝ 담요

□□ 0648 **shade** ⓝ 그늘

□□ 0649 **shore** ⓝ 물가, 기슭

□□ 0650 **sunbath** ⓝ 일광욕

□□ 0651 **lifeguard** ⓝ 인명 구조원

□□ 0652 **float** ⓥ 물 위에 뜨다, (배 등을) 띄우다

□□ 0653 **flipper** ⓝ 물갈퀴, 오리발

□□ 0654 **binoculars** ⓝ 쌍안경

□□ 0655 **snorkel** ⓥ 스노클을 쓰고 잠수하다, 헤엄치다

□□ 0656 **pebble** ⓝ 조약돌, 자갈

□□ 0657 **expose** ⓥ 노출하다

□□ 0658 **all day long** 하루 종일

□□ 0659 **look forward to ~ing** ~을 고대하다, 손꼽아 기다리다

□□ 0660 **throw away** 1. (쓰레기 등을) 버리다 2. (기회 등을) 놓치다

Day 23

Special Days

□□ 0661 **festival** ⓝ 축제

□□ 0662 **Valentine** ⓝ 밸런타인

□□ 0663 **blow** ⓥ 불다

□□ 0664 **Christmas** ⓝ 크리스마스

□□ 0665 **candy** ⓝ 사탕

□□ 0666 **year** ⓝ 해, 년

□□ 0667 **wish** ⓝ 소원 ⓥ 기원하다

□□ 0668 **mask** ⓝ 가면

□□ 0669 **celebrate** ⓥ 기념하다, 축하하다

□□ 0670 **gather** ⓥ (사람들이) 모이다, 모으다

□□ 0671 **honeymoon** ⓝ 신혼여행

□□ 0672 **Easter** ⓝ 부활절

□□ 0673 **hide** ⓥ 숨기다

□□ 0674 **invitation** ⓝ 1. 초대 2. 초대장

□□ 0675 **Eve** ⓝ 전날 밤, 이브

□□ 0676 **decorate** ⓥ 장식하다

□□ 0677 **witch** ⓝ 마녀

□□ 0678 **trick** ⓥ 속이다 ⓝ 속임수

□□ 0679 **costume** ⓝ 1. 복장, 의상 2. 분장, 변장

□□ 0680 **turkey** ⓝ 칠면조, 칠면조 고기

□□ 0681 **anniversary** ⓝ 기념일

□□ 0682 **congratulate** ⓥ 축하하다

□□ 0683 **Thanksgiving** ⓝ 추수 감사절

□□ 0684 **Halloween** ⓝ 핼러윈

□□ 0685 **reindeer** ⓝ 순록

□□ 0686 **lantern** ⓝ 랜턴

□□ 0687 **stuff** ⓥ (속을) 채우다 ⓝ 것, 물건

□□ 0688 **crowded** ⓐ 붐비는, 혼잡한

□□ 0689 **take place** (회의, 행사 등이) 열리다, 개최되다

□□ 0690 **be similar to** ~와 비슷하다, 유사하다

Day 24 Outdoor Activities

□□ 0691 **seesaw** ⓝ 시소 ⓥ 시소를 타다

□□ 0692 **walk** ⓥ 걷다, 산책하다

□□ 0693 **ride** ⓝ 탈것 ⓥ 타다

□□ 0694 **bench** ⓝ 긴 의자, 벤치

□□ 0695 **event** ⓝ 사건, 행사

□□ 0696 **picnic** ⓝ 소풍

□□ 0697 **zoo** ⓝ 동물원

□□ 0698 **concert** ⓝ 콘서트, 공연

□□ 0699 **visit** ⓥ 방문하다

□□ 0700 **rope** ⓝ 줄

□□ 0701 **backpack** ⓝ 배낭 ⓥ 배낭을 지고 걷다

□□ 0702 **slide** ⓝ 미끄럼틀 ⓥ 미끄러지다

□□ 0703 **fountain** ⓝ 분수

□□ 0704 **playground** ⓝ 놀이터, 운동장

□□ 0705 **swing** ⓝ 그네 ⓥ 그네를 타다

□□ 0706 **sleeping bag** ⓝ 침낭

□□ 0707 **campfire** ⓝ 모닥불

□□ 0708 **fishing rod** ⓝ 낚싯대

□□ 0709 **sail** ⓥ 1. 요트를 타다 2. 항해하다, 나아가다

□□ 0710 **amusement** ⓝ 놀이, 즐거움, 재미

□□ 0711 **merry-go-round** ⓝ 회전목마

□□ 0712 **flea market** ⓝ 벼룩시장

□□ 0713 **botanical garden** ⓝ 식물원

□□ 0714 **aquarium** ⓝ 수족관

□□ 0715 **thermos** ⓝ 보온병

□□ 0716 **peak** ⓝ 꼭대기

□□ 0717 **rapids** ⓝ 급류, 여울

□□ 0718 **get together** 모이다, 모으다

□□ 0719 **because of** ~ 때문에

□□ 0720 **be filled with** ~으로 가득 차다

Section

04

Nature

Day 25 Nature

□□ 0721 **flood** ⓝ 홍수

□□ 0722 **hurricane** ⓝ 폭풍, 허리케인

□□ 0723 **thunder** ⓝ 천둥, 천둥같이 큰 소리

□□ 0724 **lightning** ⓝ 번개 ⓐ 번개 같은

□□ 0725 **creature** ⓝ (신의) 창조물, 피조물

□□ 0726 **valley** ⓝ 계곡, 골짜기

□□ 0727 **polar** ⓐ 북극[남극]의, 극지의

□□ 0728 **breeze** ⓝ 산들바람

□□ 0729 **cliff** ⓝ 벼랑, 절벽

□□ 0730 **volcano** ⓝ 화산

□□ 0731 **natural** ⓐ 자연의, 자연스러운

□□ 0732 **forest** ⓝ 숲, 삼림

□□ 0733 **desert** ⓝ 사막

□□ 0734 **explore** ⓥ 탐험하다

□□ 0735 **stream** ⓝ 1. 시내, 개울 2. 흐름, 동향

□□ 0736	**lake**	ⓝ 호수
□□ 0737	**waterfall**	ⓝ 폭포
□□ 0738	**river**	ⓝ 강
□□ 0739	**ocean**	ⓝ 바다, 대양
□□ 0740	**coast**	ⓝ 해안, 연안
□□ 0741	**tide**	ⓝ 조수, 간만
□□ 0742	**landslide**	ⓝ 산사태
□□ 0743	**earthquake**	ⓝ 지진
□□ 0744	**element**	ⓝ 1. 요소, 성분 2. 원소
□□ 0745	**appear**	ⓥ 나타나다
□□ 0746	**source**	ⓝ 원천, 수원
□□ 0747	**disaster**	ⓝ 재난, 재해
□□ 0748	**food chain**	ⓝ 먹이 사슬
□□ 0749	**find out**	~을 찾아내다, 알아내다
□□ 0750	**right away**	곧바로, 즉시

Day 26

Weather

□□ 0751	**clear**	ⓐ 1. 청명한 2. 깨끗한 3. 명백한
□□ 0752	**sunny**	ⓐ 햇빛이 밝은, 화창한
□□ 0753	**cloudy**	ⓐ 구름 낀
□□ 0754	**rainy**	ⓐ 비가 오는
□□ 0755	**windy**	ⓐ 바람이 부는
□□ 0756	**snowy**	ⓐ 눈이 내리는
□□ 0757	**mild**	ⓐ 온화한, 포근한
□□ 0758	**foggy**	ⓐ 안개 낀
□□ 0759	**freezing**	ⓐ 몹시 추운, 얼어붙을 듯한
□□ 0760	**icy**	ⓐ 얼음의, 싸늘한
□□ 0761	**dry**	ⓐ 건조한 ⓥ 말리다, 건조하게 하다
□□ 0762	**moist**	ⓐ 축축한, 습기 있는
□□ 0763	**storm**	ⓝ 폭풍(우)
□□ 0764	**rainfall**	ⓝ 강우, 강우량
□□ 0765	**hail**	ⓝ 우박, 싸락눈

□□ 0766 **snowstorm** ⓝ 눈보라

□□ 0767 **blizzard** ⓝ 강한 눈보라, 블리자드

□□ 0768 **drizzle** ⓝ 이슬비

□□ 0769 **melt** ⓥ 녹다, 녹이다

□□ 0770 **gale** ⓝ 강풍

□□ 0771 **forecast** ⓝ 예측, (일기의) 예보
ⓥ 예측하다, (일기 · 기상을) 예보하다

□□ 0772 **condition** ⓝ 상태, 상황

□□ 0773 **drought** ⓝ 가뭄

□□ 0774 **climate** ⓝ 기후

□□ 0775 **degree** ⓝ (온도 단위인) 도

□□ 0776 **temperature** ⓝ 온도

□□ 0777 **humid** ⓐ 습한, 눅눅한

□□ 0778 **sticky** ⓐ 1. 끈적끈적한 2. 무더운

□□ 0779 **up to** ~까지

□□ 0780 **on the way (to)** ~로 가는 길에

Day 27 Farming

□□ 0781 **farm** ⓝ 농장

□□ 0782 **field** ⓝ 밭

□□ 0783 **cowboy** ⓝ 카우보이, 목동

□□ 0784 **horse** ⓝ 말

□□ 0785 **bull** ⓝ 황소

□□ 0786 **chicken** ⓝ 닭

□□ 0787 **goat** ⓝ 염소

□□ 0788 **pig** ⓝ 돼지

□□ 0789 **buffalo** ⓝ 버팔로, 물소, 들소

□□ 0790 **crop** ⓝ 1. (농)작물 2. 수확량

□□ 0791 **meadow** ⓝ 목초지, 초원

□□ 0792 **barn** ⓝ 헛간

□□ 0793 **hay** ⓝ 건초

□□ 0794 **harvest** ⓥ 수확하다

□□ 0795 **calf** ⓝ 송아지

□□ 0796	cattle	ⓝ 소
□□ 0797	lay	ⓥ 1. 알을 낳다 2. ~을 …에 두다
□□ 0798	cotton	ⓝ 면
□□ 0799	shepherd	ⓝ 양치기
□□ 0800	farmhouse	ⓝ 농가, 농가에 딸린 집
□□ 0801	cultivate	ⓥ 경작하다, 재배하다
□□ 0802	orchard	ⓝ 과수원
□□ 0803	shed	ⓝ 1. (작은) 헛간, 오두막 2. 창고
□□ 0804	ranch	ⓝ 농장, 목축장
□□ 0805	pasture	ⓝ 목장 ⓥ 방목하다
□□ 0806	scarecrow	ⓝ 허수아비
□□ 0807	livestock	ⓝ 가축류
□□ 0808	vineyard	ⓝ 포도밭, 포도원
□□ 0809	take care of	~을 돌보다
□□ 0810	run away	도망치다, 달아나다

Day 28

Plants

□□ 0811	**bloom**	ⓝ 꽃, 개화 ⓥ 꽃이 피다, 개화하다
□□ 0812	**fruit**	ⓝ 1. 열매, 과일 2. 결과, 성과
□□ 0813	**grass**	ⓝ 1. 풀, 잔디 2. 잔디밭
□□ 0814	**weed**	ⓝ 잡초 ⓥ ~의 잡초를 뽑다
□□ 0815	**seed**	ⓝ 씨앗, 종자
□□ 0816	**sprout**	ⓝ 새싹 ⓥ 싹이 나다, 발아하다
□□ 0817	**bud**	ⓝ (식물의) 눈, 봉오리
□□ 0818	**petal**	ⓝ 꽃잎
□□ 0819	**root**	ⓝ 뿌리 ⓥ 뿌리 뽑다 (out)
□□ 0820	**stem**	ⓝ (식물의) 줄기, 대 ⓥ 유래하다, 시작되다 (from)
□□ 0821	**thorn**	ⓝ 가시
□□ 0822	**branch**	ⓝ 1. 나뭇가지 2. 분점, 지점
□□ 0823	**bough**	ⓝ (나무의) 큰 가지
□□ 0824	**maple**	ⓝ 단풍나무
□□ 0825	**bamboo**	ⓝ 대나무

□□ 0826	**needle**	ⓝ 1. (침엽수의) 바늘처럼 뾰족한 잎 2. 바늘
□□ 0827	**pine tree**	ⓝ 소나무
□□ 0828	**cherry tree**	ⓝ 벚나무
□□ 0829	**cactus**	ⓝ 선인장
□□ 0830	**trunk**	ⓝ 1. 나무의 몸통 부분 2. 코끼리의 코
□□ 0831	**bark**	ⓝ 나무껍질 ⓥ (개가) 짖다 (at)
□□ 0832	**fertilizer**	ⓝ 비료
□□ 0833	**bush**	ⓝ 관목, 작은 나무들이 우거진 관목 숲
□□ 0834	**palm**	ⓝ 1. 야자수 2. 손바닥
□□ 0835	**bulb**	ⓝ 1. 구근, 알뿌리 2. 전구
□□ 0836	**poisonous**	ⓐ 독이 있는
□□ 0837	**herb**	ⓝ 약초, 허브
□□ 0838	**cut off**	1. 잘라내다 2. 차단하다
□□ 0839	**little by little**	조금씩, 천천히
□□ 0840	**day by day**	나날이, 서서히

Day 29

Animals

□□ 0841 **lion** ⓝ 사자

□□ 0842 **rat** ⓝ 쥐

□□ 0843 **bat** ⓝ 박쥐

□□ 0844 **snake** ⓝ 뱀

□□ 0845 **fox** ⓝ 여우

□□ 0846 **tiger** ⓝ 호랑이

□□ 0847 **whale** ⓝ 고래

□□ 0848 **bear** ⓝ 곰

□□ 0849 **deer** ⓝ 사슴

□□ 0850 **turtle** ⓝ 거북

□□ 0851 **kangaroo** ⓝ 캥거루

□□ 0852 **giraffe** ⓝ 기린

□□ 0853 **zebra** ⓝ 얼룩말

□□ 0854 **camel** ⓝ 1. 낙타 2. 낙타색, 황갈색

□□ 0855 **dolphin** ⓝ 돌고래

□□ 0856 **shark** ⓝ 상어

□□ 0857 **leopard** ⓝ 표범

□□ 0858 **frog** ⓝ 개구리

□□ 0859 **dinosaur** ⓝ 공룡

□□ 0860 **bird cage** ⓝ 새장

□□ 0861 **fish tank** ⓝ 어항

□□ 0862 **octopus** ⓝ 문어, 낙지

□□ 0863 **jellyfish** ⓝ 해파리

□□ 0864 **sea horse** ⓝ 해마

□□ 0865 **hippo** ⓝ 하마

□□ 0866 **rhino** ⓝ 코뿔소

□□ 0867 **crocodile** ⓝ 악어

□□ 0868 **lizard** ⓝ 도마뱀

□□ 0869 **make friends (with)** 친구를 사귀다, ~와 친해지다

□□ 0870 **on one's own** 혼자, 혼자 힘으로

Day 30

Birds & Insects

□□ 0871 **insect** ⓝ 곤충

□□ 0872 **bee** ⓝ 벌

□□ 0873 **wing** ⓝ 날개

□□ 0874 **hen** ⓝ 암탉

□□ 0875 **spider** ⓝ 거미

□□ 0876 **butterfly** ⓝ 나비

□□ 0877 **beetle** ⓝ 딱정벌레

□□ 0878 **ladybug** ⓝ 무당벌레

□□ 0879 **flea** ⓝ 벼룩

□□ 0880 **mosquito** ⓝ 모기

□□ 0881 **swan** ⓝ 백조

□□ 0882 **penguin** ⓝ 펭귄

□□ 0883 **eagle** ⓝ 독수리

□□ 0884 **beak** ⓝ 부리

□□ 0885 **crow** ⓝ 까마귀

□□ 0886 **pigeon** ⓝ 비둘기

□□ 0887 **parrot** ⓝ 앵무새

□□ 0888 **goose** ⓝ 거위

□□ 0889 **cuckoo** ⓝ 뻐꾸기

□□ 0890 **owl** ⓝ 올빼미

□□ 0891 **peacock** ⓝ 공작새

□□ 0892 **ostrich** ⓝ 타조

□□ 0893 **swallow** ⓝ 제비 ⓥ 삼키다

□□ 0894 **moth** ⓝ 나방, 좀벌레

□□ 0895 **cricket** ⓝ 귀뚜라미

□□ 0896 **caterpillar** ⓝ 애벌레, 유충

□□ 0897 **hummingbird** ⓝ 벌새

□□ 0898 **such as** ~와 같은

□□ 0899 **all the time** 내내, 줄곧

□□ 0900 **thanks to** ~ 덕분에, ~ 때문에

Day 31

The Environment

□□ 0901 **pollution** ⓝ 오염

□□ 0902 **protect** ⓥ 보호하다

□□ 0903 **separate** ⓥ 분리하다

□□ 0904 **environment** ⓝ 환경

□□ 0905 **effect** ⓝ 영향, 효과

□□ 0906 **resource** ⓝ 자원

□□ 0907 **destroy** ⓥ 파괴하다, 부수다

□□ 0908 **global warming** ⓝ 지구 온난화

□□ 0909 **damage** ⓝ 손상, 피해

□□ 0910 **garbage** ⓝ 쓰레기

□□ 0911 **share** ⓥ 공유하다

□□ 0912 **cause** ⓥ 야기하다

□□ 0913 **ruin** ⓝ 1. 파괴 2. 유적, 폐허 [보통 *pl.*]
ⓥ 파멸시키다

□□ 0914 **raw** ⓐ 날것의, 가공하지 않은

□□ 0915 **electricity** ⓝ 전기

□□ 0916	pure	ⓐ 순수한
□□ 0917	smog	ⓝ 스모그, 연무
□□ 0918	fuel	ⓝ 연료
□□ 0919	fossil	ⓝ 화석
□□ 0920	acid	ⓝ 산 ⓐ 산성의
□□ 0921	toxic	ⓐ 유독한
□□ 0922	exhaust	ⓝ 배기가스 ⓥ 다 써버리다
□□ 0923	shortage	ⓝ 부족, 결핍
□□ 0924	reduce	ⓥ 줄이다
□□ 0925	endangered	ⓐ 멸종 위기의, 위험에 처한
□□ 0926	leak	ⓝ 누출 ⓥ 새다
□□ 0927	overuse	ⓝ 남용 ⓥ 남용하다
□□ 0928	greenhouse	ⓝ 온실
□□ 0929	be worried about	~에 대해 걱정하다
□□ 0930	back and forth	1. 앞뒤로 2. 왔다갔다

Section

05

Science & Education

Day 32

Science & Technology

□□ 0931	electric	ⓐ 전기의
□□ 0932	invent	ⓥ 발명하다
□□ 0933	machine	ⓝ 기계
□□ 0934	data	ⓝ 자료, 정보
□□ 0935	important	ⓐ 중요한
□□ 0936	cell	ⓝ 세포
□□ 0937	prove	ⓥ 증명하다
□□ 0938	inform	ⓥ 알리다, 통지하다
□□ 0939	experiment	ⓝ 실험 ⓥ 실험하다
□□ 0940	method	ⓝ 방법
□□ 0941	chemical	ⓐ 화학의 ⓝ 화학 약품
□□ 0942	measure	ⓥ 측정하다
□□ 0943	technology	ⓝ 기술
□□ 0944	inspect	ⓥ 조사하다
□□ 0945	imagine	ⓥ 상상하다

□□ 0946 **visible** ⓐ 눈에 보이는

□□ 0947 **vacuum** ⓝ 진공, 공백 ⓥ (진공청소기로) 청소하다

□□ 0948 **react** ⓥ 반응하다

□□ 0949 **mobile** ⓐ 이동성의 ⓝ 휴대 전화

□□ 0950 **charge** ⓥ 충전하다

□□ 0951 **multiply** ⓥ 1. 곱하다 2. 증가시키다

□□ 0952 **gravity** ⓝ 중력

□□ 0953 **browse** ⓥ 검색하다

□□ 0954 **device** ⓝ 장치

□□ 0955 **delete** ⓥ 삭제하다

□□ 0956 **wireless** ⓐ 무선의

□□ 0957 **transmit** ⓥ 1. 보내다, 전송하다 2. 전염시키다

□□ 0958 **formula** ⓝ 공식

□□ 0959 **lead to** ~로 이어지다, ~을 초래하다

□□ 0960 **come up with** ~을 찾아내다, 생각해 내다

Day 33 Space

□□ 0961	earth	ⓝ 지구
□□ 0962	planet	ⓝ 행성
□□ 0963	universe	ⓝ 우주
□□ 0964	solar	ⓐ 태양의
□□ 0965	lunar	ⓐ 달의
□□ 0966	crew	ⓝ (비행기, 배의) 승무원
□□ 0967	rocket	ⓝ 로켓 ⓥ 로켓으로 쏘아 올리다
□□ 0968	outer	ⓐ 외부의, 외곽의
□□ 0969	surface	ⓝ 표면
□□ 0970	Mercury	ⓝ 1. 수성 2. 수은
□□ 0971	Venus	ⓝ 금성
□□ 0972	Mars	ⓝ 화성
□□ 0973	Jupiter	ⓝ 목성
□□ 0974	Saturn	ⓝ 토성
□□ 0975	ring	ⓝ 고리, 반지

□□ 0976 comet ⓝ 혜성

□□ 0977 telescope ⓝ 망원경

□□ 0978 Milky Way ⓝ 은하수

□□ 0979 space shuttle ⓝ 우주 왕복선

□□ 0980 space station ⓝ 우주 정거장

□□ 0981 eclipse ⓝ 식(蝕)

□□ 0982 satellite ⓝ 위성

□□ 0983 orbit ⓝ 궤도 ⓥ 궤도를 그리며 돌다

□□ 0984 galaxy ⓝ 은하

□□ 0985 astronomy ⓝ 천문학

□□ 0986 astronomer ⓝ 천문학자

□□ 0987 Big Bang ⓝ 빅뱅(우주의 탄생을 가져 온 것으로 여겨지는 대폭발)

□□ 0988 light year ⓝ 광년(빛이 1년에 나아가는 거리로 약 9조 4670억 킬로미터)

□□ 0989 far from 1. ~에서 멀리 2. 전혀 ~이 아닌

□□ 0990 by chance 우연히, 뜻밖에

Day 34 Energy

□□ 0991 **power** ⓝ 힘, 권력, 에너지

□□ 0992 **produce** ⓥ 생산하다, 만들어 내다

□□ 0993 **wind** ⓝ 바람

□□ 0994 **coal** ⓝ 석탄

□□ 0995 **mine** ⓝ 1. 광산 2. 지뢰 ⓥ 채굴하다

□□ 0996 **factory** ⓝ 공장

□□ 0997 **dam** ⓝ 댐

□□ 0998 **heat** ⓝ 열 ⓥ 가열하다

□□ 0999 **battery** ⓝ 배터리

□□ 1000 **consume** ⓥ (특히 연료·에너지·시간을) 소모하다

□□ 1001 **generate** ⓥ 생성하다, 발생시키다

□□ 1002 **nuclear** ⓐ 원자핵의

□□ 1003 **windmill** ⓝ 풍차

□□ 1004 **tidal** ⓐ 조수의

□□ 1005 **careless** ⓐ 부주의한

□□ 1006 **transform** ⓥ 바꾸다, 변형시키다

□□ 1007 **natural gas** ⓝ 천연가스

□□ 1008 **abundant** ⓐ 풍부한, 풍족한

□□ 1009 **utility pole** ⓝ 전신주

□□ 1010 **solar collector** ⓝ 태양열 집열기

□□ 1011 **transmission tower** ⓝ 송전탑

□□ 1012 **radioactive** ⓐ 방사능을 가진

□□ 1013 **power line** ⓝ 송전선

□□ 1014 **conserve** ⓥ 1. 보전하다 2. 아끼다, 절약하다

□□ 1015 **efficiency** ⓝ 효율

□□ 1016 **crisis** ⓝ 위기

□□ 1017 **authorized** ⓐ 권한이 부여된

□□ 1018 **be made up of** ~로 구성되다, 이루어지다

□□ 1019 **turn into** ~로 변하다, 바뀌다

□□ 1020 **and so on** (기타) 등등

Day 35

Education

□□ 1021 **exam** ⓝ 시험

□□ 1022 **college** ⓝ 단과대학

□□ 1023 **university** ⓝ 종합대학

□□ 1024 **elementary** ⓐ 기초의, 기본이 되는

□□ 1025 **tutor** ⓝ 가정교사, 개인 지도 교사

□□ 1026 **discuss** ⓥ 토론하다

□□ 1027 **explain** ⓥ 설명하다

□□ 1028 **memorize** ⓥ 암기하다

□□ 1029 **entrance** ⓝ 입장, 입학

□□ 1030 **educate** ⓥ 교육하다, 육성하다

□□ 1031 **kindergarten** ⓝ 유치원

□□ 1032 **graduate** ⓥ 졸업하다

□□ 1033 **knowledge** ⓝ 지식

□□ 1034 **counsel** ⓝ 상담 ⓥ 상담하다, 권고하다

□□ 1035 **admit** ⓥ 받아들이다, 인정하다

□□ 1036 evaluate ⓥ 평가하다

□□ 1037 submit ⓥ 제출하다

□□ 1038 lecture ⓝ 강의

□□ 1039 instruct ⓥ 교수하다, 가르치다

□□ 1040 absent ⓐ 결석한

□□ 1041 attend ⓥ 출석하다, 참석하다

□□ 1042 semester ⓝ 학기

□□ 1043 alternative ⓝ 대안 ⓐ 대안의

□□ 1044 academic ⓐ 학술적인, 학문적인

□□ 1045 pupil ⓝ 학생

□□ 1046 intelligence ⓝ 지성, 지능

□□ 1047 scholarship ⓝ 장학금

□□ 1048 encourage ⓥ 용기를 북돋우다, 격려하다

□□ 1049 pay attention to ~에 주의하다, 주목하다

□□ 1050 play a role (in) (~에서) 역할을 하다

Day 36

School

□□ 1051 **classroom** ⓝ 교실

□□ 1052 **chalk** ⓝ 분필

□□ 1053 **textbook** ⓝ 교과서

□□ 1054 **partner** ⓝ 짝, 동료, 협력자

□□ 1055 **homework** ⓝ 숙제

□□ 1056 **math** ⓝ 수학

□□ 1057 **conversation** ⓝ 대화, 회화

□□ 1058 **classmate** ⓝ 급우, 학급 친구

□□ 1059 **senior** ⓝ 선배 ⓐ 손위의, 최고 학년의

□□ 1060 **locker** ⓝ (자물쇠가 달린) 사물함, 로커

□□ 1061 **chalk board** ⓝ 칠판

□□ 1062 **marker** ⓝ 마커펜

□□ 1063 **club** ⓝ 동아리

□□ 1064 **hall** ⓝ 강당, 부속 회관

□□ 1065 **subject** ⓝ 1. 과목 2. 주제

□□ 1066	project	ⓝ 1. 계획, 기획 2. 프로젝트
□□ 1067	library	ⓝ 도서관
□□ 1068	P.E.	ⓝ 체육
□□ 1069	hallway	ⓝ 복도
□□ 1070	principal	ⓝ 교장
□□ 1071	schoolmate	ⓝ 학교 친구, 동창생
□□ 1072	homeroom teacher	ⓝ 담임 선생님
□□ 1073	auditorium	ⓝ 강당
□□ 1074	cafeteria	ⓝ 식당, 간이식당, 구내식당
□□ 1075	assignment	ⓝ 과제, 숙제
□□ 1076	laboratory	ⓝ 실습실, 연습실
□□ 1077	bulletin board	ⓝ 게시판
□□ 1078	ask ~ a favor	~에게 부탁을 하다
□□ 1079	get along with	~와 잘 지내다, 어울리다
□□ 1080	take part in	~에 참여[참가]하다

Section

06

Society & Culture

Day 37

Society & Economy

□□ 1081 value ⓝ 가치, 값 ⓥ 소중히 여기다

□□ 1082 local ⓐ 지역의, 현지의

□□ 1083 crowd ⓝ 군중

□□ 1084 debt ⓝ 빚, 부채

□□ 1085 salary ⓝ 급여

□□ 1086 invest ⓥ 투자하다

□□ 1087 duty ⓝ 1. 의무, 임무 2. 세금

□□ 1088 status ⓝ 지위, 상태

□□ 1089 culture ⓝ 문화

□□ 1090 citizen ⓝ 시민, 국민

□□ 1091 public ⓐ 대중의, 공공의, 공개된

□□ 1092 supply ⓝ 공급 ⓥ 공급하다

□□ 1093 demand ⓝ 수요 ⓥ 요구하다

□□ 1094 import ⓝ 수입 ⓥ 수입하다

□□ 1095 export ⓝ 수출 ⓥ 수출하다

□□ 1096	account	ⓝ 계좌
□□ 1097	employ	ⓥ 고용하다
□□ 1098	individual	ⓝ 개인 ⓐ 개인의, 개인적인
□□ 1099	relationship	ⓝ 관계, 사이
□□ 1100	tradition	ⓝ 전통
□□ 1101	consumer	ⓝ 소비자
□□ 1102	responsibility	ⓝ 책임
□□ 1103	influence	ⓝ 영향 ⓥ 영향을 미치다
□□ 1104	obstacle	ⓝ 장애, 장애물
□□ 1105	property	ⓝ 재산, 소유물
□□ 1106	moral	ⓝ 도덕, 윤리 ⓐ 도덕적인
□□ 1107	donate	ⓥ 기부하다
□□ 1108	predict	ⓥ 예측하다, 예언하다
□□ 1109	show off	자랑하다, 내세우다
□□ 1110	look for	~을 찾다, 구하다

Day 38

Politics & Law

□□ 1111	vote	ⓝ 투표 ⓥ 투표하다
□□ 1112	party	ⓝ 정당
□□ 1113	gap	ⓝ 차이, 격차
□□ 1114	justice	ⓝ 정의
□□ 1115	crime	ⓝ 범죄
□□ 1116	murder	ⓝ 살인
□□ 1117	victim	ⓝ 희생자
□□ 1118	argue	ⓥ 논하다, 주장하다
□□ 1119	punish	ⓥ 처벌하다, 벌주다
□□ 1120	policy	ⓝ 정책
□□ 1121	illegal	ⓐ 불법적인
□□ 1122	guilty	ⓐ 유죄의, 죄책감의
□□ 1123	innocent	ⓐ 무죄의, 결백한
□□ 1124	majority	ⓝ 대다수, 과반수 ⓐ 다수의
□□ 1125	minority	ⓝ 소수 ⓐ 소수의

□□ 1126	suspect	ⓝ 용의자 ⓥ 의심하다
□□ 1127	witness	ⓝ 목격자, 증인 ⓥ 목격하다
□□ 1128	arrest	ⓝ 체포 ⓥ 체포하다
□□ 1129	candidate	ⓝ 후보자
□□ 1130	government	ⓝ 1. 정부 2. 통치
□□ 1131	elect	ⓥ 선출하다
□□ 1132	trial	ⓝ 1. 재판 2. 시행
□□ 1133	sentence	ⓝ 1. 형벌 2. 문장 ⓥ 선고하다
□□ 1134	protest	ⓝ 항의 ⓥ 항의하다
□□ 1135	compensate	ⓥ 보상하다, 변상하다
□□ 1136	diplomat	ⓝ 외교관
□□ 1137	represent	ⓥ 대표하다, 나타내다
□□ 1138	democracy	ⓝ 민주주의
□□ 1139	be supposed to	1. ~하기로 되어 있다, ~해야 한다 2. ~으로 여겨진다
□□ 1140	look into	~을 조사하다, 살펴보다

Day 39

History & Religion

□□ 1141	peace	ⓝ 평화
□□ 1142	war	ⓝ 전쟁
□□ 1143	century	ⓝ 세기, 100년
□□ 1144	age	ⓝ 1. 나이 2. 시대, 시기
□□ 1145	battle	ⓝ 싸움, 전투
□□ 1146	pray	ⓥ 기도하다, 기원하다
□□ 1147	soul	ⓝ 정신, 영혼
□□ 1148	belief	ⓝ 믿음, 신념
□□ 1149	invade	ⓥ 침입하다, 침략하다
□□ 1150	attack	ⓝ 공격 ⓥ 공격하다
□□ 1151	weapon	ⓝ 무기
□□ 1152	empire	ⓝ 제국
□□ 1153	rule	ⓝ 1. 지배, 통치 2. 규칙 ⓥ 지배하다, 통치하다
□□ 1154	religious	ⓐ 종교의
□□ 1155	charity	ⓝ 자선, 자애

□□ 1156 **faithful** ⓐ 신실한, 성실한

□□ 1157 **independence** ⓝ 독립

□□ 1158 **revolution** ⓝ 혁명

□□ 1159 **ancient** ⓐ 고대의, 구식의

□□ 1160 **Buddhism** ⓝ 불교

□□ 1161 **Christianity** ⓝ 기독교

□□ 1162 **Hinduism** ⓝ 힌두교

□□ 1163 **Islam** ⓝ 이슬람교

□□ 1164 **Judaism** ⓝ 유대교

□□ 1165 **colony** ⓝ 식민지

□□ 1166 **civilization** ⓝ 문명

□□ 1167 **spiritual** ⓐ 정신적인, 영적인

□□ 1168 **ceremony** ⓝ 의식, 예식

□□ 1169 **date back** ~까지 거슬러 올라가다

□□ 1170 **be based on** ~에 기초하다, 근거하다

Day 40

The World

□□ 1171 different ⓐ 다른

□□ 1172 global ⓐ 세계적인

□□ 1173 race ⓝ 1. 인종, 민족 2. 경주

□□ 1174 national ⓐ 국가의

□□ 1175 fund ⓝ 기금

□□ 1176 foreign ⓐ 외국의

□□ 1177 international ⓐ 국제적인

□□ 1178 community ⓝ 1. 주민, 지역 사회 2. 공동체 (의식)

□□ 1179 population ⓝ 인구

□□ 1180 increase ⓝ 증가 ⓥ 증가하다

□□ 1181 decrease ⓝ 감소 ⓥ 감소하다

□□ 1182 urban ⓐ 도시의

□□ 1183 rural ⓐ 시골의

□□ 1184 region ⓝ 지역, 지방

□□ 1185 border ⓝ 1. 국경 2. 경계

□□ 1186	**aid**	ⓝ 원조, 지원, 구조
□□ 1187	**suffer**	ⓥ (고통 등을) 겪다, 당하다 (from)
□□ 1188	**native**	ⓝ ~ 출신자, 토착민 ⓐ 토착의, 타고난
□□ 1189	**orphan**	ⓝ 고아
□□ 1190	**support**	ⓝ 원조, 지원 ⓥ 원조하다, 지지하다
□□ 1191	**rescue**	ⓥ 구하다
□□ 1192	**immigrate**	ⓥ (타국에서) 이민을 오다
□□ 1193	**hunger**	ⓝ 배고픔, 기아
□□ 1194	**ethnic**	ⓐ 민족의, 인종의
□□ 1195	**organization**	ⓝ 기구
□□ 1196	**statistic**	ⓝ 통계치
□□ 1197	**agreement**	ⓝ 1. 협정, 계약 2. 동의, 합의
□□ 1198	**mutual**	ⓐ 서로의, 상호의
□□ 1199	**break out**	발발하다, 발생하다
□□ 1200	**consist of**	~으로 이루어지다, 구성되다

MEMO